EL MAESTRO
DE LOS ENIGMAS

EL

MAESTRO

DE LOS

ENIGMAS

DANIELLE TRUSSONI

Traducción de Francisco García Lorenzana

☾ UMBRIEL

Argentina • Chile • Colombia • España
Estados Unidos • México • Perú • Uruguay

Título original: *The Puzzle Master*
Editor original: Random House, un sello de Penguin Random House LLC,
Nueva York
Traducción: Francisco García Lorenzana

1.ª edición: junio 2023

Copyright © 2023 *by* Danielle Trussoni
All Rights Reserved
© de la traducción 2023 *by* Francisco García Lorenzana
© 2023 *by* Urano World Spain, S.A.U.
Plaza de los Reyes Magos, 8, piso 1.º C y D – 28007 Madrid
www.umbrieleditores.com

ISBN: 978-84-19030-54-2
E-ISBN: 978-84-19699-03-9
Depósito legal: B-6.828-2023

Fotocomposición: Ediciones Urano, S.A.U.
Impreso por Romanyà Valls, S.A. – Verdaguer, 1 – 08786 Capellades (Barcelona)

Impreso en España – *Printed in Spain*

En memoria de James Alan McPherson (1943-2016),
que me enseñó que escribir ficción es una forma de juego.

«El Ser Supremo es quien ha creado
y resuelto todos los juegos posibles».

—GOTTFRIED WILHELM LEIBNIZ

El síndrome del savant adquirido es un trastorno médico raro, pero real, por el cual una persona normal adquiere capacidades cognitivas extraordinarias después de un trauma cerebral. Existen menos de cincuenta casos de síndrome del savant adquirido en el mundo.

PUZLE UNO

EL
PUZLE
DE
DIOS

1

24 de diciembre de 1909
París, Francia

Para cuando leas esto, te habré causado mucha tristeza, y por eso te pido perdón. Como sabes, hijo mío, soy un hombre acosado, y aunque el peaje ha sido duro, al final he hecho las paces con mis demonios. No escribo esto como una excusa por lo que he hecho. Sé muy bien que no hay perdón para eso, ni a los ojos de Dios ni a los de los hombres. Aun así, escribo este relato de mi descubrimiento por pura necesidad. Se trata de mi última oportunidad para recopilar los acontecimientos increíbles, los acontecimientos terribles y maravillosos, que cambiaron mi vida y, si te aventuras en estos misterios que estoy a punto de relatar, también cambiarán la tuya.

¿Qué, preguntarás, es responsable de semejante tormento? Te lo explicaré, pero ten cuidado: en cuanto sepas la verdad, no te resultará fácil olvidarla. Me ha perseguido cada minuto de cada día. No había manera de ignorarla. Me sentí atraído por su misterio como la polilla que da vueltas alrededor de la llama: *In girum imus nocte et consumimur IgnI*. Y, aunque soy afortunado de haber sobrevivido para dar testimonio de la verdad, incluso ahora, cuando me encuentro al borde del abismo, no puedo evitar encogerme ante la idea de confiarte un secreto tan peligroso.

He sufrido, pero se trata del sufrimiento de un hombre que ha creado su propia cámara de tortura. Creía que podía conocer lo que no debe ser conocido. Quería ver cosas, cosas secretas, y por eso levanté el velo entre lo humano y lo divino, y miré directamente a los ojos de Dios. Esa es la naturaleza del enigma: ofrecer alternativamente dolor y placer. Y aunque la verdad que estoy a punto de revelarte te pueda impresionar, si te ofrece el más mínimo refugio de esperanza, entonces esta, mi última comunicación, habrá logrado todo lo que pretende.

2

9 de junio de 2022
Ray Brook, Nueva York

Mike Brink giró hacia una carretera rural, condujo a través de un bosque verde y perenne y se detuvo delante del alto portón metálico de la prisión. Su perra, una dachshund de un año llamada Conundrum[1] —Connie, para abreviar—, dormía en el suelo de la camioneta, camuflada entre las sombras. Estaba tan quieta y callada que cuando el guardia de seguridad se acercó a la camioneta de Brink y miró dentro, no la vio. Se limitó a comprobar el carnet de conducir de Brink en una lista y señaló hacia un edificio imponente de ladrillo que parecía más adecuado para una película de terror que para el brillante sol de junio.

Mike Brink tenía una cita con la Dra. Thessaly Moses, la psicóloga jefe del Centro Penitenciario del Estado de Nueva York, una cárcel femenina de mínima seguridad en la aldea de Ray Brook, Nueva York. Lo había llamado la semana anterior y le había pedido que acudiera a la prisión para hablar con ella. Una de las prisioneras había dibujado un rompecabezas extraño y desconcertante, y necesitaba su ayuda para descifrarlo. Por su trabajo como creador de rompecabezas y su fama después de

---

1. Literalmente, enigma, misterio, acertijo, adivinanza. *(N. del T.)*

que la revista *Time* lo proclamase como el constructor de puzles de más talento del mundo, Mike Brink, de 32 años, se veía inundado de enigmas. La mayoría de ellos los resolvía en un instante. Pero por la descripción de la Dra. Moses, este puzle parecía peculiar, diferente de cualquier otro que hubiera visto antes. Cuando le pidió que le hiciera una foto y se la enviase por correo electrónico, ella le respondió que no se podía arriesgar a hacerlo. Los registros de las internas eran confidenciales.

—No debería hablar con usted en absoluto de este tema, —le comentó—. Pero se trata de una paciente única, que se ha convertido en alguien importante para mí.

Y por eso, a pesar de sus compromisos, y las trescientas millas en coche, Mike Brink aceptó desplazarse hasta el norte del estado para verla. Los rompecabezas eran su pasión, su manera de que el mundo tuviera sentido, y a este no se podía resistir.

La prisión era ominosa, con torres y ventanas oscuras y estrechas. Cuando leyó sobre su historia, descubrió que se construyó en 1903 como un sanatorio para el tratamiento de la tuberculosis. El aire limpio, la gran altitud y los bosques interminables habían formado parte integral de la cura. La fama de la institución le llegó por su aparición en *La campana de cristal* de Sylvia Plath. Plath visitó a su novio mientras se estaba recuperando de la tuberculosis en estas instalaciones y después había recreado el sanatorio en su ficción. Ahora la instalación albergaba a cientos de internas. Desde el aparcamiento vio un patio rodeado por una valla metálica coronada con alambre de espino y, detrás de ella, una construcción moderna en bloques de hormigón, cuya seriedad presentaba un contraste sorprendente con los excesos góticos del edificio original. Rodeándolo todo se extendía un mar interminable del denso bosque perenne, una barrera natural entre las prisioneras y el resto del mundo: aunque una interna consiguiera superar la valla, aunque lograra liberarse de la maraña de alambre de espinos, se encontraría en medio de la nada.

Brink aparcó a la sombra, llenó un cuenco de plástico con agua para Connie, la acarició por detrás de las orejas largas y suaves, y conectó un ventilador portátil en el encendedor de la camioneta, abriendo un poco la ventanilla para que se sintiera cómoda. Normalmente no la habría dejado sola, pero no iba a tardar mucho y el aire de la montaña era frío, nada que ver con el calor húmedo y pesado de Manhattan.

—Vuelvo enseguida —le dijo, y se encaminó hacia la prisión.

En la entrada principal se detuvo ante la garita de seguridad, depositó su cartera en bandolera en una bandeja de plástico, mostró al guardia su carnet de conducir y el certificado de vacunación del Covid, y atravesó el detector de metales. Había recibido autorización previa para entrar con su cartera —que contenía el portátil, el móvil y un cuaderno de notas y un bolígrafo— y se sintió aliviado de que el guardia no intentara requisárselo.

Una mujer con un vestido suelto azul marino estaba de pie esperándolo. Era alta y delgada con los ojos de un marrón oscuro, la piel oscura y el pelo cortado en media melena. Se presentó como la Dra. Thessaly Moses, la psicóloga jefa.

Él no se tuvo que presentar. Estaba claro que lo había buscado en Google. Aun así, se lo quedó mirando durante un rato demasiado largo y él supo que estaba sorprendida por su aspecto. Medía 1,85 y era atlético, delgado y fuerte y (según le habían dicho) guapo, no se parecía en anda a lo que la gente esperaba de (como su madre se burlaba a veces de él) «un friki de los puzles». Llevaba sus Converse All Stars rojas favoritas, unos Levi's negros y una chaqueta deportiva encima de una camiseta que decía ALGUIEN HACE ALGO.

Además de las fotos, la búsqueda de Mike Brink en Google habría dado como resultado un videoclip de su aparición a través de Zoom en *The Late Show con Stephen Colbert*, grabada durante el confinamiento a causa de la pandemia en 2020. Había conducido a Colbert en una visita a su biblioteca de enigmas y había abierto una de sus cajas puzles japonesas, que habían inspirado un chiste sobre sushi. Existía una página de la Wikipedia que enlazaba con la página de pasatiempos de *The New York Times*, donde era uno de los creadores habituales; una lista de competiciones de enigmas que había ganado, y un enlace con un perfil en *Vanity Fair* que recogía toda su biografía: la infancia normal en el Medio Oeste, el trágico accidente que había alterado su cerebro y el don milagroso que había aparecido como consecuencia.

—Muchas gracias por acudir con tanta rapidez —dijo—. Habría ido hasta la ciudad, pero no puedo dejar a mis pacientes.

—Desde luego ha despertado mi curiosidad —reconoció—. Su descripción hizo que pareciera bastante inusual.

—No lo comprendo en absoluto, para ser totalmente honesta —explicó—. Pero si alguien puede arrojar algo de luz sobre esto, es usted.

Su fe en sus habilidades le preocupaba. Al crecer su fama como solucionador de enigmas, la gente asumía con frecuencia que Mike Brink poseía dones sobrehumanos. No simplemente la habilidad de recitar quince mil decimales de pi o el talento para crear un crucigrama endiablado, sino el poder de leer el futuro. Pero no tenía superpoderes y no podía hacer lo imposible. Era un tipo normal con un don singular: «una isla de genialidad», como lo llamaba su médico. Lo único que podía hacer era intentarlo.

—¿Lo trae consigo? —preguntó al observar una carpeta bajo su brazo.

—Si me acompaña podremos hablar en privado —indicó la Dra. Moses, haciéndole un gesto a Brink para que la siguiera por un pasillo.

Aunque sabía que la prisión había sido creada conforme a un molde diferente al de las instalaciones modernas, una parte de él esperaba ver celdas con bloques de cemento y ventanas enrejadas, todas las imágenes que había visto en las películas. En su lugar, la Dra. Moses lo condujo a través de un espacio tranquilo, casi placentero, institucional —las ventanas estaban reforzadas—, pero humano. Había arbustos en macetas cerca de los detectores de metales, obras de arte en las paredes y moqueta en los pasillos. Los recintos del sanatorio de tuberculosos se habían adaptado a una prisión moderna de la misma manera que una iglesia antigua se podría adaptar a un centro de meditación zen: habían cambiado los símbolos y la decoración, pero la estructura esencial seguía siendo la misma.

Lo acompañó hasta su despacho moderno y luminoso, cerrando la puerta a sus espaldas. Él se quedó de pie en un espacio meticulosamente organizado: un escritorio inmaculado, carpetas archivadoras con códigos de colores organizadas en un estante, un Mac de sobremesa, todo perfectamente anodino hasta que sus ojos cayeron sobre un cubo de Rubik colocado en la repisa de la ventana. Era un modelo moderno, los cubos de plástico en lugar de con pegatinas, una mezcla de azul, verde, amarillo, naranja, rojo y blanco. Los cubos estaban dispuestos de manera que mostraban intentos regulares y fracasados de resolverlo, semanas, quizá meses de giros y regiros de alguien —asumió que Thessaly Moses— empeñado en alinear los seis campos de colores. Tamborileó con sus dedos en un lado de la pierna, atravesándole una energía nerviosa. El simple hecho de ver el cubo en un estado de desorden lo inundaba de una necesidad apabullante de ordenarlo.

Al darse cuenta de su interés, Thessaly tomó el cubo y lo fue girando con la punta de los dedos.

—Lo gané el año pasado en la fiesta de la oficina antes de las vacaciones —explicó—. Esperaba el Magic 8 Ball. Sigo intentando resolverlo, pero es una batalla perdida. Para ser honesta, no sé por qué lo sigo haciendo. ¿Cuál es el interés en perder el tiempo en un ejercicio inútil?

Brink analizó cada lado del cubo mientras Thessaly le daba vueltas delante de él. Tres movimientos hacia delante en el sentido de las agujas del reloj, dos movimientos hacia atrás en el sentido contrario a las agujas, un movimiento a la derecha, cinco movimientos a la izquierda… Veía la serie de movimientos claramente en su mente, cada uno conduciendo a un alineamiento perfecto de los colores en los seis lados.

—El sentido —explicó, apartando los ojos del cubo y encontrándose con la mirada de Thessaly— es que existen más de cuarenta y tres trillones de combinaciones posibles, pero solo una solución. —Vio que había captado su atención y continuó—. ¿Le gustaría experimentar algo tan absolutamente singular?

—Tenga —le dijo, lanzándole el cubo—. Muéstremelo.

Lo atrapó con la mano izquierda, miró cada lado, de manera que cada bloque de colores se alinease en su mente, y resolvió el cubo en veinte movimientos y, estimó, unos quince segundos. No era el mejor —Mats Valk, el campeón mundial de velocidad en resolver el cubo, lo podía hacer en 5,5 segundos—, pero aun así era bastante bueno. Una inyección de adrenalina lo recorrió cuando colocó el cubo resuelto en la mano de Thessaly. Esa era la razón por la que resolvía puzles, precisamente esa: la sensación de que todo en el universo tenía sentido. Era como lanzar un *touchdown* ganador, como terminar un maratón, como el sexo más satisfactorio.

—Tengo talento para los ejercicios inútiles —reconoció.

Thessaly se lo quedó mirando con los ojos muy abiertos, sorprendida.

—Supongo que sí —asintió, tomando el cubo y recorriendo con el dedo los colores sólidos, trazando el orden perfecto del cubo antes de colocarlo sobre el escritorio. Empezó a preguntarle algo, dudó, pero se dejó llevar por la curiosidad—. Estoy segura de que se lo preguntan continuamente y perdóneme si me estoy entrometiendo, pero ¿cómo ha podido hacer eso?

Tenía razón. Le habían planteado miles de veces diferentes versiones de la misma pregunta. ¿Cómo funcionaba realmente su habilidad para resolver puzles? ¿Era un instinto? ¿Intuición? ¿Genio? ¿Magia? ¿Tenía una especie de ordenador en la cabeza que vomitaba respuestas? ¿Había memorizado miles de soluciones posibles de miles de puzles? ¿Cuál era el truco? Pero la verdad desnuda era que no sabía cómo ocurría. No lo podía explicar. Su cerebro lo hacía sin su permiso, de la misma manera que su corazón bombeaba sangre, o sus pulmones llenaban de oxígeno las células. Se fijaba en patrones y secuencias sin su consentimiento o, a veces, sin ser consciente de ello, y llenaba su cabeza con un diluvio de números e imágenes. Cuando quería resolver un puzle, visualizarlo era suficiente para llegar a la solución. A veces, cuando recitaba decimales de pi, listando miles de números, en su mente surgía una textura, una oleada de color que le guiaba para avanzar, como había ocurrido cuando resolvió el cubo de Rubik. Algunos médicos creían que esta mezcla de los sentidos, o sinestesia, era la respuesta de su cerebro a su lesión y la clave para su habilidad. Pero no estaba seguro. La mayoría de las veces era como abrir una puerta: la información simplemente entraba corriendo.

Thessaly se desplazó hasta el lado más alejado del despacho, le hizo un gesto para que se sentase en un sofá de dos plazas, y se sentó delante de él. Cuando se acomodaron, ella lo miró a los ojos con la atención plena que señalaba a una terapeuta entrenada. Él había visitado a suficientes después de su lesión para saber lo que podía esperar: el tono de voz empático, el intento de crear una conexión emocional. Le disgustaba esta pretensión, la carencia de autenticidad, pero Thessaly Moses parecía genuina. Lo había traído allí por una razón.

Deslizó una hoja de papel de la carpeta y se la entregó.

—Este es el dibujo —comentó—. Estoy ansiosa por saber qué cree usted que significa.

3

El papel era delgado y ligero, casi transparente. Al desdoblarlo, descubrió un círculo grande trazado con tinta negra. Del círculo salían rayos como si fuera un sol y el borde exterior estaba rodeado por los números del 1 al 72. En el mismo centro, dibujadas con trazos grandes y gruesos, había una serie de letras hebreas. Sin esfuerzo, sin ni siquiera darse cuenta de que lo estaba haciendo, empezó a analizar el círculo, su mente evaluando patrones, buscando este tipo particular de orden que distinguía a un puzle de cualquier otra cosa en el planeta: su simetría y elegancia, su tesoro escondido, su necesidad de ser resuelto. Ocurría siempre que se encontraba con un patrón sorprendente o inusual; algo se encendía y crepitaba en su interior, generando una llama de curiosidad y deseo que le impedía apartarse de él.

Pero este puzle —si es que era un puzle— estaba incompleto, solo el diez por ciento estaba ocupado con números o símbolos, y el misterio de dichas ausencias le atraía, le tentaba. *¿Qué se estaba perdiendo? ¿Qué significaban los espacios en blanco?* Depositó el papel en la mesita baja que había entre los dos.

—Nunca había visto nada igual.

—Pero me puede decir lo que es, ¿no es verdad?

Contempló las letras hebreas, el torbellino de números. Estaba claro que se trataba del principio de algo... ¿pero de qué?

—Aquí hay muy poco para empezar. No hay ningún patrón sólido, ninguna secuencia obvia, nada de lo que tirar.

La expresión de la Dra. Moses cambió. Era exactamente lo que había pensado: ella esperaba de él que agitase una varita mágica y que revelara la verdad detrás de la ilusión.

—Pero eso no es posible —se quejó. Le dio la vuelta al papel, revelando dos palabras manuscritas: *Mike Brink*—. Ella me dijo que lo encontrase. Usted debe ser capaz de decirme algo sobre esto.

—¿Quién le pidió que me encontrase?

—¿Reconoce el nombre de Jess Price?

Estaba a punto de olvidarse del nombre cuando la imagen de un artículo del periódico llenó su mente. Vio una imagen en blanco y negro de una mujer, sus manos esposadas a la espalda, con un titular encima: JESS PRICE, ESCRITORA FAMOSA, DETENIDA POR ASESINATO. Sí, recordaba a Jess Price. Su historia había estado por todas partes solo unos años antes. La acusaron de asesinar a un hombre en una mansión de la Edad Dorada en la parte alta del estado. Después de su detención, se negó a hablar con la policía, con sus abogados o con la prensa, y fue condenada por homicidio sin pronunciar ni una sola palabra en su propia defensa.

—¿Se refiere a Jess Price, la escritora?

—Bueno, lleva mucho tiempo sin escribir nada —reconoció la Dra. Moses—. Lleva aquí casi cinco años y no se había comunicado con nadie hasta la semana pasada, cuando dibujó ese círculo y me dijo que se lo entregase.

—¿Por qué yo? —preguntó, aunque no era difícil de adivinar. Sus rompecabezas le habían convertido en una celebridad menor durante la última década.

—Jess Price conoce su talento. Y aunque no sé por qué dibujó este círculo, creo que puede ser la clave para comprender a la paciente más misteriosa y más frustrante con la que me he encontrado nunca. Durante años he procurado llegar a ella y en el proceso he visto cosas que me hacen dudar de mis capacidades. Lo he intentado todo para conectar con ella. Pero, aun así, ha preguntado por usted.

Él miró de nuevo el círculo, sintiendo la necesidad urgente de sumergirse en él, queriendo desvelarlo de la misma manera que un rayo de luz revela un rincón oscurecido por las sombras. En su lugar, lo apartó.

—Resolver puzles es una cosa —dijo—. Pero ¿implicarme en algo así? No lo creo.

La Dra. Moses le sostuvo la mirada durante un momento, después abrió la carpeta y la colocó delante de él.

—Este es el historial de Jess Price —le explicó—. Échele un vistazo. Quizás haya algo en él que le ayude a explicar por qué ha preguntado por usted.

En el interior encontró una pila de informes clínicos mecanografiados, cada uno con una firma al pie, un fajo de fotos y algunos artículos de diarios. Un artículo se deslizó entre las páginas y cayó sobre la mesa. Fotocopiado de un periódico del valle del Hudson, la historia mostraba una foto de Sedge House, una mansión construida cerca del río Hudson, donde un hombre de veinticinco años llamado Noah Cooke había sido brutalmente asesinado. A su lado, estaba la foto tomada después de la detención de Jess Price que había visto hacía cinco años, encabezada por el titular en negritas. La miró de cerca, comparándola con su recuerdo. Eran idénticas: Jess Price, manos esposadas, conducida al interior del tribunal.

Además de los artículos periodísticos, había un retrato de Jess Price —muy probablemente su foto como autora— y algunas imágenes sacadas de las redes sociales. Mirándolas con atención, vio a una mujer con grandes ojos azules, un cabello rubio con un corte pixie y unos rasgos afilados y delicados. Su primera impresión fue que se trataba de una mujer incapaz de herir a nadie y mucho menos de matar a un hombre.

—No parece... —estuvo a punto de decir *loca* pero se detuvo a tiempo—. Inestable.

—Según todas las noticias, no lo era. Antes de la noche del asesinato era una mujer joven y equilibrada, que llevaba una vida relativamente normal. Ahora sufre una serie de problemas de salud mental, ninguno de los cuales he sido capaz de diagnosticar con certeza. Parece que tiene alucinaciones auditivas, quiero decir que oye cosas que en realidad no existen. Sufre una ansiedad aguda que la lleva a autolesionarse: rascándose los brazos hasta herirse, negándose a comer, tirándose del cabello hasta que se lo arranca. La semana pasada se mordió las uñas hasta sangrar.

—¿Y no se ha comunicado con usted en absoluto? —preguntó, intrigado sobre cómo podía funcionar sin expresar de alguna manera sus necesidades.

La Dra. Moses abrió un sobre manila que contenía un cuaderno para tomar notas.

—Se lo entregué a Jess cuando empecé a tratarla. Supuse que sería un buen método para superar la barrera que había levantado. Escribir puede ser una herramienta terapéutica excelente. Su terapeuta anterior, el Dr. Ernest Raythe, dejó notas en las que afirmaba que había tenido algunos éxitos con un enfoque similar. Pero el resultado no fue el esperado... —Abrió el cuaderno. Estaba lleno de números y formas, cuadrículas y listas de palabras, páginas y páginas de puzles recortados de revistas y pegados en el cuaderno—. Vive en un puzle.

Brink tomó el cuaderno y lo examinó con más atención. Reconoció sus enigmas, cientos de ellos, todos completados con tinta azul.

—¿Lo ve? —le indicó la Dra. Moses, mirándolo a los ojos—, sus juegos son lo único que le interesa.

—Puzles —recalcó, sintiendo que algo se le encogía en el pecho—. Yo diseño puzles, no juegos.

Ella le devolvió una mirada divertida, como si estuviera chinchando a un niño.

—¿Hay alguna diferencia?

—Los puzles se componen de patrones. Su objetivo es que se resuelvan. Siempre existe un orden predeterminado, y siempre hay una respuesta definitiva. Con habilidad y perseverancia, siempre se podrá completar el puzle. Los juegos se ganan, con frecuencia mediante la suerte o circunstancias al azar. Incluyen un elemento de incertidumbre. Puedes tener todo el talento y la determinación del mundo y no ganar nunca un juego. Existe una gran diferencia.

La Dra. Moses le sostuvo la mirada durante un segundo antes de decir:

—Sí, bueno, sus puzles se han convertido en algo así como una obsesión para ella. Jess ha resuelto todo lo que ha publicado, así como sus puzles semanales en la revista dominical del *Times*. Hacen que salga de ella misma. Cuando trabaja en uno de sus puzles, casi está feliz. No es una exageración decir que sus puzles le han salvado la vida a Jess Price.

Nunca había pensado en sus construcciones como nada más que una diversión desafiante, una manera entretenida de pasar una relajada mañana de domingo: café, *bagels* y un puzle de Brink. Por supuesto, construía puzles con la idea de que conectarían con alguien, pero esa persona era una abstracción, sin rasgos. Y aquí estaba Jess Price, una persona real, cuya foto tenía delante. Que sus puzles se habían vuelto tan importantes para esta mujer, que le habían salvado la vida, le dejó un fuerte sentimiento de responsabilidad.

—Me alegra oír que la han ayudado —reconoció al fin.

—En realidad, la están ayudando —recalcó la Dra. Moses, con unos modales más cálidos—. Su incapacidad para expresarse ha sido profundamente perjudicial, quizás incluso más que el encarcelamiento en su celda. Sus puzles le han dado algo a lo que agarrarse. Le han permitido interactuar con el mundo. Y, mire, su primer intento de comunicarse con alguien ha sido con usted. —La Dra. Moses cerró el cuaderno y lo devolvió al sobre—. Lo que me lleva a la otra razón para que le haya pedido que viniera aquí. Tenía la esperanza de que considerara la posibilidad de conocerla.

—¿Conocerla? —preguntó, sorprendido—. ¿Quiere decir ahora?

—Será un encuentro corto —le explicó—. Pero podría ser muy beneficioso para su recuperación.

—Escuche —replicó—. Entiendo que esto es importante para usted y me gustaría ayudar, pero no me puedo quedar. La vuelta a la ciudad es un camino largo. Tengo la obligación de entregar mañana un puzle a mi editor y otro después del fin de semana. Y tengo a mi perra en la camioneta.

—La puede ver ahora —insistió ella—. Llevará quince minutos, como máximo. De hecho, ya está todo arreglado. Se le han otorgado privilegios de visita. —Sacó un distintivo de un bolsillo del vestido y se lo entregó—. He dispuesto un lugar tranquilo para que hablen. Por favor, piénselo. Además del hecho de que conocería a su mayor fan, es posible que le diga algo más sobre este dibujo.

Aunque el círculo le intrigaba y sentía un fuerte impulso para comprenderlo, algo le decía que no se implicase.

—No lo sé —respondió—. No estoy seguro de cuánto bien le puedo hacer.

—Señor Brink, nunca he invitado a nadie a hablar con alguno de mis pacientes —rogó—. Pero Jess Price no es una simple paciente. Le ocurre algo extraño. Algo que no puedo explicar. Hay momentos, cuando estoy con ella, en los que siento... No sé cómo decirlo exactamente. Miedo. Más que miedo. Terror. Como si estuviera en presencia de algo mucho más grande que yo. Algo peligroso. Este dibujo nos podría explicar la razón.

Él miró el dibujo, indeciso. Podía negarse y estar de vuelta en su loft para cenar. O se podía quedar, conocer a Jess Price y resolver uno de los puzles más extraños con los que se había encontrado.

La Dra. Moses sintió sus dudas y presionó.

—Sé que es una petición inusual. Las posibilidades de que viniese a Ray Brook, y mucho menos a ayudar a una mujer que no conoce, eran remotas. Pero usted es la única posibilidad que le queda.

La mención de las posibilidades lo dejó en silencio. Comprendía mejor que nadie cómo se sentía uno al enfrentarse a situaciones adversas. Fue una posibilidad entre un millón que sobreviviera al accidente y una posibilidad entre mil millones que su lesión le provocase el tipo de habilidad que había desarrollado. Pero ahí estaba: Mike Brink había batido las posibilidades. ¿Cómo le podía negar a nadie la posibilidad de hacer lo mismo?

Deslizó una mano en el bolsillo y sacó un dólar de plata. Desde el día de su lesión, lo llevaba siempre consigo y creía en él —el azar estructurado de un resultado cincuenta/cincuenta; su claridad brutal en momentos de incertidumbre—, más de lo que creía en ninguna otra cosa. Religión o ciencia, ficción o hecho, educación o naturaleza. No se podía confiar en nada menos confiable que lanzar una moneda.

Lo colocó encima del pulgar, en equilibrio entre el nudillo y la articulación.

—Cara, la conozco —indicó—. Cruz, me voy a casa. ¿Trato?

La Dra. Moses lo miró confundida. Era algo raro, pero si ella lo había buscado en Google, conocía todas sus excentricidades. Una vez lanzó su dólar de plata al final de una importante competición de puzles y, siguiendo su resultado, dio por perdida la partida y se fue. La Dra. Moses asintió, aceptando sus términos.

La moneda brilló sobre su piel y él sintió un temblor de anticipación, un escalofrío de incertidumbre. No era un hombre supersticioso. Creía en el poder de los patrones, en la belleza sublime de los números y en la simetría de la razón. Pero aun así esta moneda tenía un poder especial sobre su destino. Había demostrado que era un conducto, un portal a través del cual llegaba su futuro, una especie de oráculo.

Equilibrando la moneda, la lanzó al aire. Se elevó muy alto, dio una vuelta, dos y otra más antes de aterrizar en la palma de su mano. La giró, presionando el metal frío contra la piel y entonces, su pecho contraído por la tensión, levantó la mano y miró.

4

La Dra. Moses sacó un manojo de llaves del bolsillo y abrió la puerta de la biblioteca de la cárcel. Brink entró con ella en un espacio amplio lleno de estanterías con libros y largas mesas de madera. En el extremo más alejado de la sala una pared con ventanales de triple altura dominaba un jardín, donde las prisioneras estaban cuidando los parterres de flores. Cada ventana estaba compuesta por cuadrados de vidrio y, reconociendo su número —tres por tres por tres—, admiró el patrón: veintisiete cuadrados por ventana, un conjunto de cubos perfectos. La Dra. Moses lo condujo hasta una mesa cerca de las ventanas.

—Ahora iré a buscar a Jess —anunció la Dra. Moses, ofreciéndole una sonrisa agradecida—. Vuelvo en cinco minutos.

Él se acercó a la ventana y miró hacia el patio. Había un camino de tierra donde paseaban mujeres con monos grises y, más allá, el aparcamiento. Su ranchera desvencijada sobresalía en medio de los Honda, Ford y Chevy que brillaban bajo la luz del sol de finales de la mañana. Su camioneta era una Ford de 1991, rojo tomate con óxido en los bordes, que casi no había conseguido llegar a Ray Brook. Había temblado y virado cuando superó los cien y emitió un chirrido alarmante cuando metió la quinta marcha. La camioneta ya estaba en decadencia en 2008 cuando la condujo desde Cleveland hasta Boston para asistir a la universidad, pero había sido la camioneta de su padre, una de las pocas cosas que conservó después de su muerte, y no podría soportar perderla. Se averiaba continuamente, pero Brink descubrió que aceptaba las debilidades de la camioneta como uno acepta las debilidades de un perro viejo y querido: con tolerancia y una sensación de final, triste pero inevitable, que se va acercando.

La camioneta había estado presente en todos sus ritos de paso de la adolescencia: había aprendido a conducir en esa camioneta, se había emborrachado en la cabina con sus amigos, y había tenido sexo por primera vez en un saco de dormir en la parte trasera. Había conducido la camioneta el día que todo cambió, el 12 de octubre de 2007, el día de la final del campeonato estatal de fútbol escolar de Ohio. Estacionó la camioneta en el aparcamiento donde el equipo subió al autobús hacia el estadio, sin imaginarse que se lo llevarían en ambulancia unas horas después. Los asientos de vinilo desgastado y el olor acre de arena y sudor, incluso la caja de cambios que no funcionaba bien, todo le recordaba quién había sido en su momento: el *quarterback* y capitán de un equipo de fútbol campeón escolar, bien parecido y seguro de sí mismo, el tipo de chico con suerte y de trato fácil que pasaba por la vida sin demasiadas dificultades.

Siempre fue difícil concentrarse antes de un partido importante, pero esa noche fue incluso más difícil de lo habitual. Los observadores universitarios estaban presentes, mirando, y su futuro dependía de su actuación. Si ganaba, tendría un puñado de becas completas para las universidades con los principales equipos de fútbol. Si perdía, volvería a caer en las ofertas de las universidades de segunda fila que ya lo estaban cortejando. En cualquier caso, al final de esa noche se iba a ir a algún sitio con una beca de fútbol.

Incluso sin una beca deportiva, sus padres le habrían ayudado a ir a la universidad. Siempre le habían dado su apoyo, incluso cuando la liaba, como cuando superó el límite de velocidad, o se ausentó de Historia de los Estados Unidos. Mirando al otro lado del campo de fútbol, los vio en la segunda fila de la tribuna descubierta, justo detrás del equipo, con una manta de lana extendida sobre las rodillas. Su madre lo saludó con la mano cuando lo vio y su padre le hizo un gesto de ánimos con la cabeza, y sintió un momento de orgullo heliotrópico. Ahora era su oportunidad de compensarlos. Después de todo lo que habían hecho por él, todos los partidos fuera del pueblo que habían soportado, todo el equipamiento que habían comprado, todos los ánimos que le habían dado. Esta era la noche para que se sintieran orgullosos.

El ruido era ensordecedor. Los pies pisoteando, el canto en estacato de las animadoras, el ritmo primario de la banda de metal... intentó olvidarse de todo y concentrarse en el partido. Era el final de la temporada con un tiempo frío y brutal barriendo el campo y estaba preocupado porque pudiera lanzar el balón contra un muro de viento. La suerte quiso que su equipo ganase el lanzamiento de moneda. El equipo contrario eligió cruz y el árbitro sacó cara, otorgando a Mike la ventaja del viento a favor. Después del saque inicial, su equipo se encontraba en una posición fuerte, de manera que decidió tomar el control. Planteó una maniobra que abriera un paso a través del centro del campo, permitiéndole correr con el balón hasta la zona de anotación. Era un movimiento inusual, arriesgado por la distancia hasta el gol, pero un regate del *quarterback* desequilibraría al contrario y demostraría su agilidad y velocidad. Conseguir un *touchdown* en el primer minuto les demostraría quién era el amo.

Agarró el balón, retrocedió, amagó un pase y entonces corrió con todo lo que tenía. Diez yardas, veinte yardas, treinta. Sintió el balón pegado al costado. Sintió el viento helado a su espalda. Vio la zona de anotación en la distancia, abierta, esperando. Y entonces llegó el golpe. Cayó, con dureza, la cabeza golpeó el casco y todo se volvió negro.

Se despertó atado a una tabla de madera en una ambulancia. Su primer pensamiento fue que se había roto algo, pero resultó que, excepto la visión borrosa y un chichón del tamaño de un huevo de pato, no parecía que hubiera nada mal. Después de un examen exhaustivo en Urgencias, un médico le dijo que tenía una conmoción y lo envió a casa con instrucciones para ponerse hielo en la cabeza y descansar.

Las señales de que su lesión era algo más complicada llegaron unos días después. Estaba en casa, recuperándose, cuando se dio cuenta de que todo lo que tenía alrededor le parecía de alguna manera diferente. Más ordenado, más coherente que antes. Para su sorpresa, se dio cuenta de que veía patrones en todo. El suelo de mármol de la cocina —un tablero de ajedrez de baldosas negras y blancas— era una maravilla geométrica, un puzle en 3-D lleno de recorridos interminables. Una tarde se pasó cuarenta y cinco minutos en la ducha, simplemente contemplando el movimiento del agua, su trayectoria desde el sifón de la ducha hasta las baldosas y el remolino en espiral alrededor del desagüe. El agua se organizaba en elaboradas estructuras arquitectónicas: arcoíris y fractales, patrones matemáticos que se abrían delante de él en oleadas de color. Mientras contemplaba el juego de los patrones que se formaban en el agua, algo hizo clic. No sabía cómo, pero comprendía esas estructuras. Existía un sistema, un orden esencial del mundo y él lo veía.

Con el tiempo, descubrió aún más cambios en su manera de percibir el mundo. Cuando pensaba en ciertos números o letras, aparecían en su mente con colores vivos, brillantes y saturados, casi resplandecientes: el número 9 era rojo cereza, el 6 amarillo canario, el 3 de un acerado azul oscuro. Los dígitos dobles aparecían como una mezcla de colores: así, el 63 se volvía verde; el 93 de un rico ultravioleta; el 69 de un naranja brillante. Los sonidos también traían colores a su conciencia, de manera que una canción se convertía en un espectáculo de estallidos de color, un concierto pintado en el fondo de su mente.

Estos cambios en la manera de percibir el mundo eran tan extraños que al principio no dijo nada. Solo sabía que estaba experimentando alucinaciones geométricas altamente estructuradas de una manera regular, y aunque sabía que lo que veía era real, no estaba seguro de que nadie le creyera si lo intentaba explicar. Estaba convencido de que los patrones y los colores se irían desvaneciendo a medida que se curase el chichón de su cabeza. Decidió esperar, darle un poco de tiempo y ver qué pasaba.

Pero no se desvanecieron. Pasaron cuatro meses desde su lesión, pero su situación no mejoró. Estaba despierto durante toda la noche y dormía durante todo el día. Sus amigos se alejaron y su novia, Kelsey, de la que sospechaba que le gustaba más su sudadera de fútbol que él, dejó de intentar hablar con él. No podía ir a la escuela sin que le asaltase el pánico. Entonces, una noche, ya no lo pudo soportar más. Los números, los patrones y los colores inundaron su mente con una fuerza hidráulica, tantas imágenes y formas que pensó que se podría ahogar. Fue a la cocina, se sentó ante la mesa del desayuno y rompió a llorar. Necesitaba ayuda, pero no sabía cómo le podría explicar a nadie lo que estaba ocurriendo.

Su madre se unió a él en la mesa de la cocina. Insistió en que le explicase lo que estaba pasando. Mike le dijo que había estado viendo patrones en su cabeza durante meses, pero que tenía miedo de hablar de ello. Le explicó que pensaba que se estaba volviendo loco y que había considerado matarse para que parara. Su madre lo escuchó mientras describía cómo el cuadriculado negro y blanco del suelo de la cocina se abría delante de él, cómo creaba toda una variedad de patrones —un tablero de ajedrez, después un crucigrama, después una cuadrícula de números—, una matriz blanca y negra de posibilidades infinitas y cambiantes. Ella lo escuchó mientras describía un puzle que seguía apareciendo en su mente, para después desvanecerse, solo para regresar.

Su madre encontró un trozo de papel y un lápiz y se lo dio.

—Muéstrame lo que ves —le indicó y él dibujó inmediatamente un puzle, una cuadrícula numérica, una que después supo que era un cuadrado mágico clásico llamado Cuadrado

Lo Shu: una cuadrícula de nueve números cuyas columnas suman 15 por todos los lados. Más tarde supo que a este cuadrado mágico lo habían descubierto en China alrededor del 2300 a.C. No sabía nada de la historia del cuadrado cuando lo dibujó para su madre a las tres de la madrugada de una fría noche de febrero de 2008. Ella estudió el cuadrado con atención y, reconociendo que había hecho algo extraordinario, le dijo:

—Se te ha dado un don. Lo puedes ignorar, o lo puedes usar. Pero no te puedes esconder de él.

Hasta después de una resonancia magnética no comprendió que ella tenía razón. Nunca podría volver a ser quien había sido antes del accidente. Un neurocirujano le explicó que cuando golpeó el suelo, una presión de ochocientas libras por pulgada había recorrido su cráneo. Su cerebro había reculado en un contragolpe que dañó su hemisferio izquierdo. Y aunque no mostraba los síntomas usuales de un trauma cerebral —no tenía convulsiones, ni pérdida de memoria, ni daño neurológico, ni dolor—, Mike Brink había cambiado para siempre.

5

Un guardia condujo a Jess Price hasta la mesa cerca de la ventana, abrió sus esposas y se retiró al pasillo, donde se quedó al lado de la puerta.

—Si tiene algún problema... —la Dra. Moses hizo un ademán hacia el guardia, se despidió de Brink con un gesto de la cabeza y cerró la puerta a sus espaldas.

Jess Price estaba sentada ante la mesa, iluminada por la luz que atravesaba la ventana. Al acercarse, Brink le dedicó una mirada rápida, comparándola con las fotos que le había mostrado Thessaly. Aunque esas imágenes solo tenían cinco años, no se parecían a la prisionera sentada delante de él. La mujer en la foto como autora parecía pícara y traviesa, con una divertida expresión de confianza. La mujer delante de él había quedado alterada por el trauma, ablandada, como una estatua cuyos bordes afilados hubieran sido limados por los elementos. Estaba demasiado delgada, el cabello le había crecido largo y quebradizo, y había manchas de sangre seca en las puntas de sus uñas, rastros de la automutilación que había mencionado la Dra. Moses.

Aun así, había algo atractivo en ella, una presencia misteriosa que no tenía nada que ver con su apariencia. Se trataba de una cualidad indefinible, pesada como un tirón gravitatorio. No lo podía explicar, pero sintió que algo cambiaba en el aire mientras se acercaba. Era como estar al borde de un vórtice, una fuerza oscura e irresistible, excitante y amenazadora.

Colgó la bandolera en el respaldo de una silla, se quitó la chaqueta y se sentó delante de Jess. Ella lo miró con los ojos llenos de curiosidad y de algo menos definible: un interés intenso bañado de desconfianza. Estaba preparado para el silencio, pero sentarse delante de ella le provocó una honda ansiedad. El vacío entre ellos era ancho y profundo. Para llegar a ella, él debía dar el primer paso.

—La Dra. Moses me ha dicho que le gustan los puzles —comentó, finalmente, sintiéndose raro.

Su mirada estaba llena de inteligencia, una atención intensa que eliminaba cualquier posibilidad de que fuera mentalmente inestable. Al contrario, percibía un brillo detrás de sus ojos azules, atrapado y deslumbrante, como un diamante suspendido en un bloque de hielo.

—Me ha dado esto.

Brink colocó el círculo entre ellos. Lo volvió a mirar, aunque no lo necesitaba. Vio el puzle con una memoria perfecta. Era un efecto colateral, o quizás el mayor beneficio, del accidente: podía ver un patrón una vez, durante unos segundos, y recordarlo para siempre. Pero a pesar de toda su habilidad para verlo, el puzle lo dejaba perplejo. Lo llevó de vuelta al MIT, donde su profesor y mentor, el Dr. Vivek Gupta, le asignaba un problema enrevesado e imposible. Se quedaba despierto toda la noche mirándolo desde todos los ángulos posibles, dándole la vuelta, doblándolo, retorciéndolo y volviéndolo en todas las permutaciones posibles hasta que algo cambiaba en su pensamiento —como una ventana abriéndose y permitiendo que la luz entrase en una habitación a oscuras— y encontraba la manera de penetrarlo. A partir de ese punto, se podía recostar y dejar que el camino se le revelase. Veía los pasos que necesitaba dar y en qué orden. Al encontrar la solución sentía algo así como una bendición, lo que algunas personas podían llamar «gracia», pero para Brink era mucho más que eso: una solución era un bote salvavidas, lo único que evitaba que se hundiera.

Pero ahora, cuando intentaba recurrir a ese poder, el círculo solo planteaba interrogantes: ¿por qué este número en ese lugar? ¿Por qué las letras hebreas en el centro? ¿Cuál era el significado del número 72? Se aclaró la garganta y lo intentó de nuevo.

—Usted quería que lo viera y lo admito, estoy intrigado. Me muero por resolverlo. Pero necesito más información. ¿Me puede ayudar a comprender lo que estoy mirando?

Ella lo miró en silencio. Era enervante la manera como lo miraba. De repente, el aire se volvió opresivo, asfixiante. Lo presionaba, caliente y empalagoso. Podía sentir cómo se le humedecía la piel. La cercanía a Jess cambiaba algo químico en su interior, de la misma manera que la sal altera la temperatura de hervor del agua.

—Escuche —prosiguió, inclinándose hacia delante—. No sé lo que quiere decir este dibujo o el significado que pueda tener para su situación, pero la Dra. Moses cree que tiene algo que ver con lo que le ocurrió. Quiero ayudar, pero me tiene que dar algo para seguir adelante.

Ella lo siguió estudiando.

—Por ejemplo —presionó—, ¿dónde vio este círculo por primera vez? ¿Es original? ¿Una copia?

Silencio.

—El dial de números entre 1 y 72 y las letras hebreas. Se trata de una configuración inusual. Parece que falta un puñado de números y letras. ¿Sabe por qué?

Cuando no respondió, Brink dejó a un lado el círculo. Las preguntas directas no iban a funcionar. Estaba claro que ella quería comunicarse con él —¿qué otra razón habría para que hubiera apuntado su nombre en el reverso del puzle?—, pero algo la detenía. Se abrazó para protegerse, como si sus preguntas le hicieran daño. Mirándola, sintió una punzada de empatía. Le recordaba a él mismo después de su lesión: asustado, confundido, tan atrapado en su cabeza que no podía empezar a explicar por lo que estaba pasando. Había necesitado que una persona atravesase su aislamiento para llegar a él. Una persona que le creyese cuando describiese lo increíble. Su madre había sido esa persona y su paciencia lo había salvado. Quizá pudiera ser esa persona para Jess Price.

—Una vez me pasó algo —explicó, mirándola con atención—. Experimentaba cosas que parecían totalmente… bueno, locas. Veía patrones, números y colores por todas partes. Estaba aterrorizado. Quería explicarlo, pero sabía que nadie me iba a creer. Pensaría que estaba tarado. Bueno, demonios, yo creía que estaba tarado. ¿Sabe lo que cambió todo eso?

Ella negó ligeramente con la cabeza. Solo fue una reacción casi imperceptible, pero fue suficiente. Él sintió una oleada de triunfo: le había respondido.

—Esto… —Alcanzó su bandolera y sacó un cuaderno cuadriculado de bolsillo y su bolígrafo favorito, un Bic de cuatro colores con la punta retráctil, y dibujó el cuadrado que había trazado para su madre la noche que le explicó la verdad.

4	9	2
3	5	7
8	1	6

Los ojos de ella ojos miraron los números y después volvieron a Brink, interrogantes.

—Se trata de un antiguo cuadrado matemático, el Cuadrado Lo Shu, dibujado por primera vez hace unos cuatro mil años en China. Por alguna razón, no dejaba de verlo después de la lesión. Aparecía en mi mente, cada número brillando con un color, y después se desvanecía. No sabía por qué, y en realidad, aún no lo sé. Mis médicos tienen teorías, pero no me importan demasiado. Lo que importa es que, por muy extraño que parezca, lo que experimentaba era real.

Jess bajó la mirada al Cuadrado Lo Shu, estudiándolo.

—La gente experimenta continuamente cosas terroríficas, —explicó—. No soy el único. Tampoco lo es usted.

Cuando ella se encontró con su mirada, sus ojos estaban llenos de lágrimas.

—Explíqueme qué está pasando —le rogó, deslizando el dibujo del círculo entre los dos—. Yo la creo. Lo prometo.

Lentamente, Jess movió los ojos desde Brink a una esquina de la sala. Él siguió su mirada hasta una cámara de vigilancia que colgaba del techo de la biblioteca, y después de vuelta a Jess. Su expresión cambió y un escalofrío de miedo atravesó sus rasgos.

—¿Teme que nos estén mirando? —preguntó, bajando la voz hasta un susurro.

Ella asintió y todo tuvo sentido. Hasta el último rincón de la prisión estaba vigilado. Ella le quería decir algo, pero temía que la escuchasen. De repente tuvo una idea. Estaba claro que ella podía escribir números, letras y grafismos: había resuelto casi todos los puzles que había creado. Tomó el boli y escribió: *No tiene que hablar conmigo para que la escuche.*

Él empujó el cuaderno hacia ella. Ella lo estudió durante un momento sin hacer nada. Entonces tomó el boli y dibujó la horca para jugar al ahorcado. Un escalofrío lo recorrió cuando lo vio. El ahorcado actuaba bajo el mismo sistema de su puzle de palabras favorito: Wordle. Jugaba al Wordle todas las mañanas, resolviéndolo normalmente antes de que se le enfriase el café. Las reglas eran sencillas: descubres una palabra adivinando la posición de las letras. Tienes seis intentos y cada letra correcta te acerca a la respuesta. En el ahorcado, con cada intento fallido, se dibuja una parte del monigote en la horca. Demasiados errores y el monigote quedaba ahorcado y perdías.

41

— — — — —

Jess dibujó cinco espacios bajo la horca. Brink sabía por su experiencia con Wordle que solo necesitaba encontrar la posición correcta de una letra para resolver el puzle. Todas las permutaciones posibles de las palabras con una letra en dicha posición pasarían como un rayo a través de su mente, las compararía con soluciones previas —las recordaba todas— y aparecería la respuesta correcta. Era sencillo, demasiado sencillo, y sabía la respuesta en el segundo intento en el ochenta por ciento de las veces.

Bajó la vista hacia el puzle de Jess y empezó con la letra más frecuente en la lengua inglesa. Tomó el boli y escribió la letra E.

Jess negó casi imperceptiblemente con la cabeza. No había E. Dibujó la cabeza del ahorcado.

Lo intentó con las siguientes cuatro letras más frecuentes: A, I, N, O, y Jess dibujó el cuerpo, los brazos y una pierna del ahorcado. Él pudo sentir cómo se ponía en tensión. Quizás era por encontrarse cerca de Jess Price, pero nunca había tenido ningún problema con un puzle de letras. En realidad se trataba más de un juego de adivinar que de un puzle, pero aun así. Mirando la horca, vio que solo le quedaba un intento para resolverlo. Eligió la letra T. Jess sonrió y apuntó dos T en el puzle.

T __ __ __ T

Sintió una oleada de triunfo cuando la palabra apareció en su mente. Era como capturar un arcoíris en un tarro, cada letra un estallido de color, elusivo y brillante.

—Quiere saber si puede confiar en mí —susurró.

Ella lo miró a los ojos y toda la intensidad que había sentido antes regresó. Era cierto que no tenía que hablarle para que la comprendiera. Él podía sentir todos sus pensamientos.

—No soy bueno en un montón de cosas —prosiguió—. Pero siempre mantengo mi palabra. Si me dice lo que necesita, le prometo que le ayudaré lo mejor que pueda.

Ella se lo estuvo pensando, mirando el cuaderno con tanta intensidad que él esperó que estallara en llamas. Entonces, giró una página en blanco y apuntó algo, tapándolo con la mano. Cuando terminó, se mordió una uña, haciéndose una herida. La sangre formó una gota escarlata en la punta de su dedo y presionó la sangre contra la página, manchándola como si quisiera limpiarse la piel. Entonces, arrancó la página del cuaderno, la estrujó con fuerza hasta formar una bola y la presionó en la palma de él.

Al tocarlo, le asaltó una especie de parálisis. Era eléctrica, llena de una energía pulsante y caliente, una sensación tan aguda que casi no podía respirar. El tiempo pareció congelarse mientras ella se inclinaba sobre la mesa y lo besaba ligeramente en los labios. La biblioteca se desvaneció y de repente estaba dentro del puzle, su torbellino de números y símbolos alineándose en una serie de senderos interconectados a su alrededor, con Jess Price en el centro de todo ello, una mujer atrapada en un laberinto. Él la acercó devolviéndole el beso, sintiendo que entraba cada vez más en ella, cuando de repente el guardia de la prisión estaba sobre ellos.

—Nada de contacto físico con las prisioneras —anunció con voz ronca, mientras apartaba a Jess, le colocaba las esposas en las muñecas y se la llevaba.

6

La puerta de la biblioteca se cerró, dejando a Brink solo. Todo su cuerpo temblaba y, al alargar el brazo hacia su bandolera, se dio cuenta de que le temblaba la mano. *¿Qué demonios me está ocurriendo?* Su encuentro con Jess Price le había dejado mareado y desequilibrado, el corazón le latía con fuerza, su mente llena de preguntas. Se sentía como si recién hubiese acabado una competición extenuante —diez horas de puzles numéricos o ajedrez—, con el cerebro estimulado y frito.

Miró alrededor de la biblioteca, buscando un rincón privado. Las estanterías se habían distribuido para eliminar la privacidad, permitiendo que las cámaras de vigilancia tuvieran una visión sin obstáculos de toda la sala. Se colgó la bandolera al hombro, agarró la chaqueta del respaldo de la silla, se limpió el sudor de las cejas y caminó hacia la fila de ventanas. Volviéndose de espaldas a las cámaras, desplegó el papel que le había dado Jess. Estaba manchado y cubierto de rastros de sangre. Alisándolo lo mejor que pudo, descubrió cinco líneas garabateadas en el centro de la página. Jess Price había escrito un mensaje:

Thus we eat red apples, every
Wonderful kind,
Pink Lady,
Hokuto, Earlygold, Liberty,

McIntosh.[2]

Eso era todo. Cinco líneas de… ¿qué? ¿Poesía? Las volvió a leer, intentando captar su significado. No tenían ningún sentido. Esa mujer no se había comunicado con nadie en años, y cuando lo hace, ¿escribe un poema críptico sobre variedades de manzanas? Sintió la necesidad urgente de arrugarlo y tirarlo a la papelera, pero sabía que había algo más. Jess había tenido miedo de que la oyesen y también había tenido miedo de que pudieran interceptar un mensaje escrito. Este poema podía ser una adivinanza.

Normalmente, una adivinanza se basa en un cuerpo de conocimientos compartidos, algunos puntos de referencia comunes que las dos personas comprenden. Pero Jess Price y él no tenían ninguna historia en común, y desde luego nunca habían hablado sobre manzanas. Miró por la ventana, como si pudiera haber manzanos en el patio, pero no había nada más que un camino polvoriento.

Metiendo la mano en el bolsillo izquierdo, buscó su dólar de plata. Era un dólar Morgan, acuñado en 1899, una moneda de coleccionista que valía unos cientos de dólares. El árbitro había lanzado esa misma moneda antes de empezar el partido del campeonato estatal, solo minutos antes de la lesión de Brink. Era una tradición que el equipo ganador se quedase con la moneda. Su equipo había ganado sin él y votó unánimemente entregársela a él.

Había adquirido la costumbre de acariciarla entre el pulgar y el índice mientras pensaba, un hábito que había dejado el borde tan liso como un canto rodado. Aunque habitualmente le ayudaba a centrarse, ahora no le estaba sirviendo de nada. Pronunció las sílabas que había escrito Jess, con la esperanza de que pudiera aparecer alguna pista en el ritmo, pero no había una cadencia

---

2. Así comemos manzanas rojas, cada/maravillosa variedad,/Pink Lady,/Hokuto, Earlygold, Liberty,/McIntosh. (*N. del T.*)

regular. Colocó las palabras juntas en una línea, eliminando los espacios, intentando ver si podía surgir un mensaje. No apareció. No tenía ningún sentido, ni siquiera como adivinanza.

Entonces, se dio cuenta de algo inusual: las manchas de sangre estaban colocadas en puntos diferentes sobre el papel. No estaban distribuidas al azar, como había pensado al principio, sino ordenadas, cada gota de sangre ubicada sobre una letra. Jess había apretado la punta del dedo sobre ocho letras en la primera fila, cuatro en la segunda, y así seguía. De esta manera había marcado 28 letras.

Al instante recorrió las variadas posibilidades matemáticas del número 28: es el segundo número perfecto, un número divisor armónico, un número triangular. Es un número Størmer y el cuarto número mágico en física. Pero, al volver a leer el acertijo, vio que el número 28 no tenía ningún significado en este contexto.

Y entonces, de repente, todo encajó. Por supuesto, los números no tenían nada que ver. Jess Price era una escritora y se comunicaría con palabras, no con números. No era una adivinanza, sino un lenguaje cifrado, un texto de escritura codificada, y en realidad una bastante clara. Ella había marcado letras con sangre y esas letras eran la clave para descifrar un mensaje.

> Thus we eat red apples, every
> Wonderful kind:
> Pink Lady,
> Mokulo, Marigold, Liberty,
> McIntosh

El desafío desencadenó algo elemental en Mike Brink, un ansia primaria, mezclada con curiosidad y deseo. Quería hacerse cargo del misterio y domarlo, conservarlo solo para él y descubrir sus secretos uno a uno hasta que su dificultad se deshiciera en sus manos. En definitiva, el puzle lo había atrapado. No tenía más alternativa que resolverlo.

Devolvió el dólar de plata al bolsillo, tomó el bolígrafo de la bandolera y apuntó las letras marcadas al final de cada línea:

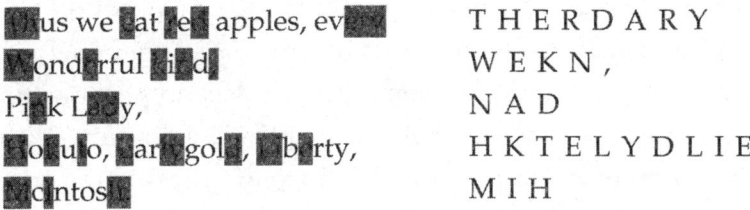

▓us we ▓at ▓e▓ apples, ev▓▓	T H E R D A R Y
▓ond▓rful ▓i▓d▓	W E K N ,
Pi▓k L▓▓y,	N A D
▓o▓u▓o, ▓ar▓gol▓, ▓b▓rty,	H K T E L Y D L I E
▓c▓ntos▓	M I H

Era obvio que las letras estaban mezcladas. Tendría que ponerlas en orden para comprender su significado. A Brink no le llevó más de unos segundos recolocar las letras en su imaginación, moviéndolas de un lado para otro hasta que formaron patrones de palabras. Apuntó las palabras en una tercera columna al lado del texto cifrado y las volvió a leer.

▓us we ▓at ▓e▓ apples, ev▓▓	T H E R D A R Y	Dr Raythe
▓ond▓rful ▓i▓d▓	W E K N ,	.knew,
Pi▓k L▓▓y,	N A D	and
▓o▓u▓o, ▓ar▓gol▓, ▓b▓rty,	H K T E L Y D L I E	they killed
▓c▓ntos▓	M I H	him.

Escribió la frase y la leyó: *Dr. Raythe knew, and they killed him.* [3]

---

3. El Dr. Raythe lo sabía y lo mataron. *(N. del T.)*

7

Mike Brink llamó dos veces a la puerta del despacho de la Dra. Thessaly Moses, dos golpes fuertes, más fuertes de lo que había sido su intención. No hubo respuesta y lo intentó de nuevo, sintiendo la necesidad urgente de hablar con ella. Su encuentro con Jess lo había dejado desequilibrado, como si hubiera cambiado su centro de gravedad. No podía dejar de ver su rostro o de sentir la atracción oscura que había experimentado a su alrededor. Todo el cuerpo le seguía cosquilleando a causa de su beso. No lo quería admitir, ni siquiera a sí mismo, que estaba abrumado. Esperaba que la Dra. Moses le pudiera proporcionar alguna perspectiva.

—Señor Brink. —La voz de la Dra. Moses procedía del otro extremo del vestíbulo. Llevaba una chaqueta blanca encima del vestido azul marino y del hombro le colgaba un bolso de mano Louis Vuitton, del que sobresalían unos expedientes. En la mano sostenía una bolsa de lona para el almuerzo y no había error en asumir que acababa de llegar de regreso de comer.

—Dra. Moses —la saludó—. ¿Es un buen momento?

—Por favor, llámeme Thessaly, y por supuesto, pase —respondió, abriendo el despacho. Le sostuvo la puerta y después la cerró—. Estoy deseosa por saber cómo ha ido en la biblioteca.

No estaba seguro de hasta qué punto debía revelar su conversación con Jess Price. Había estado con Jess un total de treinta minutos, pero, a pesar de ello, sentía una fuerte sensación de lealtad hacia ella y, después del beso, una necesidad desconcertante de comprenderla. Quería ayudarle. ¿Pero cómo? El mensaje cifrado dejaba claro que lo que le había dicho era privado y él debía ocultárselo a las autoridades penitenciarias, pero no la podía ayudar por sí mismo. Y si había alguien en el mundo que quisiera ayudar a Jess era Thessaly Moses. De hecho, Jess había metido a Thessaly en esto al pedirle que lo encontrase. Ese simple hecho ya la marcaba como alguien en quien confiar.

Thessaly dejó el bolso en el escritorio y tomó un sorbo de café.

—¿Cómo ha ido?

—No como esperaba, por decirlo en pocas palabras.

Ella le lanzó una mirada llena de curiosidad.

—¿Cómo es eso?

—Seguramente se lo van a comunicar los guardias, así que mejor que se lo diga directamente: me besó —le explicó.

—¿Lo besó? —preguntó Thessaly, sorprendida.

—A través de la mesa. Un guardia se la llevó.

—Por supuesto que lo hizo —confirmó, moviendo la cabeza con incredulidad—. No está permitido ningún contacto físico y besar está totalmente...

—Eso no es todo lo que ocurrió —la interrumpió.

—¿Qué? —preguntó, cruzando los brazos sobre el pecho, como si se estuviera abrazando.

—Escribió algo.

Los ojos de Thessaly se entornaron.

—¿Se comunicaron a través de la escritura?

—Algo así —respondió—. Planteó otro puzle. Una cifra.

Thessaly se apoyó en el escritorio.

—Sospechaba que respondería bien a su presencia, pero estoy sorprendida de que se haya abierto con tanta rapidez.

—No estoy seguro de si se sentirá tan entusiasmada cuando sepa lo que ha escrito.

Thessaly parecía perpleja.

—¿De qué se trata?

—¿Cómo me dijo que se llamaba el terapeuta anterior? —preguntó.

—El Dr. Raythe —respondió Thessaly, sorprendida—. ¿Por qué lo pregunta?

—Me dijo que el Dr. Raythe había conseguido llegar a Jess, —dijo, sopesando sus palabras—. Que sus métodos funcionaron con ella.

—Por los informes que dejó, creo que es cierto —reconoció—. Brevemente. Fuera lo que fuere, no duró.

Recordó la solución del mensaje cifrado de Jess: *El Dr. Raythe lo sabía y lo mataron.* ¿Qué sabía exactamente?

—¿Él tenía algún tipo de información especial sobre ella?

—No tengo ni idea —respondió, claramente confundida.

—Si la hubiera tenido —prosiguió—, ¿podría haber llevado algún tipo de archivo? ¿Notas del caso o algo?

—Por supuesto, eso forma parte del trabajo —respondió, con el ceño fruncido y la voz con un tono defensivo, como si él estuviera sugiriendo que había pasado por alto algo importante—. Pero he leído todas sus notas. No hay nada que sugiera que tuviera ninguna información nueva o extraordinaria sobre ella.

—¿Habría alguna manera de que les echara otro vistazo?

—Bueno —afirmó la doctora—. No sé de qué iba a servir. He repasado todo lo que escribió. El Dr. Raythe dejó sus expedientes en un caos total y mis primeras semanas en este puesto las pasé intentando ordenarlos. No era demasiado organizado, pero dudo que hubiera dejado sin documentar algo tan importante como la información sobre Jess Price... Pero, espere. Déjeme comprobar una cosa.

Se acercó al otro lado del escritorio.

—Hubo una digitalización a gran escala de los expedientes de las internas que tuvo lugar alrededor de la época en que sustituí al Dr. Raythe. Si algunos de sus archivos no se digitalizaron totalmente, pueden estar almacenados. —Tecleó algo en un ordenador de sobremesa, se detuvo a leer lo que había aparecido en pantalla y se volvió hacia Brink—. Parece una posibilidad. Es posible que el Dr. Raythe haya conservado algunos de sus archivos en una vieja zona de almacenamiento. ¿Qué tal si le echo un vistazo y le informo de lo que encuentre?

—Eso sería estupendo —reconoció Brink, sintiendo cómo le crecía la excitación. Si ella podía encontrar información en los archivos de Raythe, él podría abrirse camino en lo que Jess Price estaba intentando decirle—. Una cosa más... me dijo que usted sustituyó al Dr. Raythe. ¿Por qué?

Ella le lanzó una mirada extraña, intentando comprender hacia dónde iba con sus preguntas.

—Este puesto quedó libre porque el Dr. Raythe falleció, —respondió.

—¿Y eso ocurrió de repente?

—Sí, su muerte fue repentina. Me entrevistaron y contrataron con rapidez, esa es una de las razones de que su papeleo estuviera tan desordenado.

—Creo que debería ver esto —dijo, sacando la hoja de Jess de la bandolera y mostrándosela a Thessaly: *El Dr. Raythe lo sabía y lo mataron*—. Jess Price cree que el Dr. Raythe fue asesinado.

Vio que la expresión de Thessaly pasaba del escepticismo a la más pura consternación.

—Pero es totalmente, totalmente imposible —replicó Thessaly, horrorizada—. Su coche pasó por encima de una placa de hielo en la Ruta 32 y atravesó el guardarraíl. Fue un accidente. Todo el mundo lo sabe.

—Todo el mundo excepto Jess Price.

Thessaly volvió a leer el papel y después lo dobló por la mitad.

—No lo entiendo —reconoció al final—. ¿Por qué se iba a comunicar de esta manera?

—Porque tiene miedo de alguien —concluyó él—. Por eso le pidió que me trajera. Puedo ver lo que otras personas no pueden. ¿Cree que en los archivos del Dr. Raythe podría haber algo que pudiera explicar por qué se siente de esa manera?

—Los miraré, pero me puede llevar algún tiempo —aceptó Thessaly—. Los archivos antiguos se almacenan en una zona sin uso de la prisión y tengo que obtener una autorización. Si se pone en contacto conmigo por la mañana, le diré cómo voy en el proceso.

Brink tenía planeado conducir inmediatamente de vuelta a la ciudad —no tenía una muda de ropa o ni siquiera un cepillo de dientes y la comida de Connie estaba en su casa—, pero no había ninguna posibilidad de que se fuera sin comprender mejor lo que Jess Price estaba intentando decirle.

—Buscaré un hotel —dijo—. Pero me gustaría ver de nuevo a Jess. ¿Puede gestionar una reunión?

Thessaly se mordió el labio mientras evaluaba la petición.

—No puedo prometer nada. Me llevó una buena dosis de persuasión organizar una reunión y es posible que mi supervisor no apruebe otra. Dicho esto, lo que ha ocurrido hoy ha sido un avance enorme. Ha conseguido que Jess Price se comunicase con usted, que es más de lo que ha conseguido nadie, así que veré lo que puedo hacer. No se vaya muy lejos, señor Brink. Lo llamaré en cuanto sepa algo.

8

Vintage, estridente y enorme como una valla publicitaria, el cartel de neón de The Starlite anunciaba HABITACIONES CON AIRE ACONDICIONADO y COMPLETO con destellos brillantes en rojo y azul. Brink dirigió su camioneta al aparcamiento y paró el motor. Era una corazonada, pero había algo en el cartel que le recordaba a su hogar: los viejos moteles y autocines que seguían punteando el paisaje del Medio Oeste. Hacía años que no había vuelto a Ohio, pero entrar en The Starlite Motel fue como si se sintiera de vuelta en casa.

Se registró en la recepción en el edificio principal, donde una docena de llaves colgaban de un tablero, una señal clara de que, en realidad, no estaba completo. Se aseguró de que Conundrum fuera bienvenida y pagó una salida tardía, de manera que Connie se pudiera quedar en la habitación mientras él volvía a la prisión al día siguiente, tomó una manzana de un cuenco al lado de la máquina del café y se fue a su habitación.

Se alojaba en el número 3, el número primo más pequeño y extraño, el primer primo Marsenne y el segundo primo Fibonacci, un cuarto oscuro con un techo bajo, una cama enorme y una vieja consola de aire acondicionado. Una alfombra de color verde musgo se extendía hasta un cuarto de baño de la década de los cincuenta, cuyas baldosas turquesa y ducha minúscula olían a lejía. El sitio estaba en ruinas y las luces de neón probablemente lo mantuvieran despierto toda la noche, pero no importaba. No se iba a quedar mucho tiempo y el Starlite estaba cerca de la cárcel.

Lanzando la bandolera sobre el escritorio, preparó la comida que había comprado para Conundrum en el supermercado de la autopista: un cuarto de libra de lomo picado, cogollos de brócoli y tiras de zanahoria. Connie era carnívora, criada para cazar, así que la alimentaba con carne fresca cuando podía. La cuidaba muy bien. Vigilaba su ingesta diaria de grasas y proteína, se aseguraba de que tuviera huesos para fortalecer los dientes y le daba mucha agua filtrada. Los pocos amigos que habían conocido a Connie se daban cuenta de que cuidaba mejor a su perra que a sí mismo, y era verdad: la dieta de Connie era más saludable que la suya.

Cuidar de su perra se había convertido en una parte importante de su vida. Había adoptado a Conundrum de cachorra durante la pandemia, cuando estaba solo y necesitaba a un amigo. A lo largo de los meses de confinamiento, había estructurado su vida alrededor de ella: sacarla de paseo, tirarle la pelota de goma en el parque, enseñarle trucos. Ella había aprendido todos los habituales —ir a buscar, rodar, sacudirse— y también algunos trucos poco comunes, como ir a buscar muchos frisbis y (su favorito) hacerse la muerta. Nunca habría imaginado que iba a pasar tanto tiempo con una dachshund de pelo corto de veinte libras, pero así estaban las cosas: Conundrum era su compañera más cercana.

Mientras Connie comía, Brink sacó el portátil y encontró su puzle nuevo. Se trataba de un Triangulum, un demonio geométrico que estaba construyendo para *The New York Times*. Lo había empezado a construir como lo hacía siempre. Primero, creó las soluciones. Después, en cuanto supo cómo terminaba, trabajó hacia atrás, alienando los enigmas y las pistas de manera que parecieran tan inevitables como sorprendentes. Normalmente, era bastante fácil. Intuitivo. Pero por alguna razón, no podía conseguir que el Triangulum quedase bien. El reto para Brink no era nunca la construcción de un puzle —lo podía hacer dormido—, sino lograr hacer un gran puzle, uno que consiguiera equilibrar todos los elementos. Debía desafiar, pero no frustrar; ser elusivo, pero no inextricable; y, sobre todo, un gran puzle debía generar una sensación de satisfacción al resolver cada una de las pistas. Construir un puzle de ese tipo era un arte y Mike Brink era un artista.

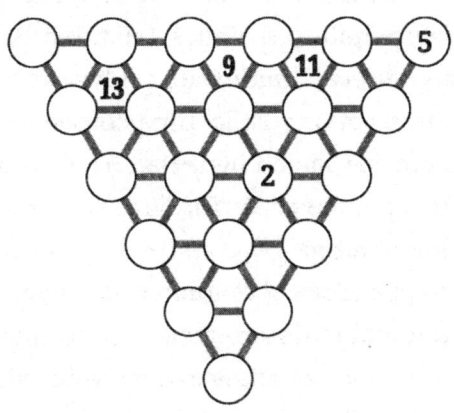

Para resolver un Triangulum, se debe colocar un número del 1 al 6 en cada círculo, sin que un número aparezca más de una vez a lo largo de ninguna de las líneas grises. Dispuso tres números dentro de los triángulos de tres círculos. Esos tres círculos debían sumar un número más grande. Era elegante, lógico y desafiante, su tipo de puzle preferido.

Cuando lo terminó, se conectó al wifi del motel y lo envió en un mensaje de correo electrónico a su editor. No mencionó que había escondido su nombre en el puzle, pero tampoco era necesario que lo hiciera. Su editor sabía que a Brink le gustaba dejar mensajes en sus puzles —sus iniciales, su nombre, algún secreto sobre sí mismo—, ocultos entre las soluciones.

Después de enviarlo, abrió el buscador y tecleó las palabras: *Jess Price escritora asesina*. Los hechos eran muy claros. Jess Price de veintitrés años había acudido a Sedge House para cuidar de la casa. La habían detenido el 9 de julio de 2017 por el asesinato de Noah Cooke, de veinticinco años, su novio. Tres meses después fue condenada por homicidio y había pasado cinco años en la cárcel sin haber explicado qué ocurrió aquella noche. Buscó detalles más concretos sobre el crimen, pero no había mucho más que eso.

A medida que leía sobre Jess Price, quedaba claro que nada en su pasado sugería que fuera capaz de un crimen tan horrendo. Había nacido en la ciudad de Nueva York, se graduó en la Stuyvesant High School y después asistió al Barnard College con una beca académica, donde había sido una estudiante excelente. Con veintitrés años publicó una colección de relatos cortos que fueron una sensación literaria. Brink recuperó la reseña de portada en la página web de *The New York Times* y la leyó: *Los relatos de Price son pequeños golpes que rompen las costillas del lector de una en una hasta exponer el corazón al aire libre.* Su página web hacía tiempo que había desaparecido, pero una entrada en la Wikipedia detallaba sus muchos éxitos. Había sido finalista del National Book Award y ganó el Young Lions Award de la Biblioteca Pública de Nueva York. Una de las historias de su colección se había vendido para su adaptación al cine. Entonces, en el otoño de 2017, a los veintitrés años, había sido condenada por homicidio y sentenciada a treinta años en el Centro Penitenciario del Estado de Nueva York.

Cuando cruzó su nombre con páginas web que ofrecen personas para cuidar casas en ausencia de los propietarios, apareció inmediatamente su antiguo perfil. Había una foto y una biografía corta —*Licenciatura en Inglés en Barnard, natural de Nueva York, buena con los animales*— algunos comentarios de cinco estrellas y elogios personales: *fiable, comunicativa, amistosa, responsable, meticulosa.* Cuando aceptó el trabajo en Sedge House, parecía que era una joven equilibrada y con talento, como había explicado Thessaly.

Pero las descripciones que leía no se acercaban a todo lo que había sentido en su presencia. El peligro y la oscuridad. La sensación de que estar cerca de ella era como estar de pie al borde de un acantilado. Se maravilló por la transformación increíble que había sufrido la persona que fue Jess a la persona que era ahora.

Solo recordar lo que Jess le había hecho sentir hizo que le recorrieran escalofríos. No era como nadie que hubiera conocido antes. ¿Cómo lo había dicho la Dra. Moses? *Lo único que quiere es vivir en un puzle.* La realidad era que se sentía como alguien al que hubieran metido en uno de sus propios puzles. El rato en la prisión lo había dejado más intranquilo de lo que lo había estado desde hacía años. Estaba agotado, todos los músculos tensos, como si hubiera corrido hasta la extenuación o hubiera pasado la tarde en medio del tráfico de Manhattan. Intentó encontrar la clave de lo que le había puesto en semejante estado, pero no conseguía averiguarla. Había algo a la vez excitante y aterrador en ella, una cualidad que reconocía de las diferentes competiciones de puzles en las que había participado a lo largo de los años. Tenía la impresión de que se estaba enfrentando a un oponente formidable, que al final lo podría vencer.

Estaba claro que ella provocaba una respuesta emocional muy fuerte en todo el mundo. Navegando por el motor de búsqueda, descubrió miles de artículos y videoclips sobre Jess Price, grupos de discusión, chats archivados e hilos de Reddit. La gente tomaba partido, tenía teorías sobre sus motivos, sus escritos, incluso su apariencia. Un periodista la había descrito como *jolie-laid*, un término francés que su madre solía usar para aludir a las mujeres cuya belleza derivaba de una combinación de rasgos únicos y a veces poco favorecedores. Leyó que estaba loca, que la habían alterado, que era inocente, que era culpable.

Al principio, el mundo literario había defendido la inocencia de Jess: su editor, su agente literario y el portavoz del National Book Award publicaron una declaración conjunta de apoyo. Cuando se negó a defenderse en el juicio, sus partidarios bajaron el tono. Pero, aun así, la presencia de Jess Price permaneció. Su libro de relatos cortos siguió en la lista de los más vendidos durante meses después del juicio, y se escribió una biografía no autorizada, que después se adaptó en una película. Brink encontró una página de fotos de Jess Price colocada al lado de mujeres bellas y con talento que habían muerto jóvenes: Edie Sedgewick y Jean Seberg, a las que se parecía. Jess Price se había convertido en un icono, una figura de culto, quizás una asesina, quizás una víctima de las circunstancias, nadie lo sabía con seguridad.

Al tropezar con un enlace con *The New Yorker online*, leyó un relato corto de Jess Price, publicado en la revista en 2017, meses antes de su detención. Como tantas historias en *The New Yorker*, no había casi ninguna trama, pero aun así se encontró atrapado por cierta textura en la narración y por un uso inquietante del lenguaje: un niño acerbo, una espalda gibosa, una tormenta tartamuda. Se titulaba «El molino de viento», lo que le resultó raro, porque en toda la historia no aparecía ningún molino de viento.

Después de leer durante poco más o menos una hora, tenía una buena imagen de quién había sido Jess Price antes del crimen. Tenía una lista de datos sobre su vida, información sobre su carrera literaria, las opiniones de sus seguidores y las teorías de sus detractores. Y aun así, a pesar de las páginas y páginas de información que había encontrado sobre ella, sabía que Jess no era la persona sobre la que había leído *online*. No era la estudiante brillante, o la cuidadora de casas amistosa, la escritora joven, brillante y prometedora, o ni siquiera la figura de culto trágica y hermosa. No, él se había topado con alguien más en la biblioteca de la cárcel, una mujer atrapada en un torno que la aplastaba, que extraía todo lo que había sido en su momento, dejando atrás una versión destilada.

Había oscurecido cuando cerró el portátil. No había comido desde el almuerzo y se dio cuenta de que tenía hambre, así que llamó para que le trajeran una pizza de pepperoni grande con aceitunas negras. Mientras esperaba, sacó su navaja suiza Victorinox y peló la manzana que había tomado en el vestíbulo del motel. Llevaba la navaja de bolsillo desde el octavo curso, cuando su madre se la regaló para su cumpleaños. Era una de sus posesiones más preciadas y, como el dólar de plata, era una conexión con quien había sido antes de la lesión. Sosteniendo la manzana en la mano izquierda, insertó la punta de la hoja bajo la piel roja y la fue girando hasta formar una espiral de Arquímedes perfecta, de manera que la distancia siempre creciente entre la piel y el corazón generaba una sensación de orden y bienestar que le resultaba infinitamente tranquilizadora.

Finalmente llegó la pizza, abrió una botella de cerveza de la mininevera, se sentó al borde de la cama king-size y comió directamente de la caja, su mente llena de pensamientos sobre Jess Price. No conseguía comprenderla. ¿Por qué le había pedido a Thessaly Moses que lo encontrase? ¿Se trataba realmente del puzle circular que le había mostrado Thessaly? ¿Había algo que no estaba viendo? ¿Realmente habían asesinado a Ernest Raythe? Ella le había pedido que le tuviera confianza, pero ¿podía confiar en ella? ¿O todo esto era solo la creación de una mujer inestable que había desarrollado una obsesión por sus puzles?

Cuando acabó de comer, Brink descargó un archivo de audio de una entrevista de 2017 de la NPR[4] que Jess Price concedió a Terri Gross y la escuchó en la cama. La voz de esa mujer era muy diferente a la de la mujer en la biblioteca: más joven, más brillante y llena de optimismo. Habló durante unos minutos sobre la naturaleza de ser una escritora en un mundo que se preocupaba más de Twitter que de Tolstoi, y acerca de su próximo libro, una novela en la que estaba trabajando y sobre la que prefería «no hablar», haciendo una broma sobre cómo su ficción estallaba instantáneamente en el momento en que hablaba sobre ella. La diferencia entre la persona divertida y sensata de la entrevista y la mujer que había conocido en la biblioteca de la prisión le hizo pensar. Jess Price había sido una persona completamente distinta.

Era tarde cuando apagó las luces y se metió en la cama. Se fue quedando dormido escuchando el ritmo de la voz de Jess

---

4. National Public Radio: servicio de radiodifusión pública de los EE.UU. (*N. del T.*)

Price. Aunque estaban a kilómetros de distancia, sintió su presencia con tanta fuerza como si estuviera allí mismo, a su lado en la cama. Le inundó una sensación de pesadez, el mismo tirón gravitatorio que había sentido cuando estaba sentado delante de ella en la biblioteca de la cárcel. ¿Qué quería de él? ¿Por qué no podía dejar de pensar en ella? Su imagen revoloteó por su mente: sus rasgos delicados, su cabello rubio como la miel, sus ojos azules sorprendentemente magnéticos. Lo había atraído a la prisión con un puzle, lo había atrapado con un código cifrado y ahora sentía la necesidad desesperada de descifrarla. Pero nada de lo que sabía de Jess Price tenía sentido. Las pistas que le daba eran oscuras; los patrones, dislocados. Quizá sus contradicciones formaran parte del puzle. Ella había establecido las reglas del juego y, si había alguien en el mundo cualificado para jugarlo, ese era Mike Brink.

9

Esa noche Jess vino a él en un sueño. Estaban juntos en un bosque de árboles perennes, espesos y fragantes. Había desaparecido la mujer que había conocido en la prisión, habían desaparecido el mono gris y la apariencia demacrada, había desaparecido la fragilidad. En su lugar se alzaba una criatura luminosa con un vestido rojo, hermosa y confiada, cuyo ser en su totalidad emanaba seducción.

Tomándolo de la mano, lo condujo por un sendero cubierto de raíces, a través de densas zonas de piceas. A medida que penetraban en lo más profundo del bosque, toda la incertidumbre que había sentido sobre ella, la oscuridad enervante que había notado en su presencia, se transformó en atracción pura. No recelaba de ella. No cuestionaba sus motivos. Por el contrario, estaba seguro de que esa mujer le estaba destinada como ninguna otra. Cuando le apretó la mano, sintió una sensación apabullante de conexión. Estaban juntos, intrincadamente unidos. De repente no estaba seguro de dónde acababa su cuerpo y empezaba el de ella.

—Date prisa —le dijo, sonriendo por encima del hombro mientras lo conducía cada vez más hacia las profundidades del bosque. Su voz era hermosa, clara y vibrante en el aire frío—. Sígueme.

Cuando salieron del bosque y entraron en un claro, había caído la noche, el cielo se había oscurecido hasta un púrpura agitado y turbio. Las velas iluminaban una mesa de banquetes donde esperaba un festín: bandejas de carne, soperas humeantes, cuencos rebosantes de fruta. Jess tomó una granada, la abrió y le ofreció la carne bermeja, pero cuando dio un bocado las velas parpadearon y saboreó sus labios. El beso fue electrizante, profundamente erótico, más poderoso que nada que hubiera sentido antes. Era un beso que, en la escalera de Escher de su sueño, ocurrió en el presente, en el pasado y en el futuro a la vez, un beso que abrió miles de posibilidades. Ella lo abrazó con fuerza, arrastrándolo en su abrazo, y él sintió una necesidad primaria de ella, una profunda ansia física, pero también que ella lo conocía —sus secretos, sus inseguridades, lo que más deseaba— y él la conocía a ella.

—Sabía que vendrías —le dijo, apartándolo—. No es fácil llegar aquí. La mayoría de las personas no pueden encontrar el camino. Pero tú no eres como la mayoría de las personas.

—¿Dónde estamos? —preguntó él, intentando aferrarse al mundo tembloroso que le rodeaba.

—Escucha —replicó, colocando una llave en su mano—. Tómala. La necesitarás para dejarme salir.

Sentía la llave caliente sobre su piel, vieja y oxidada.

—He estado sola durante tanto tiempo, durante tantísimo tiempo —le explicó—. No puedes imaginar lo sola que he estado. Eres la primera persona que viene aquí en miles de años. Pero ahora todo eso ha pasado. Estás aquí. Tienes la llave. La guardarás. Prométemelo.

—Pero no sé…

—Prométemelo —repitió, mirándolo con una intensidad furiosa—. Cuando encuentres la puerta sabrás lo que tienes que hacer.

Él metió la llave en el bolsillo.

—Lo prometo —asintió, y mientras hablaba el paisaje cambió y aparecieron tendidos en una cama inmensa con un dosel. Jess se quitó la ropa prenda a prenda y lo ató a los postes, fijando sus tobillos y muñecas a la madera con sábanas blancas. Tendido de espaldas, incapaz de moverse, contempló cómo ella se desnudaba, cómo recorría su cuerpo con sus manos, cómo se encaramaba y se apretaba contra él. La luz de la luna creaba figuras de luz y sombra sobre su piel, un claroscuro cambiante. Él cerró los ojos, sintiendo todos sus roces. Ella era implacable y carnal, sensual, sus movimientos una especie de hechicería. Él no había experimentado nunca nada como ella, y sin embargo todo en ella era misteriosamente familiar: su aroma, la sensación de su respiración en la oreja, los suaves sonidos de placer que emitía, la manera en que descansaba la cabeza sobre su pecho, su cabello derramándose sobre él. Ella hacía que lo olvidara todo: quién era, por qué estaba allí, qué quería. En la dimensión del sueño, no había ninguna pregunta sobre por qué estaban juntos. Ella lo había llamado y él había acudido a ella. Y ahora, él le pertenecía.

Cuando el sueño empezó a desvanecerse, Jess se abrazó a él con más fuerza, como si lo quisiera mantener allí un poco más. Pero todo se estaba esfumando. Las velas se apagaron; la cama desapareció; el bosque se difuminó. Él intentó aferrarse a Jess, pero su piel se volvió quebradiza bajo la presión de sus caricias. Las fisuras se abrieron en su piel como las grietas a través de un espejo, dejando un patrón en forma de panal. Sus mejillas, su cuello, sus brazos, cada parte de su cuerpo se fracturó y después desapareció.

10

Despertó cubierto de sudor, aún atrapado en el abrazo del sueño. Se sintió invadido, expuesto. El corazón le latía con fuerza y durante un momento sintió una presencia viva que se encontraba cerca, una que lo dejó tan aterrorizado que casi no podía respirar. Se sentó en la cama y miró por toda la habitación, desorientado. ¿Dónde demonios estaba? El espacio estaba a oscuras excepto por un rayo de neón rojo y azul que brillaba contra la cortina. No reconoció la alfombra mugrienta ni las botellas de cerveza vacías o el olor a pizza rancia. Entonces lo recordó: se encontraba en un motel viejo en un pueblo diminuto en lo alto de las montañas Adirondack. Se había quedado dormido y había tenido un sueño extrañísimo.

Conundrum estaba al lado de la cama, gruñendo. Él sabía que era perceptiva, más perceptiva que algunos humanos. Sentía algo inusual en el aire y corría alrededor de la cama, ladrando enloquecida, como si estuviera cazando una presa. Él se levantó y la rascó entre las orejas, calmándola.

—Está bien, chica —la tranquilizó—. Solo ha sido un sueño.

Miró el despertador digital y vio que eran poco más de las tres de la madrugada. Era demasiado pronto para levantarse y por eso Brink respiró hondo, se recostó en la almohada e intentó volver a dormir. El insomnio era algo a lo que estaba acostumbrado. Desde su lesión, había tenido que descubrir técnicas para tranquilizar su mente. Pero no importaba lo mucho que practicase la meditación, no importaba lo exhausto que estuviera cuando apagaba las luces por la noche, algo se encendía en su cerebro. Patrones flotaban detrás de sus ojos, una gran red de figuras geométricas —cuadrículas y redes, fractales cristalinos— y números, series interminables de números. Al principio, intentó ignorarlos, pero descubrió que podía controlar su cerebro —y dormirse— solo cuando se sumergía en el torrente de patrones. Se sumía en las formas, calculaba ecuaciones, apilaba letras en columnas y diagonales, construía palabras y después las reordenaba en anagramas y palíndromos, creando castillos elaborados en su mente hasta que había agotado todas las posibilidades y caía dormido.

Recordaba la noche que le habló a su madre de su don. Se sentía apabullado por el miedo y la confusión. Había sido el punto más bajo de su vida, un momento en el que no estaba seguro de que pudiera seguir viviendo. Le había aterrorizado que su propio cuerpo se hubiera vuelto contra él de una forma tan despiadada. Y entonces, dibujó el Cuadrado Lo Shu para su madre. Le describió lo que estaba ocurriendo, todas las cosas descontroladas que estaba viendo, y ella lo había creído.

Esa noche fue el punto de inflexión. Al día siguiente, su madre y él empezaron a buscar ayuda. Al cabo de un mes encontraron al Dr. Trevers, el renombrado neurocientífico especializado en traumatismos cerebrales. Brink se sometió a una batería de test y aprendió que la herida en su cerebro había tenido como resultado una condición extremadamente rara llamada «síndrome del savant adquirido». Solo treinta personas en el mundo presentaban esta condición y la mayoría de ellas mostraban niveles variados de habilidades extraordinarias en consecuencia. Los test de Brink determinaban que mostraba un savantismo espacial y mecánico. Tenía una memoria fotográfica que le permitía reproducir imágenes y estructuras de manera perfecta, y una habilidad para realizar cálculos numéricos instantáneos, incluido calcular fechas del calendario, recitar miles de decimales de pi y ofrecer en segundos soluciones numéricas a ecuaciones complejas. Su lesión había abierto una puerta, que le permitía acceder a áreas de su cerebro que estaban cerradas para la mayoría de las personas.

—No pienses en ti como en alguien lesionado —le dijo el Dr. Trevers—. Piensa en ti como que tienes un superpoder. En cuanto aprendas a controlarlo, tus habilidades podrán cambiar el mundo.

Con la ayuda del Dr. Trevers, Brink llegó a ver que podía vivir con su nueva realidad y salir adelante. Con entrenamiento, le aseguró el médico, podía ser capaz de controlar los aspectos más aterradores de su don: el insomnio y los pensamientos acelerados, por ejemplo, se podían domar con meditación. Brink leyó unas memorias escritas por un británico que presentaba el mismo síndrome. Escribió que *conocía cosas que eran más profundas que su propia existencia* y que *de alguna manera sabía cosas que no sabía*. Este hombre no había estudiado matemáticas avanzadas ni criptografía, y nunca había destacado recordando fechas o lo que leía. Pero, aun así, *recibía* información, como si procediese de otra dimensión.

Esta descripción impactó profundamente en Brink. No sabía cómo sabía cosas que sabía; solo era así. Las formas y los patrones simplemente aparecían en su mente. Su lesión era un pico que había atravesado una pared, liberando una fuente de conocimiento. Lo inundaba, llenándolo con una cantidad mareante de información. No aprendía. Simplemente recibía.

Mike Brink nunca volvió a jugar al fútbol. Se lanzó a coleccionar libros de puzles, de todos los tipos imaginables: crucigramas, puzles de palabras, adivinanzas, juegos matemáticos, laberintos, sudoku. Y empezó a crear puzles propios. La construcción de un puzle le ayudaba a centrar la proliferación de patrones en un problema singular y le ofrecía una escapatoria para su imaginación. Creó un crucigrama con un tema de la NFL y lo envió a la página de pasatiempos de *The Plain Dealer*. Lo publicaron, le enviaron un cheque de cincuenta dólares e incluyeron por primera vez su firma. No intentó aferrarse a la persona que podría haber sido. Recondujo su vida de la misma manera en que el agua, desviada por una roca, cambia su curso, siguiendo adelante con rapidez y completamente, demasiado atrapado en la inercia como para considerar lo que había perdido.

En lugar de asistir a la universidad con una beca de fútbol, fue al MIT, donde dio buen uso a su don. Se licenció en matemáticas, especializándose en topología, y descubrió que sus habilidades le daban una ventaja instantánea. El MIT rebosaba de las mentes más brillantes del mundo, pero aun así descubrió que era más rápido que otros estudiantes: era raro que estudiase, era el primero en acabar las pruebas y recordaba sin esfuerzo pasajes largos de los manuales y las conferencias. Sus maestros vieron que era extraordinario y lo encaminaron hacia programas de élite, permitiéndole asistir a clases de graduados desde el primer año; abandonó el centro con un *summa cum laude* y un Phi Beta Kappa, con una invitación para que volviese como aspirante al doctorado.

Pero al mismo tiempo que alcanzaba con facilidad el éxito intelectual, las relaciones personales eran más difíciles de navegar. El mismo don que le otorgaba una memoria rápida y una capacidad para resolver en segundos ecuaciones complejas obstaculizaba su habilidad para conectar con otras personas. Le resultaba difícil interpretar las expresiones faciales, por ejemplo, y a veces no captaba simples señales físicas, malinterpretaba el significado de una mirada, confundía una broma con una pulla, o un gesto de afecto por uno de enojo. Aunque tenía una memoria fotográfica cuando se trataba de patrones, otros tipos de recuerdos se alojaban en los bordes y desaparecían. Podía recordar ciertos detalles de las personas —su número de teléfono, veinte anagramas de su nombre, cómo el patrón del vello en la mano izquierda se parecía a la constelación de Hydrus—, pero había momentos en que tenía que esforzarse para leer una emoción. Lo que las personas querían expresar sobre sí mismas, lo que esperaban de él.

Se trataba de un reto sutil, solo conocido por Mike Brink, un talón de Aquiles que aprendió a controlar. Contemplaba con atención a sus compañeros de clase y a sus y profesores, captando la manera en que demostraban pensamientos y sentimientos, de modo que los pudiera leer con mayor efectividad: un amigo siempre se tocaba la barbilla cuando estaba nervioso, una chica en una de sus clases abría las fosas nasales cuando se enfrentaba a un reto; una profesora de literatura chasqueaba la lengua para expresar desaliento. Llegó a ver las expresiones emocionales como símbolos. Las catalogaba en su mente, creando una especie de léxico, haciendo un seguimiento de gestos emocionales como si fueran las claves de un acertijo. Deseo, miedo, amor, inseguridad: las emociones humanas eran una lengua extranjera gramaticalmente compleja que quería hablar.

Durante la mayor parte del tiempo, nadie se daba cuenta de sus esfuerzos para conectar. Si lo hacían, se imaginaban que estaba distraído, o solo era el típico estudiante de matemáticas despistado. Pero la sensación de desconexión le irritaba y se esforzaba mucho para hacer amigos. Quería una relación romántica, alguien de quien pudiera sentirse cercano, alguien a quien cuidar y que lo cuidase. En el instituto había sido popular y nunca había tenido problemas para pedirle a una chica que saliera con él, pero entonces las cosas eran mucho más fáciles. Cuando fastidió una oportunidad para salir con una mujer a la que deseaba —la invitó a cenar y ella reaccionó de una manera que no supo interpretar—, no pudo más que preguntarse si siempre iba a estar solo.

Le describió el problema al Dr. Trevers. Había seguido hablando semanalmente con su neurocientífico a través del teléfono y acudía a su consulta cuando regresaba a Ohio para que lo visitase. El Dr. Trevers especuló que podría ser que Brink sufriera un efecto secundario habitual en un trauma cerebral: una disrupción en la capacidad para reconocer y procesar las expresiones de emoción. Era posible que existiera una lesión en el córtex frontal que no se hubiera detectado después de su análisis inicial. Sugirió otra resonancia magnética y le recomendó un especialista en Boston. Cuando llegaron los resultados, la resonancia mostró que el córtex frontal era perfectamente normal. Pero aun así, Brink se sentía perseguido por la posibilidad de desconexión y se obligaba a ser superconsciente de lo que sentían el resto de las personas, sobreanalizando con frecuencia las emociones de la gente.

Brink sabía lo afortunado que era. Su lesión lo podría haber dejado paralítico, o peor. De alguna manera, había superado los pronósticos y había salido con daños menores. Había sobrevivido. Pero, aun así, quería algo más que la simple supervivencia. Había momentos en que las otras personas parecían inalcanzables. Había acabado una cita sin saber si ella quería volverlo a ver. Había terminado una reunión con su editor de puzles en *The New York Times* sin tener ni idea de si estaba satisfecho con su trabajo. Intentó conectar con colegas, pero no pudo. Podía tener su cosecha de amigas —su fama y su buena presencia le ofrecían interminables oportunidades—, pero nunca acababa de conectar. Era como vivir con una hoja de vidrio grueso entre el mundo y él: veía a todos con claridad, y ellos también lo veían a él, pero su capacidad para conectar con los demás se había emborronado, distorsionado. Contenido. Siempre había luchado por conectar con las personas al otro lado de la barrera. Pero no se había sentido así con Jess Price. No había habido barrera. No había habido nada que los separara.

11

Durante el turno diurno, cuando las cámaras seguían su recorrido a través de la prisión, y sus compañeros celadores controlaban todos sus movimientos, Cam Putney escondía su interés en Jess Price. La miraba de soslayo cuando patrullaba por la cafetería, se quedaba fuera de la sala de juegos cuando las mujeres realizaban terapia de grupo, y memorizaba el calendario de ejercicios para saber exactamente cuándo saldría Jess Price al patio para pasear por el sendero de tierra. Tenía mucho cuidado en ocultar sus intenciones. Sus órdenes eran claras. Nadie podía saber que la estaba vigilando.

Pero por la noche la historia era diferente. Entre las dos y las cinco de la madrugada, cuando dormían las prisioneras, Cam disponía de más libertad. Se deslizaba en el dormitorio —una sala larga y abierta en el lado oriental de la estructura con cincuenta y dos literas, todas ellas ocupadas— y contemplaba a Jess Price desde las sombras. Evitaba las cámaras, por supuesto. Siempre había alguien mirando detrás de la luz roja parpadeante. Los guardias no tenían permiso para entrar en los dormitorios mientras dormían las internas al menos que tuvieran una buena razón: una pelea, un incendio, una emergencia médica. En los últimos años se habían denunciado demasiados abusos —favores intercambiados entre guardias e internas, drogas a cambio de sexo— y por eso se controlaba a los guardias casi tanto como a las prisioneras.

Pero Cam no estaba interesado en las mujeres de las otras literas. Lo habían enviado a las instalaciones de Ray Brook la misma semana que encarcelaron a Jess Price, y lo trasladarían en el mismo instante en que se fuera ella. Su misión era sencilla: debía vigilarla, protegerla e informar de cualquier cosa que viera relacionado con ella. Durante cinco años había sido meticuloso. Cuando se dio cuenta de que su psiquiatra había conseguido conectar con ella, se aseguró de que el Dr. Raythe comprendiese que no estaba tratando con una interna ordinaria. Jess Price era una mujer de gran importancia, la guardiana de algo precioso y raro. Nadie —ni su terapeuta, ni las demás internas, ni su familia —debía conocer lo que sabía ella. Había advertido a Raythe de que ni siquiera debía intentar ayudarla. Pero el tipo no había escuchado.

Cam se tocó el tatuaje en el cuello, un triángulo formado por diez puntos. Había sido un rito de iniciación, su tatuaje, una señal de que se había abierto camino hasta los niveles más altos de la organización. No significaba nada para la mayoría de la gente: lo miraban y suponían que no era más que un elemento de moda en el arte corporal. Durante todos los años que llevaba trabajando en la organización, la marca solo había sido reconocida unas pocas veces. Pero cuando ocurría, le llenaba de una sensación de satisfacción y orgullo indescriptible. No estaba solo. Había otros como él. Y juntos estaban construyendo un mundo nuevo.

Las luces llevaban apagadas desde hacía horas cuando la prisionera empezó a hablar en sueños. Le dio una patada a la sábana y empezó a agitarse, probablemente porque estaba teniendo algún tipo de pesadilla, lo que tendría sentido: su apariencia, con el cabello ralo y las uñas ensangrentadas, toda su vida era un mal sueño. Pero entonces se acercó de manera que pudiera oírla. Estaba susurrando algo. Lo apuntó todo en su informe, asegurándose de que recogía las palabras exactas que escuchaba: *date prisa, sígueme, prométemelo.*

12

A la mañana siguiente, la Dra. Thessaly Moses recibió a Mike
Brink en la entrada de la prisión.

Había dejado a Connie en el motel con el aire acondicionado
puesto y comida y agua suficientes para que le durase hasta la
cena. Aunque le habría gusta traerla, conseguir la autorización
para un perro habría sido complicado, incluso con su considera-
ración como animal de servicio. Cuando el año anterior Brink le
habló de Connie al Dr. Trevers, el médico consideró que la relación de Brink con la perra era terapéutica y la designó como
«animal de apoyo emocional». Al principio, la etiqueta molestó
a Brink. ¿Por qué el Dr. Trevers tenía que medicalizarlo todo?
¿Uno no podía tener una mascota sin que tuviera relación con
su lesión? Pero aun así, el Dr. Trevers le envió un certificado
médico ESA que designaba a Conundrum como un animal de
apoyo emocional, un documento que permitía que Brink la llevase a todas partes —aviones, edificios gubernamentales, res-
taurantes, cines— sin que le pusieran problemas, por lo que se
sintió complacido. No le gustaba dejar sola a Connie.

Thessaly condujo a Brink a lo largo del pasillo central hasta
el extremo más alejado de la prisión, deteniéndose delante de
una pesada puerta de metal reforzado con una señal que decía
RESTRINGIDO. A la derecha había un sensor y un teclado.

—He tenido que rellenar una tonelada de papeles para conseguir la autorización —le informó, sacando una tarjeta de plástico y mostrándosela a Mike Brink. Él vio un código de barras

Code 39 con una serie de cuarenta y tres caracteres, una mezcla de números, letras y símbolos. El código de barras Code 39 fue el primero que incorporó caracteres alfanuméricos y dígitos numéricos y era uno de los códigos de barras más populares del mundo.

—Tengo acceso durante una hora y después tengo que devolverle la tarjeta a mi supervisor. Cambian el código cada cuarenta y ocho horas, aparentemente. Lo siguiente será que me reclamarán a mi primogénito. Así que... —Thessaly marcó el código—. Será mejor que entremos.

El teclado pitó y la cerradura se abrió. Brink abrió la puerta y la sostuvo para que pasara Thessaly.

—Admiro la decisión del Estado de preservar y utilizar edificios viejos —comentó mientras lo conducía hacia una escalera con la pintura descascarillada y baldosas de linóleo maltrechas en el descansillo—. Y tener los historiales de los pacientes a nuestra disposición seguramente tiene sus ventajas. Pero también tendrían que financiar adecuadamente el mantenimiento.

Por encima había un falso techo con paneles dañados. Algunos habían desaparecido, revelando el techo original de la antigua estructura de ladrillos, con sus bóvedas y ventanas creando un volumen de luces y sombras muy por encima de ellos.

—Si quisiera escaparme de aquí, iría por este camino —comentó Brink, haciendo un gesto hacia el cielo abierto.

—Esta zona está asegurada en todos los puntos de entrada —informó Thessaly—, pero es verdad: si una prisionera consiguiese llegar aquí, sería difícil encontrarla. Y mire —indicó, señalando hacia arriba de manera que Brink vio un trozo de tejado destrozado, unos seis metros por encima, a través del cual se filtraban rayos de luz—. El techo está dañado, lo que explica el moho. El agua se cuela dentro. El Departamento de Prisiones lleva años prometiendo que lo arreglará, pero solo Dios sabe cuándo se hará realidad.

A medida que Thessaly lo conducía escaleras abajo y penetraban en un sótano, Brink pudo oler el moho en el aire, sintió las décadas de abandono en la pintura descascarillada y las baldosas de linóleo peladas. Pasaron por delante de equipamiento médico vetusto, catres de hierro y sillas de ruedas abandonadas del sanatorio para tuberculosos; una pared de libros enmohecidos de la biblioteca; aparatos de gimnasia rotos, entre ellos un StairMaster especialmente destrozado que debieron bajar del gimnasio de la prisión. Finalmente, Thessaly se detuvo delante de otra puerta, la abrió y dejó que Brink entrase en un almacén.

—Estos son todos los registros de esta institución anteriores a 2019 —le informó Thessaly, conduciéndolo por un laberinto de archivadores. Estaban marcados por año: 1993, 1994, 2004—. Cada persona que fue tratada en estas instalaciones, estuviera enferma de tuberculosis o recibiera servicios de salud mental, debería tener un historial aquí abajo, en alguna parte. Realmente es una vergüenza tener tanta información que no está disponible en nuestra base de datos de tratamientos. Debe existir alguna manera de conseguir los fondos para escanear e incorporar estos historiales a nuestro sistema.

Thessaly se detuvo delante de un archivador etiquetado como 2018.

—Técnicamente, debería presentar una petición escrita para enseñarle a usted, o a cualquier otra persona, estos historiales —comentó—. Pero como no hay tiempo para más papeleo, haremos como si no hubiera visto nada de esto.

Abrió un cajón, revisó los historiales y sacó una gruesa carpeta acordeón, con el nombre de PRICE, JESSICA mecanografiado en la parte superior. Le echó un vistazo al interior.

—Bueno, parece que al fin y al cabo hay algo. —Lo condujo a una mesa en un rincón, donde vació la carpeta y extendió el contenido delante de ellos. Había cientos de páginas, muchas fundas de plástico y unos pocos sobres manila.

—Raythe era un tipo de papeles —comentó, recogiendo un fajo de notas del caso y hojeándolas—. Meticuloso. Lo apuntaba todo.

—Si era meticuloso, ¿por qué no dispone de una copia de estos archivos?

—Esa es la cuestión, ¿no le parece, señor Brink? —respondió Thessaly, lanzándole una mirada significativa—. ¿Miramos qué tenemos aquí?

Thessaly tomó una pila de papeles y Brink otra. Una de las cualidades del savantismo espacial y mecánico era una habilidad para leer con rapidez y para recordar cada página exactamente hasta el más mínimo detalle. Esa capacidad era la que más interesaba a la gente y a Brink le preguntaban sobre ella en todas las entrevistas que concedía. A él también le fascinaba, pero principalmente por la confusión generalizada sobre ella. Por ejemplo, le fascinaban los thrillers y las películas de espías con héroes que tenían una memoria eidética o fotográfica, pero normalmente la mostraban de manera errónea. No se trataba de algo parecido a escanear o ni siquiera a una fotografía, sino de un proceso abstracto, conceptual, una resolución de la conciencia que revelaba un recuerdo. Resultaba misterioso, incluso para Brink, pero si le daban un fajo de un centenar de páginas, tardaba noventa segundos en leerlas y en retener todos los detalles de la información.

El Dr. Trevers había medido esta habilidad y había descubierto que era capaz de leer 18.000 palabras por minuto con un cien por cien de comprensión y podía recordar perfectamente frases al azar sacadas del texto. No se trataba del Récord Mundial Guiness de lectura rápida —que eran 25.000 palabras por minuto en manos de Howard Stephen Berg—, pero no estaba nada mal para alguien que no tenía ningún deseo de leer rápido. Su capacidad para reproducir lo que leía había sido suficientemente buena para conseguir una calificación casi perfecta en el SAT[5] y un camino despejado hacia el MIT.

Brink recorrió las páginas con rapidez, absorbiendo la información de un solo trago. En su mayor parte, los informes eran

---

5. El equivalene al examen de selectividad en los EE.UU. *(N. del T.)*

más áridos que el infierno, repletos de lenguaje clínico, pero muy pronto Brink fue capaz de componer el cuadro básico del diagnóstico inicial de Jess, su comportamiento y sus tratamientos durante el primer año de estancia en la institución. Se había negado a comunicarse, rehusaba participar en la terapia de grupo y tenía una tendencia a autolesionarse y a ignorar a las internas y a los guardias, que se ajustaba a todo lo que le había explicado Thessaly. Pero no había anticipado la enorme cantidad de papeles que Raythe tenía sobre Jess Price. Había más de un millar de páginas de análisis.

—Aquí hay un montón sobre el tratamiento de Jess —comentó, apartando la pila a un lado y acercando otra—. Pero nada que parezca fuera de lo normal.

Thessaly miró la pila de papeles, claramente escéptica de que hubiera podido sintetizar tanta información con tanta rapidez.

—No es normal que todo esto esté aquí abajo —comentó—. Se suponía que todos los archivos del Dr. Raythe se encontraban en su despacho. Resulta muy raro que haya bajado aquí cualquier cosa que pudiera necesitar. Casi parece que Raythe los mantuvo alejados a propósito de su historial oficial.

—¿Puede pensar en alguna razón para que lo hiciera? —preguntó Brink, revisando más papeles: listas de medicamentos que le habían prescrito, notas de sesiones en grupo, el informe de un guardia sobre un incidente que había terminado en una acción disciplinaria.

—No tiene ningún sentido —respondió—. Pero su relación me pareció extraña. Como le dije ayer, llegué a esta institución después del accidente del Dr. Raythe. Cuando llegué, encontré a Jess bastante emocionada por ello. Lloró cuando lo mencioné y acabó escalando hasta un ataque de pánico que necesitó sedación. Me sorprendió, porque nada en sus notas me sugería que hubiera realizado demasiados progresos con ella. Y por supuesto, por mi propia experiencia con Jess, resultaba difícil imaginar que tuviera una conexión real con el Dr. Raythe, pero bueno, quién sabe qué otros métodos usó para llegar a ella…

Mientras Thessaly hablaba, Brink se percató de una carpeta azul brillante. La sacó de debajo de la pila de papeles, apartó una banda elástica y la abrió. El contenido no parecía encajar en absoluto con el resto de los documentos. Dentro había uno de los informes de Raythe unido con un clip a un grueso sobre blanco 8x10 con la palabra CONFIDENCIAL estampada en rojo en el frente y el logo del Departamento del Sheriff del Condado de Columbia impreso en la esquina superior izquierda. Y, metido dentro de la carpeta, un cuaderno de notas de piel marrón, con una cinta roja enrollada sobre el lomo.

—¿Qué es eso? —preguntó Thessaly, haciendo un gesto hacia la carpeta.

—No tengo ni idea —respondió Brink. Sacó el gran sobre blanco con el informe y se lo entregó a Thessaly. Lo miró, separó el informe y lo leyó—. Esto es realmente… raro. —comentó.

Alargó la mano para hacerse con el informe, porque lo quería leer personalmente, pero Thessaly lo apartó.

—El Dr. Raythe anotó que Jess sufría de pesadillas cuando llegó aquí. —le explicó—. Parece que la trasladaron dos veces porque sus chillidos molestaban a las demás prisioneras, del dormitorio C1 al dormitorio A. Y parece que el Dr. Raythe consiguió comunicarse con ella sobre las pesadillas. Escuche esto.

Thessaly leyó del informe:

—*La paciente grita por la noche. Está aterrorizada por una mujer, que afirma que le ha estado haciendo daño. Se despertó muchas noches rogando a los guardias que mantuvieran alejada a esa mujer. Es la única vez que ha hablado durante los meses desde su arribo y, considerándolo una oportunidad para llegar a ella, empecé a trabajar por las noches para estar cerca cuando me necesitase. De esta manera fui capaz de comunicarme con ella. Describe lo que está ocurriendo no como pesadillas sino como visitas. Los guardias de servicio, no obstante, informan que las otras internas no se han acercado a Jess Price y los videos de vigilancia muestran que todas las noches ha estado sola en su litera. Al considerar que su terror era genuino, empecé a investigar las circunstancias que la trajeron aquí. Lo que he descubierto me ha impresionado. Detrás de esto hay personas muy poderosas, personas que no quieren que nadie conozca la verdad. Empiezo a sospechar que Jess Price no es la única en peligro.*

Thessaly lo miró a las ojos con un expresión conmocionada y recordó lo que le había dicho durante su primera reunión. *Hay momentos, cuando estoy con ella, en los que siento... No sé cómo decirlo exactamente. Miedo. Más que miedo. Terror. Como si estuviera en presencia de algo mucho más grande que yo. Algo peligroso.*

—Uffff —exclamó—. Esto es algo bastante serio. ¿Hay más?

Thessaly dio la vuelta al informe del Dr. Raythe, mostrando una página en blanco.

—Eso es todo lo que anotó. Pero es posible que esto ayude a explicarlo.

Thessaly agarró el sobre blanco y lo abrió. Viendo que estaba distraída, Brink ojeó el cuaderno de cuero marrón. Inmediatamente reconoció la letra de Jess y contuvo la respiración. Antes de que Thessaly se diera cuenta, deslizó el cuaderno en su bolsillo trasero.

—¿Qué demonios...? —exclamó Thessaly, con las cejas fruncidas en concentración mientras examinaba el contenido del sobre blanco.

—¿Algo interesante? —preguntó Brink, poniéndose a su lado, para echar un vistazo. Vio el borde de lo que parecía un informe policial, pero antes de que lo pudiera leer, Thessaly deslizó el informe de vuelta en el sobre.

—No estoy segura de lo que es —respondió, envarada, pero sus acciones decían lo contrario: había encontrado algo que le interesaba profundamente.

Él intentó tomar el sobre.

—Déjeme que lo revise —pidió Brink—. Quizá pueda ayudar.

Pero ella pasó a su lado, deslizó el sobre dentro de la carpeta azul y se la colocó debajo del brazo.

—Creo que ha llegado el momento de recogerlo todo por ahora.

—Espere un segundo, esperaba echarle un vistazo al resto de todo esto...

—No creo que vaya a ser posible —replicó, recogiendo los archivos con los brazos y apretándolos contra su pecho.

—Venga ya, Thessaly —insistió él, medio en broma, con la esperanza de ocultar la desesperación que sentía. Fuera lo que fuere que había en la carpeta azul podía ayudarle a comprender lo que Jess Price intentaba decirle—. ¿Al menos me puede decir lo que hay en el sobre?

La actitud de Thessaly se volvió distante.

—Compartiré esta información con usted, señor Brink, en caso de que sea relevante. Pero primero me voy a llevar estos archivos a mi despacho y los revisaré adecuadamente. Necesito comprender lo que estoy viendo antes de compartirlo con alguien que no pertenezca a esta institución.

Brink se la quedó mirando, estupefacto. Ella lo había traído a la prisión para ayudar y ahora lo estaba expulsando. Habían encontrado un tesoro oculto de documentos y él necesitaba verlos. Justificado o no, creía que tenía derecho a esa información. Quizá porque Jess le había confiado su texto cifrado, o quizá por su intimidad en el sueño, sentía una conexión profunda con ella, una que no había experimentado con frecuencia. En menos de veinticuatro horas, Jess Price se había vuelto importante para él.

—Además —dijo Thessaly, mirando su reloj—, he conseguido permiso para que viera de nuevo a Jess. Estará en la biblioteca a mediodía. Eso es exactamente en quince minutos. No querrá llegar tarde.

13

El cuaderno de Jess Price formaba un rectángulo pequeño y rígido en el bolsillo trasero de sus tejanos y, mientras Brink caminaba por el pasillo de la primera planta, tuvo que emplear toda su voluntad para resistirse a leerlo. Solo la amenaza de que la Dra. Moses le confiscase el cuaderno le detuvo. No se podía arriesgar a que ella se lo llevase, como había hecho con los archivos de Raythe. Había visto una fecha al principio de la primera página: 7 de julio de 2017. Eso eran doce días antes de la muerte de Noah Cooke, lo que significaba que Jess lo había escrito mientras estaba en la mansión Sedge. Quizás el diario lo explicara todo: los acontecimientos terribles en Sedge House, quizás incluso el puzle que Jess Price le había pedido que resolviera. Una cosa era cierta: era demasiado importante para perderlo.

Thessaly quería acompañarlo directamente a la biblioteca, pero no se podía imaginar viendo a Jess sin saber lo que había en el diario. Cuando pasaron por delante de los servicios, Brink se excusó. Thessaly no parecía contenta, pero no puso objeciones.

—Tiene dos minutos —le indicó—. Le estaré esperando en la biblioteca.

Mientras ella se alejaba, Brink sintió que se le aceleraba el pulso. Solo tenía unos pocos minutos, pero era todo lo que necesitaba, eso y un espacio privado en el que no lo pudieran encontrar las cámaras de vigilancia. Los servicios parecían la solución perfecta, pero cuando asomó la cabeza, estaba lleno de guardias. Se acercó al urinario, después al lavabo para lavarse las manos y se fue. No quería correr ningún riesgo.

Una prisión no ofrecía privacidad, sino que estaba diseñada para eliminarla. Había guardias por todas partes: en los descansillos de la escalera, en el puesto de control de la entrada, conduciendo a un grupo formado por una docena de mujeres que salían al patio. Pasó delante de unas cuantas habitaciones cerca del despacho de Thessaly que parecían prometedoras, pero no se atrevió a entrar por temor a las cámaras. Finalmente, se encontró delante del conjunto de puertas metálicas que conducían a la parte antigua de la prisión.

Mirando por encima del hombro, se aseguró de que estuviera solo. Aunque no tenía la tarjeta de Thessaly, recordaba con exactitud el código: la serie de números bajo el código de barras. Por supuesto, la mayoría de la gente usaba sus tarjetas con el código de barras y nunca introduciría manualmente un número tan largo. Pero Brink no era como la mayoría de la gente. Tecleó la secuencia de cuarenta y tres números y símbolos, y la puerta se abrió con un clic.

Empujó la puerta y salió a la escalera. Thessaly le había llevado hacia el sótano; ahora iría hacia arriba. Al subir los escalones fue a dar a un piso abandonado del sanatorio, un espacio oscuro y polvoriento con telarañas y equipo médico anticuado. El sol relucía a través de cristales cubiertos de mugre y, aunque casi no podía ver, sacó el cuaderno del bolsillo y lo abrió.

Un vistazo le confirmó que había estado en lo correcto: había encontrado el diario de Jess. Aquí estaba su letra, clara y redondeada, formando las palabras *Sedge House, 7 de julio de 2017*, escritas al principio de la primera página. Leyó el primer párrafo:

Sedge House es el tipo de mansión con gabletes y torreones sobre la que lees en una novela del siglo XIX, no el tipo de sitio en el que esperas pasar el verano. Que esté aquí y que tenga todo este lugar para mí sola me parece extraordinariamente maravilloso y extraordinariamente terrorífico al mismo tiempo.

Antes de seguir, ojeó las páginas restantes y se detuvo cuando una página suelta flotó hasta el suelo. Brink la recogió y la abrió, sorprendido. Se trataba de una construcción familiar, un puzle que había construido él mismo, pero encontrarla allí fue un golpe para el sistema. Nunca había esperado volverlo a ver; mucho menos aquí, en una cárcel, en un diario que pertenecía a una asesina convicta.

En un instante, su relación con Jess Price cambió. Hasta ese momento había creído que estaba al mando, que ella era la vulnerable. Pero ese no era el caso en absoluto. Este puzle cambiaba totalmente el equilibrio. Vio cómo aparecía la solución en los espacios en blanco y sintió una posesividad apabullante: esto era algo que Jess Price no debería haber visto. Era algo que nadie debería ver. Había creído que había salido de su vida para siempre, pero ahí estaba, enfrentándolo a los errores del pasado.

El puzle era una colección de veinticinco hexagramas, cinco en cada fila, con funciones matemáticas —signos de más y menos, multiplicación y división— entre ellos. Una serie de números se podían colocar en los espacios en blanco para resolver estas ecuaciones. Las respuestas se daban en los hexagramas que aparecían al pie de las ecuaciones, colocadas en diagonal a lo largo del lado derecho.

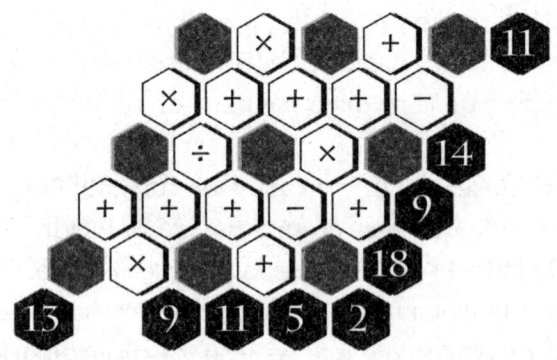

Había construido el puzle en 2009, cuando tenía diecinueve años y estaba en el segundo curso del MIT. Se trataba de un puzle sencillo de una época en la que no se consideraba un constructor profesional sino más bien un chico divirtiéndose. Juguetón. Con ese espíritu lo hizo y, al verlo delante de él le recordó cómo había sido una década antes, un chico inocente con un talento salvaje que no acababa de comprender del todo. Era como encontrarse con una imagen antigua de sí mismo: reconocía al tipo e incluso sentía la necesidad de proteger su yo más joven, pero dicha persona hacía mucho tiempo que se había ido.

Aunque se trataba de un puzle relativamente sencillo en la superficie, existía otro oculto dentro de él, un puzle dentro de un puzle. Lo consideraba una especie de firma, una tarjeta de presentación de Mike Brink, y aunque tenía un significado para Brink, era su puzle menos conocido. En realidad, solo unas pocas personas sabían de su existencia. Había supuesto que estaba enterrado y olvidado. Estaba claro que había estado equivocado.

Estaba examinando el puzle cuando un ruido llamó su atención. La puerta de la escalera se abrió, se cerró de golpe y el sonido de pasos despertó ecos a sus espaldas. Brink metió el diario en el bolsillo y se retiró a un rincón oscuro, apretándose contra una ventana sucia en el preciso instante en que un guardia de la prisión entraba en el pasillo.

Brink reconoció al guardia. Lo había visto el día anterior cuando escoltó a Jess Price hasta la biblioteca, pero no había tenido la oportunidad de echarle un buen vistazo hasta ahora. Vio que el tipo era grande, casi dos metros, con cabello rubio sucio y grandes pendientes de botón con diamantes en ambas orejas. Se le marcaban los músculos bajo el uniforme y llevaba botas con suelas pesadas, de las que se utilizaban para patear bien un culo. No era un tipo al que querría enfrentarse en un sanatorio oscuro y desierto, en especial con el diario de una interna en su poder. El guardia tenía el instinto de un perro guardián. Recorrió el pasillo de un lado al otro, como si pudiera olisquear a Brink. Un instante después Brink se encontró al guardia delante de él, mirándolo a los ojos.

—¿Qué demonios está haciendo aquí arriba?

Brink salió de las sombras, sosteniendo su tarjeta autorizada en su defensa.

—Tengo permiso para estar aquí —anunció.

El guardia le arrebató la tarjeta y la examinó. Cuando se la devolvió tenía los ojos llenos de beligerancia.

—Está muy lejos de las oficinas de psiquiatría.

—La Dra. Moses me está esperando en la biblioteca —replicó, intentando dar una explicación—. Estaba buscando los servicios y me he despistado. Si me pudiera indicar el camino hacia la biblioteca, le estaría agradecido.

—Está bastante perdido, hermano —le dijo y le dio un empujón fuerte y contundente hacia la puerta. Fue poco más que un codazo, rápido y agresivo, pero suficiente para que Brink perdiera el equilibrio. Tropezó y dejó caer la tarjeta. Cuando el guardia se agachó para recogerla —murmurando una disculpa muy poco sincera— Brink observó un tatuaje a un lado del cuello, un triángulo equilátero compuesto por diez puntos. No tuvo tiempo de mirarlo de cerca, pero cuando cerró los ojos vio el patrón brillando sobre la parte interna de sus párpados: cuatro filas de círculos, cuatro círculos en la base y uno en la punta, una configuración triangular elegante.

El guarda le dio otro empujoncito hacia la puerta y aunque su primera reacción fue devolverle el empujón, Brink no se resistió. Caminó con rapidez, aliviado de que el tipo no lo hubiera cacheado. Si hubiera descubierto el diario de Jess Price, se lo habría devuelto a Thessaly Moses. Y Brink necesitaba el diario, y el puzle que contenía, para comprender qué quería Jessica Price realmente de él.

14

El guardia empujó el hombro de Mike Brink, dirigiéndolo hacia delante. Era una pequeña señal de agresión, pero le irritaba. Se había encontrado con tipos así cuando jugaba al fútbol: grandes y corpulentos, construidos como si fueran un bulldozer y que tenían que ponerse a prueba una y otra vez. No eran complicados, pero no necesitaban serlo. Movían su peso de un lado a otro, bloqueaban y placaban, y eso era suficiente para justificar su presencia en el campo. El talento de Brink había sido escabullirse a través de los agujeros diminutos que estos tipos dejaban en una línea defensiva, usando su agilidad para liberarse. La fuerza bruta no servía para mucho si no lo podían atrapar. Pero aun así, había momentos en los que los músculos ganaban al cerebro. A pesar de todas las habilidades de Brink, un golpe fuerte lo había cambiado todo.

Thessaly lo estaba esperando delante de la puerta de la biblioteca, con los brazos cruzados sobre el pecho y una expresión de alarma en la cara.

—¿Qué está pasando exactamente, señor Brink?

—Lo he encontrado en la tercera planta —explicó el guardia.

—Se suponía que nos teníamos que reunir aquí —dijo Thessaly, lanzándole una mirada de reproche.

—Me perdí —respondió, pero pudo ver su escepticismo.

Un hombre que podía memorizar un millar de decimales de pi y resolver el cubo de Rubik en quince segundos no se perdía. Le dio las gracias al guardia, abrió la puerta de la biblioteca y la sostuvo para que él pasase. Vio a Jess sentada en la misma mesa que habían compartido durante su primera cita.

—Esta vez le he conseguido una hora —anunció Thessaly, permitiéndole entrar en la biblioteca—. Pero no se vuelva a perder, ¿de acuerdo?

Con el mono gris y la piel pálida, las uñas mordidas hasta formar una costra y su silencio, Jess Price tenía el mismo aspecto del día anterior. Y aunque él sabía que no había ninguna posibilidad de que ella fuera diferente y que los sueños, por muy emotivos que fueran, no podían cambiar la realidad, casi había esperado ver a la mujer que había conocido en el bosque, la criatura bella y sensual que lo había cautivado, con su cabello largo cayendo a lo largo de la espalda, y cuyo roce era suficiente para que le recorriesen escalofríos. Se obligó a disipar la visión, pero la sensación intensa y alucinatoria del sueño no se esfumó. Sintió toda la maravilla y la atracción, la necesidad inexplicable de estar cerca de ella, que había sentido en el sueño. Al sentarse delante de la mujer, se le aceleró el pulso y la piel se le empezó a cubrir de sudor. También lo había sentido en el sueño. Su presencia como la dosis de una droga deliciosa.

Brink miró por encima del hombro para comprobar que el guardia se hubiera quedado en la puerta, colocó el hombro para bloquear la cámara de seguridad y entonces sacó el diario del bolsillo trasero y lo puso encima de la mesa.

—He encontrado esto en los archivos de Raythe —susurró.

Ella agarró el diario y le dio vueltas en la mano, contemplándolo como si fuera un artefacto procedente de unas ruinas antiguas, un tesoro rescatado de otra vida.

—¿Entonces lo reconoce? —preguntó él, observando los cambios instantáneos en su expresión, la sorpresa y la confusión, al darse cuenta de que el Dr. Raythe había tenido algo que le pertenecía.

Jess examinó las páginas con atención, como si intentase compararlas con algo, y entonces asintió ligeramente, reconociendo que le pertenecía.

—¿Y esto? —preguntó, señalando el puzle doblado en la parte posterior—. ¿Dónde lo consiguió?

Ella miró el puzle, sin que su expresión delatase nada. Él sabía que no iba a hablar y por eso sacó el bolígrafo del bolsillo y lo deslizó al otro lado de la mesa con la esperanza de que Jess anotase una respuesta.

—Necesito saber dónde lo consiguió —presionó, oyendo la urgencia en su voz.

La mujer estudió el puzle, agarró el boli y resolvió todas las ecuaciones. Bajo las soluciones del puzle, escribió las letras de la sustitución alfanumérica que había utilizado para codificar su nombre: MIKE BRINK. Entonces, le acercó el puzle y sonrió. Era la primera sonrisa verdadera que había visto en ella, un indicio de la persona que había sido cuando resolvió el puzle por primera vez hacía años.

Pero él no le pudo devolver la sonrisa. Ver su puzle en la mesa delante de él era como descubrir una parte de su yo más interno —su corazón, su estómago— extraído y expuesto. Sentía que todo estaba mal. Se suponía que nadie debía conocer ese puzle. Nadie.

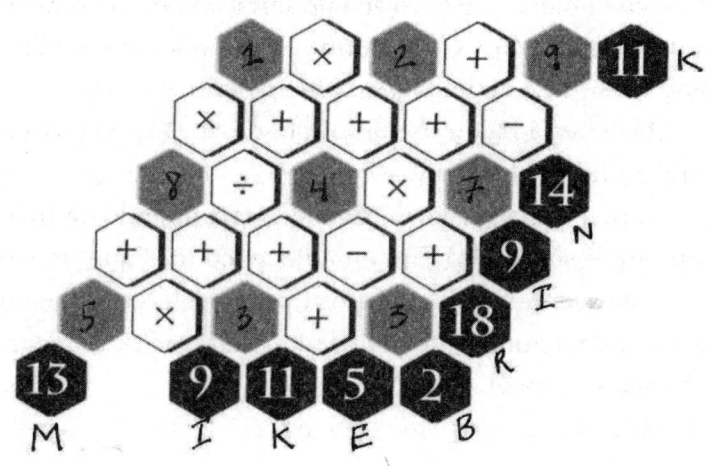

Se acercó a ella y susurró:

—¿Cómo demonios lo ha conseguido?

Ella hizo un gesto hacia el puzle completado, como si la solución explicase toda la historia, y de alguna manera lo hacía: a través de algún milagro, había encontrado ese puzle que habría deseado no haber construido nunca. Si sabía lo que significaba el puzle, o la intensidad con la que Mike Brink quería olvidarlo, era otra cuestión.

—No debería tenerlo —le reprochó Brink, oyendo la confusión en su voz. La conexión con Jess que había sentido unos minutos antes le daba vueltas en la cabeza. Era consciente de sus motivos. Ella había querido saber si podía confiar en él, pero él no estaba del todo seguro de que pudiera confiar en ella. ¿Y si el puzle circular no había sido nada más que una trampa? ¿Y si todo lo que le había dicho eran mentiras?—. ¿Esta es la verdadera razón por la que estoy aquí?

Ella negó con la cabeza, sus ojos muy abiertos por la emoción: *No*.

—Entonces, ¿por qué? —insistió él, intentando no subir la voz.

Jess se recostó en la silla con una expresión de alarma intensa. Estaba claro que ella tampoco había esperado ver el puzle. Probablemente no tenía ni idea de que Raythe guardara el diario en sus archivos. No obstante, si conocía este puzle, sabía mucho más sobre él de lo que había dejado entrever.

—Me debería haber enviado este puzle —le recriminó—. Si lo hubiera hecho, habría…

— … no habría venido —dijo ella, terminando su frase.

Su voz le sobresaltó. Era amable, poco más que un susurro, pero lo suficientemente poderosa para acelerarle el ritmo del corazón. La reconoció, su claridad y fuerza. Era la misma voz que había oído en el sueño.

—No podía arriesgarme —reconoció Jess—. Le necesito demasiado.

—¿Para qué me necesita?

—Para mantener su promesa, Michael.

Quizá fue la manera en que lo llamó Michael —un nombre que no usaba nadie, ni siquiera su madre—, o quizá fue el escalofrío que sintió cuando le tomó la mano, pero de repente sintió miedo. Forcejeó para soltarse, pero ella lo agarró con fuerza, y de pronto apartó la manga del mono para revelar un patrón en forma de panal tallado en su brazo derecho, una red intrincada de octaedros finos y perfectamente teselados desde la muñeca al codo. Las cicatrices rosadas solo podían significar que el patrón había sido grabado en su piel con una cuchilla. La simetría del diseño captó su atención, pero lo que le golpeó con más fuerza fue que era el mismo patrón que había aparecido en la piel de Jess en su sueño.

Empezó a interrogarla, pero ella se acercó a él y le susurró:

—¿Recuerda el aroma del bosque? ¿Cómo la luz de la luna caía sobre nuestra piel? Lo que compartimos fue maravilloso. Y solo es el principio.

El corazón le dio un vuelco cuando le volvió todo: el aroma del bosque, la pálida luz de la luna sobre su cuerpo cuando lo abrazaba. No se lo estaba imaginando. Ella había estado allí; había experimentado lo mismo que él.

—No lo puedo hacer sin ti —le confesó. Lo miró y él sintió todo lo que había vivenciado la noche anterior: la conexión emocional casi psíquica, el deseo apabullante, la sensación de que había encontrado una parte perdida de sí mismo.

—No comprendo —reconoció Brink al final, pero en realidad lo comprendía: la mujer sentada delante de él de alguna manera, de una forma inexplicable, era la mujer de su sueño.

15

Costaba bastante sorprender a Mike Brink —habitualmente iba tres o cuatro movimientos por delante en el juego—, pero Jess Price lo dejó descolocado y desorientado. ¿Recuerda el aroma del bosque? ¿Cómo la luz de la luna caía *sobre nuestra piel*? El puzle de Brink, las referencias a su sueño, los cortes en el brazo... todo lo dejaba perplejo. Intentó recuperarse. Había preguntas que necesitaba formular, pero antes de que pudiera empezar, se abrió la puerta de la biblioteca y Thessaly Moses se acercó. Deslizó el diario de Jess en su bolsillo, con la esperanza de que ella no se hubiera percatado.

—Necesito que venga conmigo un momento —ordenó Thessaly. Había algo raro en su voz, una autoridad acerada que no había oído antes.

Ella le había dicho que tenía una hora, pero llevaba en la biblioteca unos diez minutos.

—¿Puedo pasar por su despacho cuando acabe aquí?

—Me temo que no —replicó, mirando hacia la puerta, donde esperaban dos guardias de la prisión: el bulldozer rubio de antes y otro, un tipo mayor con cabello entrecano. Estaban aguardando a que Thessaly les diera luz verde para patearle el culo y ella parecía dispuesta a hacerlo.

—Vamos, señor Brink —ordenó Thessaly, haciendo un gesto hacia la puerta.

—¿De qué va esto? —preguntó, retirando la silla y poniéndose en pie.

Thessaly le lanzó una mirada antes de mover los ojos hacia la cámara de seguridad, un gesto silencioso que le indicó que callase y obedeciese las órdenes.

—Me han pedido que le informase que su permiso ha sido revocado —anunció, su voz era fría e impersonal como una grabación—. Lo voy a acompañar fuera del edificio, señor Brink. Por favor, sígame.

Los guardias se acercaron, uno se quedó a un costado mientras el otro esposaba a Jess. Cuando pasaron a su lado, ella se inclinó y con una voz que era poco más que un susurro, dijo:

—Recuerda tu promesa.

Brink siguió a Thessaly a lo largo del pasillo, siguiendo su paso rápido. ¿Qué demonios estaba pasando? Hacía quince minutos le había dado una hora con Jess. Ahora, lo estaba echando como si hubiera un incendio en la prisión. Y aunque estaba obedeciendo, todo su ser se resistía a irse.

—Vamos, Thessaly —dijo, mientras recorrían el pasillo—. Dra. Moses. Espere. ¿Me lo puede explicar, por lo menos?

Ella no respondió, sino que lo condujo hasta el puesto de guardia, donde pasaron a través del detector de metales y salieron por la puerta principal a la tarde fresca y perfecta, el cielo azul y el sol brillante. Mientras atravesaban el aparcamiento, Thessaly redujo el paso y caminó a su lado.

—Siento todo esto —se disculpó, su voz baja—. Pero necesito sacarlo de aquí lo más rápidamente posible.

Él se volvió hacia ella, desesperado por saber qué estaba sucediendo.

—¿Qué demonios está pasando, Thessaly?

—Solo siga andando —le indicó en voz baja, apretándole el brazo—. Tengo mucho que decir y no demasiado tiempo.

Caminaron uno al lado del otro, pasando por delante de una fila de SUV y monovolúmenes, y de un puñado de motocicletas, alejándose cada vez más por el aparcamiento.

—Tras nuestra excursión al sótano, repasé la carpeta azul. Como probablemente vio, el sobre blanco era de la Oficina del

Sheriff del Condado de Columbia. Dentro había fotocopias de documentos confidenciales de la investigación del asesinato de Noah Cooke. Una información que no había visto antes.

—¿Qué tipo de información?

—Un inventario de objetos encontrados en la escena del crimen, fotos, el informe del forense. Raythe debió pedir una copia: no es habitual, pero no resulta extraño que el terapeuta lea el expediente policial de una paciente. Pero cuando me conecté a nuestro sistema para encontrar la documentación de la petición de Raythe, no pude hallar en la base de datos ninguno de sus archivos sobre Jess Price. Había carpetas para dichos documentos, pero los informes habían desaparecido. Pensé que habría algún problema con mi acceso, así que salí y me volví a conectar, pero descubrí que mis credenciales ya no eran válidas. Me habían expulsado. Llamé a informática y pedí ayuda: yo debía tener un acceso completo a esos archivos; y al cabo de diez minutos recibí una llamada de mi supervisor. Me dijo que la oficina del gobernador insistía en que usted abandonara las instalaciones. —Le lanzó una mirada que él no supo descifrar, en parte pánico y en parte reproche. O bien sospechaba que era culpa suya y había hecho algo ilegal, o estaba aterrorizada.

—¿La oficina del gobernador? —preguntó, totalmente perplejo—. ¿Qué tiene que ver la oficina del gobernador con todo esto? ¿O con Jess Price?

—Eso es precisamente lo que me pregunto yo —contestó ella—. Mi supervisor me informó que se habían revocado sus privilegios de visita, que lo debía acompañar fuera de las instalaciones y asegurarme de que comprendiese que no debía volver. Si regresa, se supone que debo llamar a la policía y hacer que lo detengan.

—Pero eso es absurdo —exclamó Brink, sintiendo una oleada de rabia—. Tengo permiso para estar aquí. Debe haber un error.

—Mi supervisor nunca había recibido una llamada de la oficina del gobernador. Nunca. Evidentemente, hay alguien a quien no le gusta usted, o lo que está haciendo —explicó—.

También tengo la sensación que alguien ha borrado la cinta de seguridad de su encuentro de ayer con Jess. Fui a hablar con el jefe de seguridad, John Williams, que supervisa la vigilancia. Tengo una buena relación con John y habitualmente es muy servicial. Pero cuando le pedí la cinta, no pudo localizar el archivo digital.

Brink recordaba la preocupación de Jess por la cámara de vigilancia. Sabía que alguien estaba observando y que podrían utilizar en su contra lo que vieran. Tenía razón.

—No le debería decir esto —se sinceró, acercándose—. Podría perder mi empleo. Pero había un montón de locuras en esa carpeta. Me gustaría que le echara un vistazo.

—¿Qué tipo de locuras?

—Tenga —le dijo, presionando un pendrive en la palma de su mano—. No he tenido tiempo de escanearlo todo, pero está la mayor parte.

Brink metió el pendrive en el fondo del bolsillo de los tejanos.

—Para ser totalmente honesta, no sé qué pensar. El Dr. Raythe estaba... —miró por encima del hombro, para asegurarse de que siguieran solos— totalmente fuera de juego. No debería haber tenido una información tan importante fuera del historial oficial de Jess.

Llegaron a la camioneta, pero Brink no se quería ir. Necesitaba toda la información que pudiera conseguir sobre lo que estaba pasando.

—¿Qué había en la carpeta que fuera tan importante? ¿Por qué Raythe necesitaba ocultarla?

Thessaly volvió a mirar por encima del hombro.

—Ahora no puedo hablar. Llámeme cuando lo haya revisado todo. —Presionó su tarjeta de visita en su mano—. El número de mi móvil está en el reverso.

Brink miró la tarjeta, *Dra. Thessaly R. Moses, PhD*, después un número de teléfono garabateado en el reverso. Estaba empezando a asumir que no le iban a permitir que volviera a ver a

Jess. La idea hizo que se desesperase. Acababa de descubrirla, solo empezaba a comprender su conexión y la idea de perderla hacía que sintiera pánico.

—Escuche —dijo—. Es necesario que me comunique con ella. Está pasando mucho más de lo que es consciente.

—Este no es el momento —replicó, lanzándole una mirada de advertencia—. Llámeme luego.

—Una cosa más —insistió, recordando el patrón en forma de panal grabado en la piel de Jess—. El brazo de Jess. Las cicatrices. ¿Sabe lo que ocurrió?

—Jess Price no tiene cicatrices en el brazo —respondió Thessaly, confundida.

—Las acabo de ver —repitió, viendo cómo las formas geométricas se construían en su mente—. Una teselación prismática hexagonal en su brazo. Al principio pensé que era un tatuaje, pero no lo es. Es piel cicatrizada.

—Jess Price no tiene ninguna marca distintiva en su piel. Ni tatuajes, ni marcas de nacimiento, ni cicatrices. De eso estoy segura.

Brink sabía lo que había visto y estaba dispuesto a discutir sobre ello, pero se interrumpió cuando un Tesla negro pasó por la entrada de la prisión y se detuvo. Del coche descendió un hombre alto y delgado con el cabello rojo y gafas de sol. Se encaminó hacia la cárcel y entonces, sintiendo su presencia, se giró y empezó a andar hacia ellos.

—Se tiene que ir. Ahora —ordenó Thessaly, girando sobre sus talones y caminando hacia el Tesla. Cuando Brink subió a la camioneta, miró más allá de Thessaly hacia la prisión y, durante un instante creyó que oía la voz de Jess Price suspendida en el aire: *Sígueme.*

16

Mientras salía a través de los portones de la prisión, Mike Brink intentó encontrar sentido a lo que había ocurrido. El último día había sido, como mínimo, una montaña rusa emocional. Había llegado a la prisión sin ningún compromiso, sus responsabilidades no eran nada más urgente que alimentar a Connie y enviar su puzle semanal a *The New York Times*. Ahora sentía un compromiso apabullante de ayudar a una mujer que casi no conocía. No lo comprendía —ni el sueño, ni el puzle, ni el patrón extraño en su piel—, pero su conexión con Jess no se parecía a nada que hubiera experimentado antes. Lo que había empezado como un puzle se había convertido en una cuestión profundamente personal. Era más que un dibujo intrigante, más que el archivo secreto de Raythe, incluso más que la verdad sobre la muerte de Noah Cooke. Conocer a Jess había cambiado algo en él, le había abierto a emociones que no había sentido antes, y necesitaba comprender por qué.

Con todo lo que le había dicho Thessaly, sabía más allá de toda duda que estaba en peligro. Jess había intentado avisarle, su mensaje cifrado no podía haber sido más claro: *El Dr. Raythe lo sabía y lo mataron.* Pero no la había creído del todo. Había rechazado sus temores, había buscado respuestas en Thessaly y, ahora se daba cuenta, eso había sido un gran error. Si hubiera tomado en serio la advertencia de Jess, habría sido mucho más precavido. Habría minimizado su presencia en la prisión. Habría insistido más para que le dejaran leer los archivos de Raythe cuando tuvo la oportunidad. Tenía que saber lo que había detrás de esto y lo que querían de Jess. Si lo supiera, tendría una idea de a qué se enfrentaba. Pero tal como estaban las cosas, no tenía mucho de lo que tirar. Se había producido una llamada del supervisor de Thessaly, le habían revocado sus privilegios de visita y lo detendrían si regresaba. Estaba el puzle que había dibujado Jess, el diario en su bolsillo trasero y el pendrive con los archivos escaneados por Thessaly. Pero ¿qué era lo que tenían en común todos estos elementos? ¿Eran pistas o callejones sin salida?

Y además estaba el tipo del Tesla. Estaba totalmente seguro de que no había llegado para visitar la prisión. Había observado a Brink desde el otro lado del aparcamiento, había visto cómo subía a la camioneta y contemplado cómo se iba. Brink estaba seguro de que había llegado a la prisión a por él. ¿Pero por qué? ¿Qué podría querer? ¿Tendría algo que ver con Jess Price? ¿O con el puzle que había encontrado en el diario? Si era así, ¿cuál era la conexión? ¿Y cómo estaba implicada Jess? Se preguntaba si habían matado a Raythe por la información que tenía sobre Jess, como afirmaba su mensaje cifrado, o si había sido realmente un accidente, como insistía Thessaly. En este momento tenía más preguntas que respuestas. No podía estar seguro de nada. Solo había una cosa cierta: era imposible alejarse del misterio de Jess.

A unas pocas millas de la prisión, giró hacia una carretera local que penetraba en las montañas. Se trataba de un viaje de diez minutos hasta el Starlite y no quería problemas. Necesitaba regresar al motel, sentarse y leer los archivos que Thessaly había escaneado. Cuanto antes supiera lo que había en el pendrive, mejor.

Condujo todo lo rápido que le permitió la camioneta, forzando el motor para que subiera cada vez más por la montaña. Mirando por la ventanilla, vio bosques de pinos blancos, cuya altura empequeñecía todo lo que había a la vista. Abrió la ventanilla al frío aire, que olía a tierra húmeda y musgo, y se dijo que todo lo que acababa de experimentar —la asombrosa conexión emocional con Jess, todas las preguntas que seguían sin respuesta— lo estaba conduciendo hacia una dirección lógica. Había entrado en un puzle y, como todos los puzles, había una solución. Solo se tenía que concentrar en el patrón, seguir las pistas y resolverlo.

Mirando por el retrovisor, vio, bajo un resplandor del sol, al Tesla detrás de él. Se aferró al volante mientras valoraba sus opciones: intentar dejar atrás al Tesla por velocidad, o esconderse. Sabía que la camioneta no era rival y —como había aprendido en persona en el terreno de juego— una buena finta era mejor que te placasen por detrás.

En una curva de la carretera, se metió en un camino de tierra, se internó en una maraña de árboles perennes, detuvo el motor y se reclinó en el asiento de vinilo con el corazón acelerado. Cuando estuvo seguro de que el Tesla había pasado de largo, se sentó y miró a su alrededor. Protegido por los pinos enormes, con la luz de la tarde filtrándose a través de las ramas y formando fractales brillantes, respiró hondo y largamente, contó hasta diez y de a poco fue soltando el aire. De momento, estaba a salvo.

De alguna manera, Jess sabía lo que iba a ocurrir. Sabía que Thessaly lo sacaría de la biblioteca. Sabía que lo habían expulsado de la prisión, le habían bloqueado el acceso. Lo esperaba. Pero también sabía que él no era el tipo de hombre que se rendía: cuanto más difícil fuera el puzle, más se empeñaría en resolverlo. Por eso, en definitiva, ella lo había elegido. En cuanto empezaba un puzle, nunca se rendía.

17

Había colgado el puzle *online* en noviembre de 2009, menos de una semana después de que su padre muriera de cáncer. Había sido una época emocionalmente complicada y, mirando atrás, se avergonzaba de su incapacidad para gestionar sus sentimientos por las estupideces que había hecho.

Había regresado a su hogar en Ohio para estar con su padre al final de su enfermedad. La relación con su madre era tensa en ese momento. Después de que él se hubiese instalado en Boston para asistir al MIT, ella también había abandonado Cleveland. Se había ido a París, aparentemente para ayudar a su abuela que se mudaba a una *maison de retraite*, en Bretaña. Su madre era francesa, nacida en París, y él sabía que echaba mucho de menos su país natal. Sospechaba que se había quedado en Ohio por él. Después de su lesión, había sido su mayor apoyo, llevándolo a visitar especialistas, ayudándole a presentar las solicitudes para la universidad y asegurándose de que no estuviera solo. Cuando se fue, debió sentir su ausencia como un vacío. Prometió regresar de Francia en unas pocas semanas, pero el viaje había durado más de un año y era obvio que no iba a volver a casa.

Su padre enfermó durante su ausencia y, aunque Mike sabía que no existía ninguna conexión —por supuesto no era culpa de nadie que su padre enfermase—, no podía dejar de sentir que había alguna relación subterránea entre que ella se fuera y todo se desmoronase.

Su madre regresó a Ohio después del diagnóstico de su padre, y Mike volvió cuando la enfermedad había llegado a su fase final. Lo cuidaron en casa hasta que el dolor se volvió insoportable y entonces lo trasladaron al hospital. Los tres estaban juntos cuando falleció. Ocurrió en plena noche, el hospital en silencio y a oscuras. En un instante su padre estaba con ellos, al siguiente se había ido.

Brink y su madre organizaron el funeral. Eligieron el traje con el que enterrarían a su padre, estuvieron juntos durante el velatorio y —en una pequeña recepción en el sótano de la iglesia— dieron la mano, aceptaron abrazos y escucharon condolencias. Esa tarde, se sintió transportado de vuelta en el tiempo a su vieja vida, a la época antes de la lesión cuando solo era el hijo de Bob y Celine, el muchacho del que todos esperaban que destacara.

Antes de volar de vuelta a Boston, Mike revisó las cajas que había dejado en el sótano. Encontró sus viejos libros de puzles, pilas de cuadernos Mead llenos de diagramas, ecuaciones y acertijos. Encontró el primer puzle que había construido, el cuadrado mágico, y el primer puzle que había publicado, el crucigrama temático de fútbol. Lo empaquetó todo, junto con unas pocas pertenencias de su padre —unas corbatas de seda; un ejemplar de un manual de programación informática del que había sido coautor; su reloj—, y lo llevó a UPS para enviarlo al este.

Fue delante de UPS, en el aparcamiento de un centro comercial, donde se le acercó el hombre. Se presentó como Gary Sand, uno de los colegas de su padre en Case Western, otro profesor del departamento de informática. Brink no pensó en comprobar su identidad. Parecía un profesor algo despistado: cabello gris despeinado, ropa anticuada, dedos manchados de tinta. «Permíteme que te invite a una copa», le dijo Sand, invitándolo a un restaurante mexicano al final del centro comercial. Mike supuso que querría recordar cosas de su padre. Robert Brink era querido y respetado; su funeral había estado lleno de gente que Mike no conocía, todos ellos con historias que no había escuchado antes. Y por eso siguió al hombre hasta el bar, pidió un margarita y bebió mientras escuchaba cómo Gary Sand le hacía una oferta que le iba a cambiar la vida.

Sus tareas iniciales fueron sencillas. Sand le entregó una clave personal, un código encriptado para un tablón de anuncios anónimo, donde Brink encontraría documentos de Sand: criptogramas, cifras, páginas de letras y números que, después de examinarlos durante unos momentos, revelaban mensajes. Brink los resolvía, los devolvía a través de su clave encriptada y Sand le enviaba un cheque. Eso era todo. Dinero fácil, que necesitaba en aquella época, a pesar de su beca. Sand nunca le pidió nada más y Brink nunca preguntó sobre la verdadera naturaleza de su trabajo. Había buscado a Sand en Google, y cuando no encontró nada, supuso que trabajaba de alguna manera para la NSA, una suposición que se justificaba por el modo en que se comunicaban: todo se enviaba a través de una página encriptada. La NSA había comenzado una iniciativa de criptografía masiva a lo largo de la última década y Brink sabía que sus habilidades lo convertirían en un candidato ideal para el reclutamiento. Pero Sand nunca intentó reclutarlo, y como nunca se volvieron a ver en persona, Brink lo dejó ahí.

Pero entonces empezaron a ocurrir cosas raras. Cosas peligrosas.

Comenzó con la vigilancia *online*. En 2009, durante su segundo año en el MIT, Brink formaba parte de una comunidad de solucionadores de puzles *online*, donde colgaba puzles bajo el seudónimo «M.». Como la mayoría de los aficionados a los puzles, prefería mantener el anonimato. Por entonces ya había aparecido el artículo en el *Time Magazine*, sus puzles eran habituales en *The New York Times* y tenía un contrato de edición para sus libros de puzles. Su fama le precedía, pero no quería que lo tratasen de manera especial en los foros de puzles y por eso no usaba nunca su nombre real. En internet encontró algo que no podía encontrar en la vida real: una comunidad de personas a las que les gustaban los puzles, les gustaba hablar de ellos y lo aceptaban no por quién era, o por lo que le había ocurrido, sino porque hablaban el mismo lenguaje.

La leyenda de M. se desarrolló a partir de ahí. Empezó como algo sencillo. Había colgado un puzle en un foro muy visitado, y la gente entraba y se detenía a resolverlo. Al principio, construía en su mayor parte crucigramas y acrósticos, que eran de lejos los puzles más populares, pero a veces había lanzado un teorema o un laberinto o un puzle Nurikabe. Construía todos los niveles de dificultad, pero sus puzles favoritos eran los realmente difíciles, los que solo unas pocas personas podían resolver. Creaba un puzle cada semana, colgándolo exactamente a las 11:11, hora del este, el domingo por la noche, y lo retiraba 49 minutos después, a medianoche.

Muy pronto, un grupo muy compacto de solucionadores de puzles empezó a entrar en su página. Todo era abierto, libre y descargable, y nunca habría imaginado que sus seguidores iban a ser más que un puñado de aburridos *geeks* de los puzles con un amor común por los desafíos. Pero muy pronto hubo miles de personas descargando sus puzles cada semana. Era exactamente lo contrario de lo que había pretendido. Aunque su avatar era M., algunos de los solucionadores que más lo admiraban lo llamaban El Maestro de los Enigmas.

El puzle que Brink encontró en el diario de Jess fue el último que colgó en el foro como M. La popularidad de sus acertijos se le estaba escapando de las manos y había un grupo de fans persistentes que le presionaban para que revelase su nombre. Un hilo en un subreddit especulaba sobre su identidad, y cuando vio *Mike Brink* encabezando la lista, consideró que se estaban acercando demasiado como para sentirse cómodo. El anonimato era esencial para toda la empresa y nunca había soñado con revelar quién era, pero después de intercambiar una serie de e-mails con uno de los solucionadores que resolvía sus retos más complejos, construyó un puzle que contenía su nombre en el interior y lo colgó un miércoles, cuando nadie estaba esperando el puzle semanal.

Quería que su último puzle fuera un desafío para él mismo, y por eso trabajó con su clave personal de catorce dígitos —la que usaba para intercambiar información con Gary Sand— como la solución al problema: 13911521891411, cuya sustitución alfanumérica se deletreaba: *Mike Brink*. Era una broma personal, oscura, nada que nadie pudiera comprender. Lo colgó a las 11:11 y lo retiró a medianoche. Cuando consultó la analítica, vio que solo tres personas habían descargado el juego, siendo una de ellas el propio Brink. Entonces, considerando que sus días de colgar puzles *online* habían pasado, borró permanentemente el perfil de M. de todas las páginas.

Gary Sand apareció en su puerta al día siguiente con preguntas. Se había producido una conexión sin identificar en el portal de la NSA usando el código de Brink a primera hora de esa mañana y, aunque aparentemente no habían ocasionado ningún daño —no habían alterado ningún archivo y el usuario no había podido acceder a ninguno de los documentos, que también estaban encriptados—, alguien había visto y copiado los archivos de Brink. Mientras Sand explicaba lo que había ocurrido, Brink escuchaba, estupefacto. Alguien sabía que era M., sabía que tenía una relación con Gary Sand y conocía suficientemente las interioridades de sus puzles para usar una serie de soluciones como un código lógico para conectarse a la página encriptada. Y mientras Brink insistía en que era imposible, explicando que solo dos personas habían descargado el puzle y que nadie sabía de su trabajo para la agencia, no importó. Borraron permanentemente sus credenciales de acceso. Su relación con Gary Sand finalizó y Brink se quedó con una profunda sensación de vergüenza. Había sido un estúpido por haber revelado *online* semejante información personal y le había fallado a Gary Sand. No se dio cuenta, hasta mucho más tarde, que su trabajo tenía consecuencias más peligrosas.

Había sido un incidente doloroso, uno que le gustaba fingir que nunca había ocurrido. Pero había ocurrido y Jess se había enterado de alguna manera, lo que planteaba preguntas sobre cómo lo había encontrado y cómo había llegado a su diario.

Ayer creía que había ido a Ray Brook para ayudar a una mujer brillante, pero perturbada. Había sido una distracción, una vuelta de la moneda, un capricho del destino. Pero Jess no era una especie de curiosidad de la salud mental y su presencia en la prisión no había sido un accidente. Jess Price era alguien que había planeado meticulosamente la manera en que se había acercado a él. Había esperado el momento justo. Lo había atraído con el puzle y lo había atrapado con un mensaje cifrado. Con Jess Price, Mike Brink había conocido a su igual. En realidad, nunca había tenido ni la más mínima oportunidad.

18

Si no hubiera sido por Connie, Brink habría salido directamente de las montañas, entrado en la autopista encaminándose hacia el sur hasta la ciudad, subido los cinco pisos hasta su apartamento y cerrado con llave la puerta. Pero había dejado a Conundrum en la habitación del motel, una decisión que ahora lamentaba. Después de lo que había ocurrido en la cárcel, nada parecía seguro, y el Starlite no ofrecía precisamente muchas garantías. Aunque había conseguido despistar al tipo del Tesla, tenía la impresión de que no había acabado con él.

Su intuición resultó acertada cuando entró en el aparcamiento del Starlite. La puerta de su habitación estaba forzada, el marco astillado, y había una serie de huellas de botas estampadas en la puerta. No se veía a Connie por ningún lado.

Saltó de la camioneta y entró en la ruina de su habitación. Quienquiera que hubiera roto la puerta podía seguir allí, esperando, pero no le importaba. Connie podía estar en peligro. Imaginó lo peor: Connie huyendo aterrorizada, alguien encontrándola perdida y llevándosela a casa, o —lo más terrible de todo— su querida perra atropellada en la autopista.

—Connie —llamó, revisando la habitación—. Connie, ¿dónde estás?

La habitación estaba destrozada —la cama volcada y las sábanas arrancadas del colchón—, pero fuera quien fuere el responsable, había venido y se había ido. Vadeó las sábanas tiradas y entró en el baño, donde descubrió los artículos de aseo del motel —botecitos de champú y un tubo minúsculo de dentífrico Crest— exprimidos sobre el suelo. Incluso habían tirado la comida y el agua de Connie, dejando tiras de zanahoria en la alfombra. No lo entendía. ¿Qué creían que estaba escondiendo? ¿Un chip informático hundido en un tubo de dentífrico? ¿Estaba viviendo una novela de espías o algo parecido? Resultaba irónico, porque hasta hacía dos horas, cuando encontró su puzle en el diario de Jess, no creía que tuviera nada que ocultar.

Pero aunque lo tuviera, no lo dejaría nunca en su habitación de hotel. Cualquiera que hubiera visto una película de espías sabría que era el primer lugar que iban a registrar. No obstante, había sido lo suficientemente descuidado para publicar su clave personal en un puzle *online*, así que quizá no fuera tan listo como creía.

De repente, oyó las pisadas de unas patitas sobre el asfalto, después un gañido familiar. Se volvió para ver a Connie atravesando el aparcamiento. Una oleada de alivio le inundó. Agachándose, le acarició el pelaje cuando saltó sobre él, lamiéndole la cara y ladrando de placer. Se maravillaba de su inteligencia. De alguna manera había esquivado al tipo que había entrado en la habitación, después se había escabullido por la puerta y se había escondido en el bosque. Debió presenciarlo todo desde detrás del matorral de zarzamoras salvajes que rodeaba el aparcamiento.

—Me apuesto algo a que sabes quién ha hecho esto, ¿no es verdad?

Levantando a Connie, la llevó dentro de la habitación, le sirvió agua fresca en su cuenco, sacó la carne picada restante de la mininevera y la colocó delante de ella. Mientras comía, se apoyó en la pared, intentando decidir qué hacer a continuación. Cuando se enfrentaba a un puzle, siempre empezaba por el punto más sencillo y avanzaba hacia la complejidad, vislumbrando un plan de ataque claro, pero nunca se había sentido tan desorientado. Pero mientras se encontraba entre las ruinas de la habitación del motel, sabía que aún estaba demasiado cerca. Necesitaba reaccionar, hacer un movimiento atrevido y rápido, ¿pero qué?

Había una serie de lugares posibles para empezar. Estaba el pendrive en su bolsillo que contenía los archivos de Raythe; estaba el diario de Jess en la bandolera. Después estaba Thessaly Moses, en la prisión, a la que tenía intención de llamar. Por dónde empezar determinaba el resultado de cualquier laberinto, pero estaba paralizado.

De repente, una serie de puntos aparecieron en su mente. Comenzó con un círculo totalmente negro, y luego nueve más que se alinearon en un triángulo hasta que apareció el tatuaje del guardia de la prisión. Después de lo que Thessaly había dicho sobre la cinta de seguridad borrada y, sabiendo que alguien dentro de la cárcel lo había estado vigilando, tuvo la impresión de que el guardia de seguridad rubio estaba implicado.

El triángulo había atraído a Brink desde el momento en que lo vio. Algo en el diseño —la disposición de los puntos, su naturaleza elegante y ordenada— tiraba de él. Era la misma sensación que tenía cuando se encontraba con un tipo nuevo de puzle: sentía la promesa atrayente de un secreto, la anestesia de perderse en la persecución de sus secretos y, cuando lo resolvía, una inundación de euforia, una dosis potente de serotonina en la sangre.

Brink regresó a la camioneta y sacó el portátil de debajo del asiento del acompañante. Al menos había sido lo suficientemente listo como para no dejarlo en la habitación. Si lo hubiera hecho, lo habrían roto o robado. Lo abrió, introdujo la clave y se conectó a internet. Tecleó la descripción del tatuaje en un buscador y rápidamente se encontró delante de docenas de imágenes del triángulo, variaciones en forma y construcción, pero todos con la misma descripción. Era un tetraktys, un triángulo equilátero formado por diez puntos atribuido a Pitágoras.

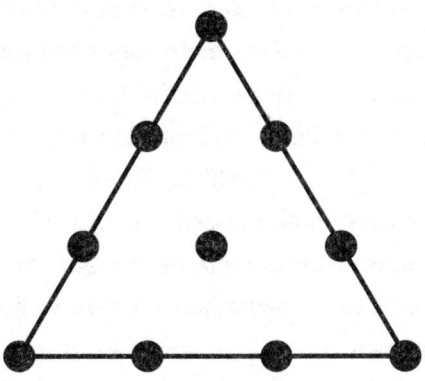

Se trataba de una representación geométrica del cuarto número triangular y, quizá más en línea con la razón del guardia para tatuárselo en el cuerpo, un símbolo de geometría sagrada. Brink tecleó *geometría sagrada* y *tetraktys* y se encontró en una página web llena de información esotérica sobre el triángulo. Según la página, el símbolo expresaba el nombre de Dios, el Tetragrámaton: el nombre de cuatro letras que simbolizaba a Jehová. En la época moderna, si se podía confiar en internet, el símbolo había sido utilizado con mucha frecuencia por los masones. Pero según lo que Brink sabía de la masonería, que tenía que admitir que no era mucho, un guardia de prisión no era el tipo de hombre bienvenido en una sociedad secreta tan elitista. Entonces, ¿por qué un guardia de prisión iba a tener un triángulo pitagórico en su cuerpo? ¿Podría tener otro significado? En la última década, más o menos, la cultura americana había virado hacia el reino demencial de las teorías conspiratorias, las sociedades secretas y la política del final de los tiempos. No le sorprendería que ese tipo tuviera un tatuaje del Arca de la Alianza pintado en el culo.

A pesar de la intriga alrededor de Gary Sand, Mike Brink no creía en teorías de la conspiración. No creía en elecciones robadas, en que el apocalipsis estuviera a punto de llegar, o en que los extraterrestres llevaran décadas visitando la Tierra. Creía en números y hechos, que dos más dos siempre eran cuatro, que la gravedad provocaba la caída de una manzana. Creía en las soluciones lógicas y en que, con el método correcto, se podía conocer la verdad. Los misterios del mundo en realidad no eran muy diferentes de un puzle. Estaban a nuestro alrededor y dependía de nosotros unir las piezas.

Después de cerrar el portátil, Brink subió a Connie a la camioneta y condujo hasta entrar en la I-87 en dirección sur, atento a la aparición de un Tesla negro. Más o menos una hora después, se detuvo en un área de servicio. Al bajar de la camioneta, miró hacia la autopista y después examinó el aparcamiento. Había estado vigilando por el retrovisor cada diez minutos, más o menos, y no había visto nada sospechoso. Por lo que podía decir, nadie lo había seguido.

Fijó la correa de Conundrum, sacó el documento ESA del Dr. Trevers de la guantera por si alguien le planteaba problemas y atravesó el aparcamiento. La estructura de ladrillos del área de servicio tenía una sola planta con un restaurante de comida rápida en un extremo, los lavabos justo delante y una tienda a la izquierda. El aire olía a patatas fritas y al hedor nauseabundo del detergente industrial, lo que le provocó un leve dolor de cabeza. El aire acondicionado estaba demasiado frío para que fuera cómodo, pero había wifi libre, y a las cuatro de un viernes por la tarde era más o menos la única persona en el lugar.

Compró un sándwich de pavo con extra de mayonesa y pepinillos en el Subway y un café grande en el quiosco de Starbucks, y después tomó asiento cerca de una ventana que daba a la autopista. Necesitaba estar al acecho. Aunque estaba seguro de que no lo habían seguido, eso no significaba que no fuera a aparecer alguien. No era difícil encontrar su camioneta rojo tomate.

Con un ojo fijo en la ventana, sacó el diario de Jess de la bandolera y empezó a leer.

19

7 de julio de 2017
Sedge House, Clermont, Nueva York

Sedge House es el tipo de mansión con gabletes y torreones sobre la que lees en una novela del siglo XIX, no el tipo de sitio en el que esperas pasar el verano. Que esté aquí y que tenga todo este lugar para mí sola me parece extraordinariamente maravilloso y extraordinariamente terrorífico al mismo tiempo.

Normalmente, solicito el cuidado de las casas, pero el trabajo en Sedge me llegó sin pedirlo. Alguien envió un correo electrónico a través de la página web de luxuryhousesitting.com con una invitación para que solicitase el empleo. Estudié la descripción y me enamoré de la idea de pasar el verano al norte del estado. La propietaria de Sedge House había fallecido recientemente y la familia quería que alguien viviese en la propiedad durante el verano, y quizás hasta el otoño, mientras la preparaban para la venta. Mis obligaciones principales aparecían en una lista como tareas del hogar ligeras, mantener el jardín y preparar la casa antes de mostrársela a los compradores potenciales, lo que parecía bastante asumible. Y como se encuentra a dos horas de la ciudad y no hay internet ni televisión, me ofrecía la tranquilidad y la soledad que necesito para escribir.

Era más fácil de lo que pensé que sería. Realquilé mi apartamento y tomé el tren hacia el norte del estado con una maleta de ropa, un portátil y un diario por estrenar. Y aquí estoy, escribiendo en dicho diario en lugar de trabajando en mi novela. Al menos surgen las palabras. Al menos esto hace que me haya desatascado. Mira cómo estoy intentando justificar lo que estoy haciendo. Pero, en realidad, no hay justificación posible. Joan Didion lo expresó perfectamente en «On Keeping a Notebook»: *El impulso a apuntar cosas es especialmente compulsivo, inexplicable para los que no lo comparten, útil solo de manera accidental, solo secundariamente, de la misma manera que intentan justificarse todas las compulsiones.*

El taxi me recogió en la estación de Rhinecliff a primera hora de la tarde y al cabo de unos quince minutos, el coche entró en un camino con un portón abierto y subió por una carretera larga y llena de curvas que serpenteaba a través de un bosque poco tupido de abedules y arces. Al final de la carretera, encaramado en una colina que dominaba el río Hudson, se alzaba Sedge House, brillante como una golosina, un entramado de chapiteles y cúpulas que se elevaban hacia el cielo como un gran pastel de bodas gótico. Nunca había visto nada igual y me llevó un rato contemplarlo por completo: la enorme torre circular, los rosetones que enjoyaban el piso superior, el porche envolvente con sus rizos de molduras blancas. Me quedé allí plantada, fascinada, mientras el taxista depositaba mi maleta en la hierba y se iba.

El administrador de la propiedad, Bill, había acordado que se encontraría conmigo en la casa, pero el camino de acceso estaba vacío y la puerta principal cerrada, de manera que decidí echar un vistazo. Había un sendero que bajaba hasta el río y, a un lado de la mansión, un jardín de rosas que había conocido tiempos mejores. El jardín era simétrico y ordenado, punteado por celosías y bancos de hierro forjado, pero el diseño original se había visto superado por la exuberancia de la vegetación. Las rosas creían por encima de los senderos, criaturas robustas y de muchas cabezas que crecían desde una sola raíz, ligeramente siniestras con sus espinas y su abundancia invasora. Nunca me han gustado demasiado las rosas. Siempre me han parecido hermosas, pero frías, como el cristal tallado o las matemáticas.

Oí el crujido de los neumáticos en la grava y regresé para encontrar a Bill, que estaba bajando de una camioneta blanca. Tenía alrededor de los cincuenta, cabello canoso y los ojos acuosos detrás de unos vidrios gruesos, como si sufriera fiebre del heno. Mientras abría la puerta principal, me explicó que la propietaria, Aurora Sedge, había fallecido el pasado diciembre y su heredero, un sobrino llamado Jameson Sedge, planeaba vender el lugar con «armas y bagajes». Mientras subía mi maleta por los escalones que conducían a un porche amplio, me explicó que Franklin Sedge había construido Sedge House en 1876, después de haber hecho una fortuna con la manufactura de botones de vidrio. Había invertido su riqueza en una boda socialmente beneficiosa con una de las hijas Rusten, Adelaide, que aparentemente estaba muy por encima de él, porque él era de Albany y tenía pocos contactos.

Seguí a Bill a un recibidor amplio, mientras intentaba captarlo todo. Mirando por el pasillo, vi objetos por todas partes, apilados en todos los rincones y colocados sobre cualquier superficie, una gran congregación de tesoros: ceniceros de cristal, binóculos lacados, bustos de mármol y pisapapeles de vidrio artísticamente tallados. Incluso el vestíbulo, cuyo único propósito era permitir el paso, estaba bloqueado por una pajarera de latón enorme, fabricada siguiendo la imagen de Sedge House, con torreones y todo lo demás. Dentro, mirando desde detrás de los barrotes, estaba sentado un búho disecado, que asustaba como si fuera una gárgola.

Bill siguió adelante, mostrándome el comedor, un espacio largo y estrecho dominado por una mesa a la que se podrían haber sentado veinte comensales si no hubiera estado cubierta por pilas de platos de porcelana. Accionó el interruptor, iluminando una araña enorme que colgaba sobre el paisaje de porcelana, con los prismas de cristal derramando luz como el hielo al deshacerse. Las paredes estaban cubiertas de paneles cuadrados de caoba tallada que dotaban a toda la habitación de una tonalidad a tabaco, dando al conjunto la sensación de estar lleno de humo, la cual habría resultado sombría, incluso opresiva, si no hubiera sido por las flores: jarrón tras jarrón de rosas florecientes cubrían la sala. Eran demasiado perfectas para ser reales y, para confirmarlo, cuando tomé un pétalo entre el pulgar y el índice, acaricié el tejido sedoso. Era una réplica exacta de una rosa y algo en la perfección de esta imitación —como parecía más vibrante, más real que las rosas del exterior— me pareció siniestro.

—¿Aquí vivía alguien realmente? —pregunté, intentando imaginar la existencia en un lugar así.

—Aurora Sedge permaneció sola en esta casa durante sesenta años, al menos —respondió—. No se casó. No tuvo hijos. No tenía amigos, por lo que yo sé.

Bill entró en la cocina y abrió una caja de madera fijada a la pared, revelando una serie de ganchos de los que colgaban llaves de bronce.

—Esta es para la puerta trasera, esta para el sótano y… aquí está. —Descolgó una llave—. Esta es para el salón. Aurora guardaba allí su colección. Una tasadora profesional vendrá a echarle un vistazo, así que tendrá que abrirlo. Venga, ahora se lo mostraré.

Bill recorrió el pasillo e insertó la llave en la cerradura de un conjunto de puertas corredizas y las abrió. Entré con él en la habitación y me quedé parada, sorprendida y un poco desconcertada. Cuando Bill había dicho *colección*, imaginé algunas pinturas valiosas de la Escuela del Río Hudson, o quizás unas lámparas de Tiffany. Pero de un extremo al otro del salón, plantadas como si fueran flores melancólicas, había muñecas de porcelana. Muñecas en mecedoras, muñecas reclinadas sobre un alféizar, aún más muñecas colocadas juntas en un carrito para bebés anticuado. Había una muñeca con un párpado cerrado, permitiendo que el otro ojo me mirase enloquecido y con salvajismo. Dos muñecas de bebés negras estaban sentadas alrededor

112

de una mesa infantil y tenían delante un juego de té —tetera, tazas de porcelana y muestra de pastelería—, como si fueran a tomar la merienda. Toda una fila de muñecas con vestidos florales estaban sentadas pierna con pierna en un sofá de terciopelo rojo y, al mirar más de cerca, vi que tenían los brazos entrelazados, un codo de porcelana unido al siguiente. Un rayo de luz inclinado cayó sobre este grupito de bebés, con motas de polvo revoloteando por el aire, y pareció, durante un instante fugaz, que sus ojitos brillaban con malicia.

Al entrar más en el salón, pareció que las pequeñas criaturas se movían para mirarme, con todas esas mejillas regordetas, bocas fruncidas y narices altivas presionando por todas partes. Yo, que soy una persona de tamaño medio según todos los estándares, con un metro sesenta y cinco de altura, me sentía enorme. Gigantesca. Como Alicia después de haber tragado la pastilla. Y aunque nunca he tenido tendencia a la claustrofobia, de repente me pareció que todo el aire había abandonado la habitación.

—Esta era la gran pasión de Aurora Sedge —explicó Bill, y parecía tan incómodo como me sentía yo.

—¿Pasión? —exclamé, lanzándole una mirada que debió revelar lo raro que me parecía todo aquello.

—Yo tampoco lo puedo entender, pero sé que esta colección vale un buen dinero. Como le he dicho, el señor Sedge lo va a vender todo antes de poner la casa en el mercado. La especialista tendrá que tomar algunas fotos para la subasta, así que la puede dejar pasar cuando venga. Durante el resto del tiempo esta habitación permanecerá cerrada.

Bill cerró con llave el salón. Lo seguí por el pasillo, pasando delante de una escalera monumental con un pilarote de barandilla tallado en forma de un loro, con un ojo enjoyado vigilante, y una pared de fotografías color sepia. Se detuvo para presentarme a la familia Sedge, foto a foto.

Estaba el padre de Aurora, Franklin Sedge con una sudadera de la universidad de Harvard; después otra de Franklin y su novia, Adelaide Rusten, delante de la iglesia el día de su boda.

Estaba la bebé Aurora con su madre, después Aurora a los tres años con su hermano menor Franklin Jr., conocido como Frankie. Al lado aparecían Aurora y Frankie de adolescentes de pie en un salón lujoso que Bill llamó «la residencia de los Sedge en la ciudad». Había instantáneas de Aurora y Frankie posando en un muelle delante del transatlántico de lujo *Queen Mary*; la graduación de Aurora en el instituto; después la graduación de Frankie. En todas las fotos, Frankie estaba contento y sonriendo, y su hermana se encontraba a su lado, diminuta, seria.

—¿Frankie está muerto? —pregunté, recordando que era el sobrino de Aurora, Jameson, quien había heredado la propiedad y que no había más familiares vivos.

—Murió a mediados de su veintena —respondió Bill—. Se suicidó, aunque no se revelaron más detalles, lo que, por supuesto, hizo que la gente hablara. Aurora encontró el cuerpo y, según todos los indicios, quedó destrozada. Después de eso se encerró en la casa. Nadie ha estado aquí durante décadas, excepto el extraño técnico de mantenimiento y Mandy, su ama de llaves. La muerte de Frankie le afectó mucho. Aurora se pasó el resto de su vida sola, rodeada de rosas de seda y muñecas de porcelana.

20

Después de cerrar el salón, Bill me llevó a la cocina, un espacio pequeño al lado del comedor con una cocina de la década de 1960, un fregadero grande de cerámica blanca y una alacena llena de tazas de té de porcelana. Había una mesa compacta de fórmica junto a la ventana, que ofrecía una vista del río, aunque no me detuve a contemplarla: Bill ya había seguido adelante, encontrándose en lo que llamó la despensa del mayordomo: un espacio ingenioso que era un cruce entre una alacena y un pasillo, con estantes llenos de platos a ambos lados. Imaginé que el mayordomo debía recorrer la despensa y recolectar fuentes y decantadores, una bandeja de plata, o lo que necesitase, y andaría hasta el otro lado, sin necesidad de molestar al cocinero.

Para mis obligaciones, la despensa del mayordomo era donde se guardaban las cosas para la limpieza. Al abrir un armario, Bill me mostró escobas y mopas, paños de papel y diversos productos de limpieza. La obligación de adecentar la casa antes de mostrarla a compradores potenciales parecía cada vez más exigente con el paso de los minutos.

Aurora amaba su hogar, me explicó, pero al final de su vida estaba demasiado débil para mantenerlo y se lo dejó al ama de llaves, una mujer de la zona llamada Mandy Johnson.

—Lo que me recuerda —me dijo—. No me anticiparé a un problema, pero si Mandy aparece en la casa, me debe avisar de inmediato.

Sonó como si estuviera augurando un problema para mí y se lo dije.

—No se preocupe —respondió Bill—. Mandy ya no es un problema del que haya que preocuparse. Pero después de la muerte de Aurora hubo algunas cuestiones. Aurora se había encariñado con Mandy durante los últimos años de su vida y empezó a darle cosas de la casa: recuerdos de la familia, joyas, algo de arte. Nadie sabía lo que estaba ocurriendo hasta la muerte de Aurora. Resultó que Aurora nombró a Mandy como única beneficiaria en su testamento. Todo esto... —Bill gesticuló alrededor de la casa, un movimiento circular que pretendía capturar la enormidad de la buena suerte de la mujer de la limpieza—, si se lo puede creer. Jameson Sedge presentó una demanda alegando que Aurora no estaba en pleno uso de sus facultades. Argumentó que Aurora arrastraba una historia de excentricidades, que, por lo que puedo decir, nadie puede contradecir. También influyó que no había ningún testigo de la firma de Aurora, y sin un testigo, bueno, el asunto se resolvió en el tribunal testamentario y todo quedó en manos de su familiar más cercano vivo: Jameson Sedge.

—¿Pero teme que pueda volver a aparecer? —le pregunté, más preocupada por un ama de llaves ofendida que por los detalles del tribunal testamentario.

—Vino el mes pasado, y cuando Jameson se enteró, hizo que la arrestasen por allanamiento y la cargó con una orden de alejamiento. Dudo que vuelva, pero si lo hace: llámeme.

Después de irse Bill, intenté sentirme como en casa, pero no está siendo fácil. Aurora Sedge lleva meses muerta, pero aun así está tan presente que tengo la sensación de que estoy ocupando su espacio. Todo está como quedó el día de su muerte. Encontré su ropa sucia en un cesto de mimbre; su comida —una bolsa de manzanas podridas, un trozo de queso mohoso, un cuarto de litro de leche entera solidificada— en la nevera; una taza de té en la mesilla de noche llena de un té rancio, los taninos convertidos en alquitrán. Su ropa colgada en los armarios: faldas pesadas de lana oscura con etiquetas francesas; blusas de algodón blancas, crujientes por el almidón; camisones de dormir de franela; y docenas de pares de botines de cordones de cuero de la talla 35, con los tacones manchados de barro. Aurora Sedge está muerta, pero sigue aquí y no puedo dejar de tener la sensación de que no se debería perturbar su casa, con sus deprimentes paneles de caoba, su colección de tesoros y su salón lleno de muñecas de porcelana.

Dejando de lado mis aprensiones, entré en la biblioteca, donde descubrí un escritorio de abogado enorme, un sitio perfecto para trabajar durante el verano. La habitación es octogonal, con librerías que contienen cientos de libros, algunos antiguos y encuadernados en cuero. Hay una chimenea esmaltada con baldosas vítreas de un verde lechoso, una espesa alfombra oriental y dos grandes ventanales que dan al río. El aire estaba viciado y lleno de polvo, así que até las pesadas cortinas de damasco y abrí las ventanas. El sol desaparecía detrás de la espina ondulante de las Catskills, su luz débil llenando la sala, cuando vislumbré un carrito en una esquina con la bandeja inferior abarrotada de botellas de alcohol. Tomando un vaso de cristal tallado de la bandeja de vasos de bar, me serví dos dedos de bourbon, pensando que me podía ayudar a dormir. Estaba preparada para irme a la cama y me encaminé en esa dirección cuando pasé al lado de una Biblia antigua que descansaba sobre una mesa auxiliar. Al abrir su cubierta de cuero desgastado, encontré las páginas anotadas, con pasajes subrayados, comentarios escritos en los márgenes, signos de exclamación añadidos para dar énfasis, todo lo cual expresaba una intensidad en la fe que requería tinta indeleble.

Había un hilo común entre los pasajes marcados, o eso parecía. Todos ellos se referían a algún acto de creación. El versículo de *se hizo la luz*, la creación de Eva a partir de la costilla de Adán y el pasaje sobre el descanso en el séptimo día: prácticamente todo el Génesis estaba marcado. A continuación estaba el salmo 33:6: *Por la palabra de Jehová fueron hechos los cielos; y todo el ejército de ellos, por el aliento de su boca.* Al pie de la página, escrito en letras mayúsculas con tinta azul, alguien había apuntado una frase que parecía fuera de lugar:

Creía que podía saber lo que no se debería saber. Quería ver cosas, cosas secretas, y por eso levanté el velo entre lo humano y lo divino y miré directamente a los ojos de Dios. Esta es la naturaleza del puzle: ofrecer alternativamente dolor y placer.

Cuando acabé de leer, el bourbon había desaparecido. Dejé la Biblia, encontré sábanas limpias en un armario e hice la cama en una habitación grande y espaciosa en el segundo piso, orientada hacia el oeste y con ventanas con mirador que daban al jardín de rosas. Había una mecedora en un rincón, un mueble antiguo de madera que arrimé a la ventana, pensando que podría leer. Pero no había una lámpara de lectura y estaba un poco achispada por el bourbon, así que apuntalé la ventana con mi libro. La cama era un monstruo con estructura de hierro y un colchón de muelles incómodo que debieron fabricar hacía un centenar de años, pero me dormí con rapidez, a pesar de la incomodidad.

En mitad de la noche, cuando ya estaba profundamente dormida, me despertó un ruido. Era suave, casi inaudible al principio, algo escabulléndose por encima de mi cabeza, rápido, como gotas de lluvia golpeando en un cristal. Me senté, escuchando con atención. Durante un minuto no oí nada, pero entonces regresó. Un movimiento en el aire por encima de mí, suave pero regular.

Durante mucho tiempo me quedé tendida despierta, escuchando. El resplandor de la luna entraba a través de la ventana, derramando un brillo azul intenso sobre el suelo de madera del dormitorio, y casi esperaba ver a Aurora de pie, su fantasma reprochándome que invadiera su hogar, pero por supuesto no había nada más que el movimiento de las cortinas a causa de la brisa. Me dije que el ruido debía ser el viento rozando los paneles o el aire atrapado en las cañerías antiguas. En la ciudad, una vez alquilé una habitación en un edificio de antes de la guerra con viejos radiadores de vapor que resonaban como un tambor cada vez que bajaban las temperaturas. Sedge House dispone de radiadores de acordeón del siglo XIX y, aunque no se utilizan en esta época del año, es posible que estén soltando aire atrapado.

Planeaba trabajar por la mañana y estaba decidida a dormir, pero el sonido regresó, más fuerte que antes. No era el viento, ni vapor en los radiadores, sino unos arañazos persistentes desde el tercer piso. Ratones. Ratones, sin lugar a dudas. Las casas antiguas siempre tienen roedores. Una vez leí un comentario de una cuidadora de casas que detallaba su frustración al escuchar ruidos todas las noches en una casa en Nueva Hampshire. Miró por todas partes, intentó descubrir qué podía ser el ruido y finalmente descubrió a una familia de mapaches en el sótano.

Afortunadamente, los ratones no me dan miedo. Crecí viendo ratas habitualmente en el metro y en los parques. Cualquiera que haya visto cara a cara a una rata de Manhattan se puede enfrentar a unos pocos ratones domésticos. Decidí que por la mañana llamaría a Bill y que él se ocupase de ellos. Con esta idea para consolarme, cerré los ojos y me dispuse a dormir.

Pero no habían pasado ni diez minutos cuando volvió el ruido, los crujidos y los arañazos por encima de mi cabeza elevándose hasta una serie de golpes estruendosos. Me senté en la cama, asustada, intentando penetrar en las sombras, tratando de ver qué podría ser, cuando otro sonido, totalmente diferente, fue creciendo a través de la habitación: un sollozo agudo, lastimero, inconsolable.

Salí de la cama y atravesé charcos de luz de luna hasta llegar al pasillo. El sonido había venido de arriba y por eso me dirigí a la escalera y miré a la oscuridad. Bill no me había llevado a la tercera planta. Allí arriba no había nada, me había dicho, señalando una gran puerta de madera en lo alto de las escaleras. Solo cajas con trastos viejos. Pero estaba equivocado. Ahí arriba había algo.

Subiendo los escalones con cuidado, mis pies desnudos resbalando en la madera, me acerqué a la puerta. Agarré el frío pomo de latón e intenté girarlo, pero estaba fuertemente cerrado. Así que apreté la oreja contra la madera, procurando oír lo que había detrás. Había un susurro, suave y regular, como pisadas. Quizá no eran ratones, pensé, sino un animal más grande, un gato callejero o una comadreja. Fuera lo que fuere, tendría que llamar a Bill. Seguramente él se podría ocupar de ello. Pero cuando me alejaba, de repente resonaron golpes en la puerta, una ráfaga de golpes. Paralizada por el miedo e incapaz de moverme, escuché. *Abre la puerta*, susurró la voz. *Por favor, déjame salir*.

Aterrorizada, medio caí, medio corrí escaleras abajo para pedir ayuda.

21

Bill tardó unos minutos en calmarme, pero fue capaz de convencerme para que permaneciese en Sedge House hasta que llegase. Lo estaba esperando en el porche delantero, el sol acababa de aparecer cuando llegó. Me acompañó al interior de la casa, me sentó en un diván en el vestíbulo y escuchó con preocupación mientras le hablaba de los ruidos extraños.

—Aquí hay algo que no va bien —le dije, pero cuando me animó para que se lo explicara, no me pude obligar a describir lo que había experimentado más allá de decir que había oído ruidos extraños procedentes del tercer piso. No mencioné las palabras que había escuchado tras la puerta. Estaba medio dormida, un poco bebida, sola en una casa grande. Estaba empezando a pensar que mi imaginación me había jugado una mala pasada.

Bill me miró durante un buen rato, como si intentase reconciliarse con sus propias dudas sobre la casa, antes de decirme que los ruidos se debían muy probablemente a los roedores.

—No sería la primera vez que este sitio tiene bichos —explicó y me llevó a la despensa del mayordomo donde me mostró una caja de trampas, alrededor de una docena—. ¿Sabe cómo funcionan? —preguntó. Y aunque nunca había colocado una trampa, le aseguré que estaría bien.

Después de irse Bill, me acerqué al llavero, encontré la llave del tercer piso, y con un trozo de queso mohoso de la nevera, me encaminé escaleras arriba. La tercera planta era un caos aún mayor que el resto de la casa: el pasillo estaba atiborrado de cajas, baúles de madera y muebles viejos, generaciones de pertenencias descartadas por los Sedge. Al abrirme paso, pisé una caja cuadrada de madera, derramando una oleada de botones vítreos sobre el suelo, cientos de discos de vidrio de colores desparramándose por todas partes y alejándose de mí. Me agaché y devolví los botones a la caja. Levantando uno en el aire, vi que habían impreso el nombre de Sedge en la superficie rosa pálida. Botones Sedge, la fuente de la fortuna de los Sedge.

Seguí por el pasillo, esquivando más trastos, hasta encontrarme rodeada de repente por espejos, alrededor de una docena colgados a ambos lados del pasillo. Cada uno de ellos me devolvía el reflejo de un fragmento de mí: un trozo de brazo por aquí, un rasgo de la cara por allí, una mano entera. No me había dado cuenta hasta precisamente ese momento, pero no había visto un reflejo de mí misma desde que había llegado a Sedge House. No había ni un espejo colgado en las regiones inferiores de la casa, ni en el primero ni en el segundo piso, ni siquiera en los baños. Pero allí, extendiéndose a lo largo del pasillo del tercer piso, había docenas de ellos: enmarcados en dorados y madera, biselados y plateados, algunos manchados por la edad, uno con una grieta dentada en diagonal.

Quizá la ausencia de espejos fuera la razón de que todo pareciera tan fuera de lugar en Sedge House. Recuerdo un ensayo que leímos en el seminario avanzado sobre psicoanálisis y literatura: «El estadio del espejo», de Jacques Lacan. Un bebé, escribió Lacan, forma su sentido de la identidad al verse reflejado en un espejo. El yo amorfo e ilimitado se va definiendo con cada visión. Cuando nos vemos reflejados en un espejo, afirmaba, comprendemos los límites de quién y qué somos. Me pregunté si la ausencia de espejos en Sedge House podría conseguir el efecto contrario. Quizá vivir sin un reflejo podría hacer que uno desapareciera.

Coloqué las ratoneras a lo largo del pasillo, hasta que hubo unas diez distribuidas a intervalos. Después de haber ubicado todas las trampas, regresé al salón de los espejos, descolgué uno de la pared —un espejo ovalado con un marco dorado— y lo bajé a mi habitación, donde lo colgué de un clavo encima del tocador. Pero justo cuando iba a volver al trabajo, un sonido llenó el aire. Me quedé paralizada y, conteniendo la respiración, escuché: un arañazo, una agitación, después un chirrido, el mismo sonido horrible de la pasada noche.

Corrí de vuelta al tercer piso y recorrí el pasillo, siguiendo el ruido hasta su fuente: una pequeña puerta de madera insertada en el empapelado. Al abrirla, descubrí un profundo hueco vertical con cuerdas colgando. Inclinándome, miré hacia arriba y vi las cuerdas enrolladas alrededor de una polea en lo alto. Era raro porque la casa no tiene un cuarto piso, por lo que yo sé, y Bill no había mencionado nada de una buhardilla. En el marco había unos botones de baquelita, y cuando apreté uno de ellos las cuerdas cobraron vida, subiendo un cajón de madera. El movimiento generó los ruidos exactos que había escuchado la noche anterior: unos golpeteos y arrastres puntuados por un chirrido terrible de poleas oxidadas. No hay ratones en Sedge House, o si los hay, no son los responsables de los ruidos. El culpable es un viejo y decrépito montaplatos. ¿Y la voz? Claramente el producto de una imaginación sobreexcitada. Misterio resuelto.

Pero en su lugar apareció otro misterio. ¿A dónde iba el hueco? Volví sobre mis pasos por el pasillo, buscando una escalera que condujera a otro piso. Era una mañana luminosa y la luz entraba por un rosetón, rebotando de espejo en espejo a través del pasillo, iluminando un rectángulo tallado en un trozo de empapelado floral. Una puerta secreta, tan bien escondida que pasé por delante muchas veces sin darme cuenta. Golpeé el papel de pared y oí un eco, la sensación inconfundible de volumen. No había un pomo, pero detecté el agujero de una cerradura pequeña y, agachándome, miré a través de él. Unas escaleras subían en la oscuridad.

Picada por la curiosidad, corrí escaleras abajo y atravesé la cocina hasta el llavero de madera. El día anterior no le había prestado demasiada atención cuando Bill me dio la llave del tercer piso, pero si había una llave para la buhardilla, debía estar allí. Desde luego, el llavero contenía ganchos para una docena de llaves, cuatro en cada fila, cada una con una etiqueta escrita a mano encima del gancho: *sótano, despensa, biblioteca, salón, ático*. Devolví la llave que me había dado Bill, agarré la llave etiquetada como *ático* y subí de dos en dos los escalones hasta el tercer piso.

La llave encajaba. Abrí la puerta y subí las escaleras estrechas hasta un ático caliente y sofocante. No había ningún interruptor para la luz y por eso conecté la función de linterna de mi iPhone e investigué la habitación. El espacio era largo y estrecho, y el tejado caía en ángulo hacia dentro, formando un pico en el centro. Además de un motor antiguo cerca del hueco del montaplatos —supuse que el mecanismo que movía las poleas—, el sitio estaba vacío.

O casi. Cuando me giré para irme, vi, encajada bajo el alero del tejado, una maleta de cuero. Agachándome, agarré el asa, la arrastré desde las sombras y la llevé hasta el centro de la habitación. De algo más de medio metro, el cuero mohoso por la edad, la caja era de otra era. No tenía manera de saber cuánto tiempo llevaba escondida en el ático, pero estaba cubierta por una gruesa capa de polvo que, cuando la limpié, reveló un diseño elaborado de rosas y zarcillos que enmarcaban las letras «GLM».

La maleta estaba cerrada con unas hebillas de bronce. Abrí cada una y levanté la tapa. Dentro, envuelta en una tela blanca, yacía una figura. Apartando la tela, descubrí una muñeca de porcelana de una belleza exquisita. Su cabello era brillante y espeso, de un color castaño oscuro, y sus ojos eran unas esferas enormes de vidrio verde, trozos perfectamente tallados de esmeralda que relucían con un brillo y una profundidad que no me permitían apartar la mirada. Llevaba un vestido rosa pálido que se abría en pétalos desde la cintura. Alrededor del cuello descubrí un medallón victoriano deslustrado grabado con el nombre *Violaine*.

Mi primer impulso fue compararla con las muñecas en el salón, pero Violaine se diferenciaba tanto de ellas como el sol de la luna. Mientras las demás absorbían la luz, parecía que ella la emitía, su rostro pálido y refulgente, como si estuviera iluminado desde dentro. Tenía poco más de medio metro de alto y era pesada, y, mientras que los brazos y las piernas habían sido tallados en la misma porcelana cremosa que la cara, el torso era suave y flexible, invitando a acunarla como si fuera una niña viva y que respiraba.

La acerqué, captando el aroma a cosméticos, a polvo y a seda antigua, sintiendo el peso en mis brazos. La pequeña criatura levantó la mirada hacia mí, su mirada llena de algo que no podía definir bien: un brillo detrás de los ojos de vidrio, un conocimiento consciente de mi presencia. Quizá fue un truco de la luz, o tal vez el calor sofocante del ático, pero parecía que la muñeca irradiaba la fuerza cálida y brillante de la vida.

22

Unos días después, llamaron a la puerta. Me encontré con una mujer elegante de unos cuarenta años de pie en el porche. Llevaba una blusa color crema y una chaqueta a juego, que me recordaba un poco a la editora de mi libro, a la que le gustaba vestir como si fuera a encontrarse con Jackie O. para almorzar. Ofreciéndome la mano, se presentó como Anne-Marie Riccard, de Sotheby's, que había venido para valorar las antigüedades que iban a salir a la venta.

Se disculpó por haberse presentado sin avisar, pero no iba a despedirla. Llevaba en Sedge House menos de una semana y ya estaba cansada de estar sola. Preparé café en la cocina y le llevé una taza a Anne-Marie. Se lo bebió mientras recorría el comedor, evaluando los tesoros de Aurora con una mirada aguda y experta.

—Jameson Sedge me ha pedido que hiciera un inventario —explicó, mirando dentro de un recipiente de cristal lleno de objetos: amonitas, una caja esmaltada, un reloj de bronce dorado—. Me temo que va a ser un encargo mucho más arduo de lo que esperaba.

Anne-Marie tenía un acento, y cuando le pregunté de dónde era realmente, me explicó que había nacido en Montreal, pero que llevaba veinte años viviendo en Nueva York.

—Vine a Nueva York para estudiar cerámica en Cooper Hewitt y Sotheby's me contrató en cuanto me gradué. La porcelana es mi especialidad, en especial las piezas europeas. En los noventa era mucho más divertido. Podía subastar una pieza de Limoges de la primera época por seis cifras sin pestañear. Ahora, el mercado solo se centra en invertir y obtener grandes beneficios, en lugar de en el buen gusto. Pero puedo decir sin ninguna duda que esta mujer no compraba las piezas como una inversión. Le gustaban realmente.

Anne-Marie levantó una tetera grande de color turquesa del centro de la mesa, la miró con un ojo experto y la devolvió a su sitio.

—Wedgewood del siglo XIX. Un tesoro.

—¿Todo esto no le parece un poco… excesivo?

—¿Esta colección? —preguntó Anne-Marie con los ojos muy abiertos—. *Mon dieu*, esto no es nada. He visto casas llenas con un millar de cajitas de música, sótanos con cómics apilados desde el suelo hasta el techo, garajes atiborrados de máquinas de escribir *vintage*. Con frecuencia los coleccionistas son muy extremados.

Sin pensar, planteé la pregunta que llevaba dando vueltas en mi cabeza desde que llegué.

—Pero ¿por qué?

—Coleccionar es organizar el mundo a tu propia imagen, y está claro que Aurora Sedge tenía una conciencia muy clara de quién era. Puedes decir mucho de una persona por lo que colecciona. Creo que me habría gustado… lo puedo ver simplemente echando un vistazo a mi alrededor. Era muy particular en las piezas que compró. Creó un mundo extraordinario con estos objetos. —Tomó un sorbo final del café y dejó la taza—. Supongo que debería ponerme a trabajar —comentó—. Bill me dijo que había una habitación en especial que debía ver…

Fui a la cocina a por la llave del salón, pensando que la dejaría allí. Pero cuando abrí las puertas del salón y la dejé pasar, su reacción fue de una profunda impresión.

—Por todos los… —exclamó, contemplando las muñecas—. ¿Por qué nadie me dijo que esto estaba aquí?

Dejó caer el bolso de cuero en el sofá, entró en el salón y se inclinó delante de una muñeca sobre el sofá de terciopelo. Estaba sentada en medio de un remanso de luz, sus ojos abiertos miraban con un brillo excesivo, su rostro de porcelana tan lustroso bajo la luz del sol que parecía líquido.

—Sencillamente no me lo puedo creer —dijo. Girándose hacia mí, los ojos muy abiertos por la excitación, prosiguió—: ¿Sabe qué son? —No esperó a que contestase—. Son creaciones del legendario fabricante de muñecas francés Gaston LaMoriette. —Sacó una cámara pequeña del bolso—. Durante su vida fue conocido como el creador de Les Bébés de Paris, una línea de muñecas vendidas en los grandes almacenes europeos como Harrods y La Samaritaine desde finales del siglo XIX hasta la Primera Guerra Mundial. Las piezas de este salón son todas muñecas LaMoriette. Eran tremendamente populares, aunque caras, y se convirtieron casi al instante en objetos de coleccionista. Aquí, deje que le enseñe algo…

Tomó una de las muñecas del sofá de terciopelo, apartó el espeso cabello rubio, dejó al descubierto una impresión en la nuca y recorrió con la punta del dedo las iniciales «GLM».

—Gaston LaMoriette. No puede ser más auténtica.

Dejó la muñeca, la colocó bajo la luz y tomó una foto.

—Solía trabajar para una coleccionista de muñecas que estaba obsesionada, verdaderamente obsesionada, con estas muñecas —explicó—. Me hizo viajar por todas partes para comprarlas. Tendría alrededor de doscientas cuando dejé de trabajar para ella. Cuando murió, sus hijos las vendieron todas, por supuesto. Así es la redistribución de las cosas preciosas. Pero mientras estuvo viva y coleccionando, lo que quería realmente y por lo que habría pagado una fortuna para conseguirla, era una muñeca muy particular, una obra maestra creada por LaMoriette en la década de 1890. La muñeca era de un tipo extremadamente especial en su construcción y materiales, fabricada totalmente a mano y rara, rara, rara. Nunca estuvo a la venta mientras vivió, lo que hacía que los coleccionistas se volvieran, por supuesto, totalmente locos.

Se acercó a la mesa infantil y tomo una serie de fotos de la merienda.

—Se trataba de un encargo imposible, por supuesto: la obra maestra de LaMoriette era legendaria y se habría hecho una gran publicidad si hubiera formado parte de una colección privada, o si en algún momento hubiera salido a la venta. Pero ya sabe cómo son los coleccionistas: creen que con dinero se consigue todo. Y, aunque con frecuencia ese es el caso, le dije desde el principio que quedaría decepcionada. La última vez que vieron esa muñeca fue antes del fallecimiento de LaMoriette en 1909. Bueno, en cualquier caso, mi clienta estaba totalmente decidida y yo quería la comisión, así que acepté el reto.

Fotografió el bebé con el párpado cerrado y después la fila de bebés con los brazos entrelazados.

—Hubo una venta privada por parte de los herederos de Dina Vierny en Chartres. —Se detuvo, me miró fijamente—. Tenía una de las colecciones de muñecas más increíbles del mundo. Vierny fue también la musa de una docena de pintores franceses: posó para Maillol y Matisse, entre otros, y fue una ardiente protectora de las artes. Pensé que quizá, solo quizá, Dina Vierny hubiera podido adquirir la obra maestra de LaMoriette sin que saliera a la luz. Si alguien podía hacer algo así, era ella. Era una mujer milagrosa: vivió en París durante la guerra, participó en la Resistencia, la persiguieron los nazis. En cualquier caso, mi clienta me envió con un billete de avión en primera clase y una cuenta para gastos generosa. Acudí a la venta privada en la Galerie de Chartres y examiné todas las piezas. Por supuesto, la obra maestra de LaMoriette no se encontraba entre ellas. Acabé disfrutando de un fin de semana maravilloso en Chartres, pero sin muñeca.

—Esa muñeca... —me aventuré, intentando conseguir más información sin dejar entrever que estaba demasiado interesada—. ¿Se parece a sus otras muñecas?

—Solo he visto fotos, obviamente, y en blanco y negro para el caso, pero puedo decir que hay una gran diferencia entre la construcción de la obra maestra y la manufactura de las muñecas más comunes. La muñeca hecha a mano era más grande que estas y estaba acabada con detalles exquisitos. Tiene un torso infantil de cuero cosido a mano y las partes de porcelana, la cabeza, los brazos y las piernas, fueron moldeadas con una mezcla particular de caolín, dando a la muñeca un lustre único que no tienen las que han sido hechas en la fábrica. Y en realidad, ¿cómo lo iban a tener? Las muñecas de fábrica se construían en una línea de montaje. Esta tiene brazos y piernas articulados, una característica muy inusual en las muñecas de porcelana de la época, más en consonancia con cómo se construían las marionetas y los títeres de madera.

—Y esa muñeca —dije, recordando a Violaine, con los brillantes ojos de vidrio, el cabello lustroso, la maleta con el monograma con las letras «GLM», sintiendo cómo se me aceleraba el pulso—, ¿reconocería que es especial si la viera?

—Oh, la diferencia se vería al instante —respondió—. La muñeca hecha a mano es extremadamente particular, en especial los ojos, que fueron tallados a partir de un cristal de plomo. LaMoriette utilizó métodos tradicionales de soplado de vidrio, muy parecidos a los que se usan para el de cristal de Murano. Al investigar para mi cliente, descubrí que desarrolló su técnica en Praga, aunque se ha perdido el nombre de su maestro. Quizás intencionadamente. Como se aprende pronto en mi profesión, la procedencia de una obra de arte lo es todo. Los coleccionistas quieren una buena historia y la muñeca de LaMoriette tiene una inigualable. Estaba obsesionado con su creación. La muñeca siempre estaba a su lado. De hecho, la llevaba a todas partes.

—Pero ¿por qué? —pregunté, perpleja sobre las razones por las que un hombre adulto llevaría a todas partes una muñeca de porcelana.

—Porque LaMoriette había creado la muñeca a imagen de su amada hija, Violaine. La niña murió trágicamente cuando tenía quince años y LaMoriette nunca se recuperó del todo de su pérdida. En 1909, después de años de depresión, se suicidó. Su hijo heredó el taller y lo vendió todo, incluida la muñeca. Desde entonces, la obra maestra de LaMoriette ha desaparecido. Podría suceder que nadie encontrase nunca a Violaine.

23

En cuanto Anne-Marie se fue, corrí escaleras arriba. Había dejado a Violaine en mi dormitorio, sentada en la mecedora, pero cuando entré corriendo en la habitación, la muñeca había desaparecido. Todo lo demás estaba igual: la cama cubierta con una colcha floral guateada, mi maleta en el suelo, la ventana abierta a una tarde brillante. Pero la mecedora estaba vacía. Me agaché y miré bajo la cama, alrededor de la mecedora y detrás de las cortinas, como si hubiera alguna posibilidad de que una muñeca de porcelana grande pudiera salir volando con la brisa. Pero Violaine no estaba en ningún sitio.

Recorrí toda la casa buscándola. Abrí todas las habitaciones, revisé todos los armarios, saqué trastos de las alacenas, moví las cajas del tercer piso. Desde el sótano hasta el ático la busqué, cada vez más preocupada. Aunque sabía perfectamente que no podía estar en el salón —había estado allí toda la tarde—, regresé y la busqué por la colección de muñecas de Aurora. Cientos de caritas me miraron mientras recorría la sala; sentí el escalofrío de sus miradas vacías, la sensación insidiosa de que sabían algo que yo desconocía. Pero Violaine no se encontraba entre ellas. Violaine se había ido.

Me pasó por la cabeza la idea de que era posible que Bill hubiera llegado a la casa, pero eso también era improbable: el salón domina el camino de acceso y habría visto el coche de Bill. También era hablador y habría querido charlar con Anne-Marie. ¿Era posible que alguien más hubiera entrado en la casa? Comprobé que la puerta principal estuviera cerrada con llave y después fui de ventana en ventana verificando que los cierres estuvieran puestos y corriendo las cortinas. Todo estaba asegurado.

Finalmente, cuando no había ningún sitio más que revisar, me senté en el sofá de terciopelo en el salón, derrotada y ansiosa. ¿Me podía haber imaginado lo que había encontrado en el ático? Era imposible. Había sostenido la muñeca en mis manos, mirado en los ojos verdes de Violaine. Aun así, no había otra explicación.

Fui a la biblioteca, agarré una botella de bourbon, llené un vaso y me lo bebí de un trago. Me quemó la garganta, dejando un regusto dulce a caramelo, pero me redujo un poco la ansiedad. Me serví una segunda copa y, fortificada, regresé al salón.

Balanceando el vaso al borde del sofá, tomé una de las muñecas y la miré. Su piel era translúcida, con un ligero toque de rosa en los labios, los ojos grandes y vidriosos. Mientras miraba alrededor del salón, me pareció, de repente, que las muñecas me estaban observando, valorando, juzgando. Me bebí el vaso de bourbon y me serví otro. Durante horas me quedé sentada, pensando, intentando analizarlo todo. Era absurdo, lo sabía, pero estaba asustada. El corazón me latía con fuerza en el pecho y sentí que me recorría una oleada de repugnancia. No quería estar allí. Necesitaba hablar con alguien, explicarle a alguien lo que estaba ocurriendo, así que subí corriendo las escaleras hasta mi habitación en la segunda planta, me senté en la mecedora junto a la ventana y saqué el teléfono.

Había algunos números de personas a las que podía llamar, pero mi mente fue inmediatamente a Noah. Habíamos estado juntos y lo habíamos dejado varias veces desde mi segundo año en la universidad, aunque nadie habría pensado en nosotros como una pareja. Era cinco años mayor que yo, veinticuatro frente a mis diecinueve cuando nos conocimos, y trabajaba en una galería de arte en Chelsea. Era un escultor que creaba piezas hermosas y abstractas a partir de trozos de metal pintados.

Llevábamos juntos más o menos un año cuando se fue a estudiar historia del arte a Italia, y aunque no rompimos, tampoco seguimos exactamente juntos. Cuando regresó a Nueva York retomamos nuestra amistad, lo que implicaba que a veces pasábamos la noche juntos.

Habían transcurrido semanas desde que hablamos por última vez. Él no sabía nada de mi trabajo como cuidadora de casas al norte del estado, pero supo que algo iba mal en cuanto oyó mi voz. Aunque no estábamos en contacto regularmente, Noah era la única persona a la que me sentía cercana. Comprendía que me gustaba estar sola. Pero también comprendía que lo necesitaba de vez en cuando. A lo largo de los años había recibido más llamadas de la cuenta según mi estado emocional. Aunque no necesitaba verlo todos los días, cuando necesitaba hablar con alguien, siempre llamaba a Noah.

—Te das cuenta de que ha pasado un mes desde la última vez que me llamaste, Jess —fue lo primero que dijo Noah después de descolgar. Lo segundo fue—: Dime lo que va mal.

La mecedora crujió cuando moví mi peso. La luna había salido y el césped se había vuelto blanco bajo su luz. Poniendo los pies sobre el alféizar de la ventana, le expliqué solo las líneas más generales de lo que estaba ocurriendo. No mencioné las muñecas o a Anne-Marie, ni siquiera el hecho de que Sedge House era un gabinete de curiosidades. Pero le expliqué lo suficiente para saber que estaba sola en una casa enorme al norte del estado, que estaba teniendo algún tipo de problema, que había buen licor y un montón de espacio. Antes de haberlo pensado con tranquilidad, le estaba pidiendo que viniera a verme, y él me estaba prometiendo que llegaría aquí en cuanto pudiese.

Y eso habría sido todo si, horas después, no me hubiera despertado por la presencia de alguien en mi habitación. No hubo nada que me alertase de ello, ni un crujido del parqué ni una respiración pesada, sino un aura indefinible que se cernía en la atmósfera, algo justo por debajo del nivel de audición que alcanzaba las profundidades del sueño.

Me senté en la cama. Era una noche cálida y húmeda, y había dejado las ventanas abiertas, pero aun así, el aire era helado. Antes no había habido el menor indicio de brisa, pero ahora un frío ártico atravesaba la oscuridad. Desorientada, miré por la habitación, intentando recomponerme. Había bebido demasiado, lo sabía, pero no había ninguna explicación para el frío que se sentía en el dormitorio o para el entumecimiento de mi cuerpo. Una sensación de hormigueo se deslizó por mis brazos y piernas, unos pinchacitos agudos y dolorosos de alfileres y agujas.

Medio dormida, me levanté para cerrar la ventana, pero mis piernas estaban dormidas, mi equilibrio era precario: me temblaron las rodillas y acabé tendida en el suelo. La luz de la luna entraba por la ventana y formaba un charco a mi alrededor, espesa como leche derramada. Intenté levantarme, pero me había atrapado una especie de parálisis y el aire se llenó de una energía extraña, una vibración a sacudidas que me recorrió el cuerpo como si fuera electricidad. Durante un momento largo y terrible, me quedé allí tendida, intentando moverme, incapaz de girar la cabeza o de cerrar las manos, incapaz de gritar. Algo, una fuerza fuerte y eléctrica, me había atrapado, una sensación pesada que se concentraba en mis extremidades y me agarrotaba los músculos. Era una fuerza al mismo tiempo fría y caliente, que generaba un zumbido bajo y persistente en mis oídos.

Aun así, incluso paralizada en el suelo, lo podía ver todo con suficiente claridad. Los muebles vibraban. La cama se sacudía. El tocador se retiró de la pared. La presión aumentó en la habitación, llegando hasta el frenesí, y por el rabillo del ojo contemplé cómo el espejo oval enmarcado, el que había bajado desde el ático, explotaba hasta formar una telaraña de grietas.

Entonces, de repente, todo quedó en silencio. Los muebles se detuvieron; la electricidad se evaporó. Me agarré al poste de la cama y me ayudé a ponerme en pie, temblando tanto que casi no podía mantener el equilibrio. Me volvió la voz y grité, preguntando quién estaba allí. Había alguien en la habitación, estaba segura, pero no había nada más que silencio.

Intenté convencerme de que no era nada más que demasiado bourbon, o los restos de un sueño, y casi empecé a creérmelo, cuando mi mirada cayó sobre las cortinas. Aunque la noche era tranquila, los paneles de seda se hinchaban. Entonces supe que mi instinto había sido correcto. No estaba sola. Había alguien de pie detrás de las cortinas. Mi mirada se posó sobre una mano pequeña, blanca como el hielo bajo la luz de la luna. Agarraba el borde de la cortina, cuatro dedos delgados y pálidos aferraban la seda. Y entonces todo se ralentizó, y los deditos se empezaron a mover sobre el borde de la cortina —índice, corazón, anular, meñique, índice, corazón, anular, meñique— como si estuvieran tocando el piano, haciendo que la seda temblase como agua bajo la luz de la luna. De repente, se abrió la cortina y allí estaba Violaine.

24

Corrí escaleras abajo justo cuando el sol estaba empezando a salir, decidida a irme. El primer piso estaba exactamente como lo había dejado: los retratos de la familia Sedge, los elegantes pilarotes de la barandilla y la catástrofe de objetos de coleccionista. No se había movido ni una fuente de porcelana y por un momento creí que lo que había experimentado se podía catalogar, guardar y olvidar. Si podía alejarme de Sedge House, todo estaría bien.

Pero incluso cuando me apoyé en la balaustrada para recuperar el aliento, sabía que el mundo había cambiado. Dos caminos se abrieron en mi mente. Una senda sostenía que el mundo que conocía era real: el terreno sólido bajo mis pies, el aire en mis pulmones, el sol que se levantaba en la mañana. Y el otro camino, que se dirigía en la dirección opuesta, era una realidad nueva, una que nunca había considerado. En este sendero aparecían cosas inexplicables, cosas imposibles, que me aterrorizaban. Unas en las que no me podía permitir creer.

La única solución era abandonar inmediatamente Sedge House. Llamaría un taxi y tomaría el primer tren de vuelta a la ciudad. Pero mientras me encaminaba hacia la puerta, algo se movió en el pasillo. Di un respingo y tropecé con la gran pajarera de latón, tirándola. Una mujer estaba en las sombras, mirándome. Accionó el interruptor de la luz y vi que tenía un cabello rubio rojizo, ojos grises muy juntos y una cara común y sencilla. Sostenía un juego de llaves.

—Cambiaron la cerradura de la puerta principal, pero olvidaron el sótano.

Era Mandy Johnson, la limpiadora.

Bill me había pedido que lo llamara si aparecía Mandy y sabía que había una orden de alejamiento contra esta mujer, pero tenía la certeza absoluta de que Mandy no era peligrosa. De hecho, había algo tranquilizador en ella. Después de la noche que había pasado, sentí la urgencia de caer en sus brazos y llorar.

—Parece que he llegado en el momento preciso —comentó, contemplando la pajarera derribada—. Venga, le haré un poco de té. —Se dio la vuelta y caminó hacia la cocina. La seguí—. Por cierto, soy Mandy —se presentó, mientras llenaba con agua la tetera, abría el gas y encendía el fogón.

—Eso me pareció —repliqué, mirándola más de cerca. Rondaba los cuarenta y vestía unos tejanos viejos, unas zapatillas de caña alta y una camiseta descolorida de Guns N´Roses—. El ama de llaves de Aurora Sedge.

—Sí, empecé limpiando para la señorita Aurora —reconoció—. Pero eso no era todo lo que hacía aquí. —Hizo un gesto hacia la mesita al lado de la ventana—. Siéntese y quítese un peso de encima. Parece que ha tenido una noche difícil.

Me senté, sintiendo el peso del terror sobre la espalda y los hombros. Estaba al borde del colapso.

—Creo que me estoy volviendo loca —dije por fin.

Me miró como si comprendiera con precisión por lo que había pasado.

—Está bien. No es necesario que me lo explique. He visto cosas aquí que no creería. Aunque ahora mismo, quizá lo haría.

Mandy estaba familiarizada con la cocina. Sacó una tetera y tazas de porcelana de una alacena, extrajo una lata de la marca Mariage Frères del cajón, puso dos cucharadas en la tetera, la colocó sobre un tapete de puntillas y se sentó delante de mí. Mientras derramaba el agua hirviendo en la tetera, sus pequeños ojos grises me recorrieron, evaluándome.

—Puede resultar difícil pasar la noche en Sedge House —comentó, sirviendo el té en mi taza—. Pero no tiene por qué quedarse. Cuando lo asuma, se puede ir. Ya no hay nada que nos retenga aquí.

—Cuando asuma ¿qué? —pregunté, confundida.

Mandy me dedicó una mirada, como si estuviera decidiendo algo de gran importancia.

—Beba un poco de té, cariño. Hablaremos de ello cuando haya tenido un minuto para calmarse.

Tomé la taza de porcelana y di un sorbo al té caliente. Era negro con una nota de naranja, la cafeína fuerte y bienvenida.

—Sabe, siempre odié este té. Pero la señorita Aurora solo quería este. Es francés, creo. No lo encontraba en Hannaford's. Hacía que lo encargase especialmente de una tienda de tés de la ciudad. Quería que me sentase con ella y lo bebiera. La hacía feliz, así que lo hacía, pero, cielos, solía echarle una tonelada de azúcar solo para poder tragarlo. —Sonrió. Sus dientes eran irregulares, un contraste extraño con sus rasgos extraordinariamente regulares. Un anillo brilló en el meñique, *baguettes* de rubí rodeadas de diamantes en un diseño *art déco*, claramente uno de los regalos de Aurora. Vio cómo lo estaba mirando.

—Bonito, ¿verdad? —afirmó, moviéndolo bajo la luz para que brillaran los rubíes—. Perteneció a la madre de Aurora. Es pequeño, talla cuatro… casi no me entra en el meñique. Probablemente debería hacer que lo agrandaran.

Miré por la ventana. El sol había salido y la luz débil jugaba sobre la superficie del río, imitando el brillo de los rubíes.

—La gente cree que me estaba aprovechando de la señorita Aurora. Bueno, pues no. Me gané todo lo que me dio. —Se reclinó, sin apartar sus ojos de mí.

—Bill me dijo que Aurora y usted estaban muy unidas, —comenté.

—¿Unidas? —Mandy sonrió—. Supongo que se puede llamar así. Fui su empleada durante más de veinte años y era la única que se acercaba a ella, así que en cierta forma estábamos unidas. Confiaba en mí. Tenía dieciocho años cuando vine a Sedge House, solo una niña que fumaba demasiada hierba y en general me estaba jodiendo la vida. Había dejado el instituto y vivía con un tipo que me trataba como la mierda. Pero Aurora Sedge cambió todo eso. Me ofreció un trabajo a tiempo completo, pagaba mi seguro médico, me obligó a volver para conseguir el GED.[6] No quiero decir que ahora sea perfecta o algo por el estilo, pero me hizo ver que existe una razón para que las cosas sean como son. Un propósito. Todos tenemos una misión, cada uno de nosotros, una razón por la que Dios nos ha puesto aquí, y la mía era ayudar a Aurora Sedge. Me necesitaba, especialmente al final. Era la única persona en la que podía confiar. La ayudé a proteger la reliquia. Así era como la llamaba, «la reliquia», y nunca se lo dije a nadie.

La curiosidad y la ansiedad me recorrieron. Había tantas preguntas que quería plantear que no sabía por dónde empezar.

—Y, créame, no ha resultado fácil con ese sobrino —prosiguió Mandy—. Vino a husmear y descubrió más de lo que debía. Una vez, vino a la casa, entró a la fuerza y la presionó para que le permitiera verla. Él sabía que la tenía, según le dijo. También afirmaba que le pertenecía a su padre y que recurriría a los abogados para obtener la herencia que le pertenecía. La señorita Aurora estaba asustada y le explicó demasiado. Lo lamentó, porque en cuanto lo supo, no la quería dejar sola. Le exigió que se la mostrase, pero ella se negó. Si no me lo dijo cientos de veces, no me lo dijo ninguna: «Si Jameson le echa mano, solo conseguirá hacerle daño a alguien».

El té había hecho que recuperase un poco mis sentidos y planteé la cuestión que más me daba vueltas en la cabeza.

—Ha dicho que aquí había algo para mí. ¿Qué ha querido decir?

---

6. General Educational Development Test: examen oficial en los EE.UU. que permite obtener el título equivalente a la Educación Secundaria Obligatoria (ESO) española a los alumnos que no han acabado sus estudios. *(N. del T.)*

—En los últimos años, Aurora empezó a preocuparse por el futuro. Sabía que le fallaba la salud y necesitaba creer que se cuidaría adecuadamente de su posesión más preciada. Me pidió que me quedase para vigilarla y, aunque acepté, le dije que solo lo haría hasta que encontrase a alguien más dotado para el trabajo. Prometí a la señorita Aurora que satisfaría sus deseos y, aunque nadie dirá nunca que sea un ángel, mantuve mi promesa. Nunca dije nada de esto al juez testamentario, pero a la señorita Aurora no le preocupaba si yo era propietaria de este sitio. Solo necesitaba que la vigilase. Necesitaba que mantuviera alejado a su sobrino. Necesitaba que estuviera aquí para entregarle la reliquia.

—¿Está diciendo que me esperaba? —pregunté, intentando comprender cómo podía ser el caso.

—No la esperaba a usted —respondió—, así que salí y la encontré. Alguien joven e inteligente. Responsable. Fiable. Reseñas de cinco estrellas. Alguien que estuviera dispuesta a venir sin plantear demasiadas preguntas.

De repente lo comprendí: había sido Mandy quien me seleccionó de la base de datos de cuidadores de casas, Mandy quien me envió la descripción del trabajo, Mandy quien me puso en contacto con Bill. Mandy estaba detrás de todo.

Pensé en todo lo que había visto en Sedge House. Las marcas en la Biblia, las muñecas de porcelana, la electricidad que había desmontado mi habitación. Estaba confusa, cansada y asustada. Quería volver a la ciudad y olvidarme de la existencia de Sedge House. Miré por la ventana. El coche de Mandy, un Toyota destartalado, estaba aparcado en el camino de acceso. Me podía llevar hasta la estación de tren. Pero primero necesitaba que Mandy respondiera a una pregunta.

—¿Qué es lo que guardaba aquí Aurora Sedge?

Mandy levantó la vista hacia el cielo, como si Aurora Sedge le pudiera susurrar algo, y después me volvió a mirar.

—Venga conmigo —respondió—. Se lo mostraré.

25

Mandy me condujo a través de la cocina hacia el pasillo estrecho de la despensa del mayordomo. Se agachó, abrió la puerta de una alacena, apartó algunas ollas de cobre pesadas y, alargando la mano hacia el interior, tiró de un cerrojo. Se oyó un *pop* agudo y la alacena se liberó. Se apartó de la pared, revelando las profundidades oscuras de una habitación secreta.

Me incliné hacia dentro, solo lo justo para sentir el aire pesado y estancado.

—Aquí era donde la familia escondía el alcohol durante la Prohibición —explicó Mandy, haciendo un gesto hacia una fila de vidrios polvorientos de la Depresión, alrededor de dos docenas de botellas de whisky Canadian Club y Old Saratoga. Deslizó la mano detrás de la bebida y tomó un portafolio de cuero del estante más alto. Lo depositó en mis manos—. Esto es para usted.

Froté la superficie del portafolio, levantando una nube de polvo. Mandy lo había descrito como una reliquia y, aunque lo había imaginado como un antiguo objeto cristiano —el dedo de un santo o una botella de agua bendita—, el portafolio debía ser de la década de 1960 y no podía contener mucho más que unos pocos documentos. Empecé a abrirlo, pero me detuvo.

—No. Por favor. Espere hasta que me haya ido. La señorita Aurora nunca me lo mostró y no quiero verlo ahora. —Empezó a salir de la habitación, pero la agarré del brazo, reteniéndola.

—No puede ser —exclamé—. Debe haber algo más que me pueda explicar.

—He mantenido mi promesa a la señorita Aurora —sonrió, liberándose el brazo—. No hay nada más que esté obligada a hacer. —Pero aun así no se fue. Sus ojos no abandonaban el portafolio y podía ver que, a pesar de lo que había dicho, sentía curiosidad—. Durante años me di cuenta de cosas extrañas que pasaban en la casa, señales de que algo no iba bien. Encontraba cristales rotos por todas partes: en las escaleras, en los pasillos. Jarrones de cristal en mil pedazos, como si hubieran explotado. Entonces los espejos se empezaron a romper. No lo podía explicar, no se caían de las paredes ni nada por el estilo, solo se hacían añicos en sus marcos. Me asustaron tanto que tuve que trasladarlos al piso de arriba. Y además estaban los ruidos raros. Risas y llantos, piececitos corriendo por todas partes. No creo en fantasmas, pero comencé a considerar que debía ser algo así. Creía que me estaba volviendo majareta. Cuando le preguntaba a la señorita Aurora sobre esto, me decía que no era nada. Mi imaginación, decía. Era torpe con el cristal, comentaba. Pero, a medida que envejecía, fue menos estricta en esconder lo que estaba ocurriendo. Entró en el salón y dejó las puertas abiertas. Yo había visto cosas, cosas extrañas, y sabía que estaba pasando algo terrible.

—¿Como qué?

Mandy bajó la vista al portafolio de cuero en mis manos.

—No sé lo que hay ahí, pero sea lo que fuere, es responsable de todo lo malo que ha ocurrido aquí.

Tenía tantas preguntas para Mandy, pero cuando me decidí a plantearlas, se produjo una conmoción en el exterior. Seguí a Mandy hasta la ventana de la cocina y vi un coche de policía en el camino de acceso. Mandy maldijo en voz baja, me hizo un gesto para que escondiera el portafolio de cuero en la despensa y cerró la puerta, fijando el cerrojo. Estábamos entrando en la cocina cuando apareció Bill con dos policías a su lado.

—No es demasiado inteligente aparcar el coche en el camino de acceso si no quieres acabar en la cárcel, Mandy —le dijo, pasando la mirada de Mandy a mí.

—Solo acabo de tomar un poco de té con la cuidadora de la casa —replicó con una expresión inocente—. No hay nada malo en eso, ¿no?

Bill le recordó la orden de alejamiento, aunque no necesitaba hacerlo. Al cabo de unos minutos, Mandy era conducida fuera de la casa. Mientras contemplaba cómo se iba, me di cuenta de que seguía sin saber qué se suponía que debía hacer con el contenido del portafolio de cuero. Mandy era la única persona, a excepción del sobrino de Aurora, que me lo podría explicar.

Después de irse Bill, cerré la puerta principal, corrí de vuelta a la despensa del mayordomo, me arrodillé delante de la alacena, metí la mano y tiré del cerrojo. Con un clic, se abrió el armario secreto. Sin Mandy bloqueando la entrada, vi que la habitación era mucho más grande de lo que había visto inicialmente, la oscuridad se extendía más allá de las estanterías con el alcohol. Aventurándome en el interior, descubrí un espacio grande y vacío con paredes de piedra y un suelo de cemento cuarteado. Al acostumbrarse mis ojos, tomé el portafolio y pasé un dedo sobre la superficie suave, sintiendo su peso. Se me aceleró el pulso ante la idea de descubrir lo que había dentro. Mi curiosidad era imparable, pero aun así, algo, algún instinto profundo, me advertía que debía dejarlo en paz. Debería seguir el ejemplo de Mandy y lavarme las manos de todo el asunto.

Pero no me podía ir. Necesitaba saber lo que ocultaba Aurora, conocer el significado detrás de lo que me había explicado Mandy y, sobre todo, necesitaba comprender cómo se relacionaba con la muñeca hermosa y maldita que había descubierto en el ático.

Al final, ganó mi curiosidad. El portafolio estaba cerrado con una gruesa correa de cuero. Al retirarla, encontré un fajo de papeles sueltos, escritos a mano en francés. Aunque no los podía entender, la estructura de las líneas conformaba una carta: al principio de la primera página había una fecha, *24 Décembre, 1909*, y debajo este saludo inicial: *Mon cher fils*. La letra era florida y parecía que el texto había sido redactado con prisa, las líneas desiguales, la tinta emborronada. En la página final había una firma con florituras: *Gaston LaMoriette*. Reconocí el nombre inmediatamente. Gaston LaMoriette, el fabricante de muñecas que había creado a Violaine.

26

Mike Brink levantó la vista del diario, miró el reloj y vio que eran las 4:08 de la tarde. Se había sumergido en el diario de Jess durante casi diez minutos. Solo había escrito una docena de páginas, que habría tenido que leer en unos sesenta segundos, pero había recorrido con lentitud sus palabras, a veces leyendo varias veces cada frase. Fue una revelación conocer a la persona que había sido Jess antes del asesinato —la mujer que había escuchado en la entrevista de la NPR, la que habían descrito como divertida, cálida, inteligente—, y sintió una punzada de remordimiento por la joven cuya vida había quedado destruida.

Volvió a ojear las páginas, deteniéndose en una línea que destacaba, una cita de la escritora Joan Didion sobre los diarios: *El impulso a apuntar cosas es especialmente compulsivo, inexplicable para los que no lo comparten, útil solo de manera accidental, solo secundariamente, de la misma manera que intentan justificarse todas las compulsiones.* Estaba leyendo el diario de Jess con la esperanza de encontrar algo útil, pero si lo conseguía, sería algo accidental, secundario, un golpe de suerte. Creía en el poder de los acontecimientos casuales y en los encuentros fortuitos que tenían como resultado un cambio de vida, pero no quería ser una presa de ellos. Si había algo concreto en los escritos de Jess que pudiera responder a sus preguntas, necesitaba encontrarlo.

Brink fue pasando páginas con atención, buscando algo que se hubiera podido omitir, pero la escritura de Jess se detenía abruptamente, dejando sin respuestas muchas de sus preguntas. Tendría que encontrarlas por sí mismo.

El aire acondicionado era frío e intenso, soplando desde una serie de respiraderos situados en el techo por encima de su cabeza. Le recorrió un escalofrío cuando miró por la ventana hacia el aparcamiento. Casi había esperado ver el Tesla negro esperando por allí, cerca de su camioneta, pero había aparcado en el centro de un espacio casi vacío. Lo que había ocurrido en el Starlite no iba a volver a pasar. Al menos, aún no.

Conundrum estaba intranquila, pero Brink necesitaba más tiempo, así que compró una barrita de cecina en la tienda y se la puso delante. A Connie le encantaba la cecina —era uno de sus premios favoritos— y la roería durante horas si le daban la oportunidad.

Mientras estaba distraída, encendió el portátil, abrió Google, tecleó algunas palabras clave —*Frankie Sedge; Sedge House; muerte*—, pero no había nada más que referencias a Jess Price. Navegó por las páginas hasta que tropezó con el nombre: *Jameson Sedge*. Al leer, supo que Jameson era el hijo adulto de Frankie, ahora en la cincuentena. Era un niño cuando murió su padre. Según la página de la Wikipedia, Jameson Sedge era un empresario de éxito y fundador de una empresa llamada Singularity, que se dedicaba a proyectos biotecnológicos y de *blockchain* sin especificar. No parecía que esta información fuera a ser útil, así que no le prestó demasiada atención y se desplazó hacia otro enlace, que dirigía a la página web de *The New York Times*: un obituario titulado FRANKLIN «FRANKIE» SEDGE II, HEREDERO DE LA FORTUNA DE SEDGE GLASS, FALLECE A LOS 25 AÑOS. Brink amplió el documento y vio la foto de un hombre joven, guapo y aniñado, con los ojos entornados por la luz del sol, que tenía la apariencia de Gatsby con un traje veraniego blanco. No aparecían detalles sobre la causa de la muerte, solo la fecha del funeral y la ubicación de la tumba. El artículo mencionaba que le sobrevivían su esposa, Renee, de veintitrés años, de Londres, Inglaterra; su hijo, Jameson, y su hermana mayor, Aurora Elizabeth Sedge, que vivía en ese momento en Clermont, Nueva York.

Brink tecleó el nombre de Jameson y realizó la búsqueda, pero aunque había miles de resultados sobre su empresa, Singularity, no había ni una sola fotografía. Era raro, pensó mientras pasaba de una página a otra. Normalmente deberían haber aparecido docenas de fotografías de alguien como Jameson Sedge. Estaba a punto de rendirse y abandonar la búsqueda cuando vio la foto de un hombre alto con el cabello pelirrojo y la piel clara al lado de una mujer. Habían tomado la foto en una función de gala en el Metropolitan Museum of Art. Bajo la imagen aparecían los nombres de *Jameson Sedge* y *Anne-Marie Riccard*. El nombre de la mujer era tan particular que estaba seguro de que tenía que ser la misma mujer que Jess había mencionado en su diario. Y aunque no podía estar seguro al cien por cien, el tipo en la imagen se parecía al hombre en el Tesla negro. Amplió la foto para echarle un vistazo más detallado. No había duda. El hombre que había visto en la prisión, el tipo que sospechaba que había registrado su habitación en el hotel, no era nadie más que Jameson Sedge.

De vuelta al diario de Jess, revisó las páginas con la esperanza de encontrar más información personal sobre Anne-Marie Riccard. No había nada concreto, pero lo suficiente para que estuviera seguro de que se trataba de la misma mujer que Jess había conocido en Sedge House. No comprendía su conexión con Jameson Sedge, pero estaba claro que había una conexión.

Tecleó el nombre de Anne-Marie Riccard en el motor de búsqueda y al cabo de unos segundos apareció en la pantalla una lista de enlaces. El primer lugar de la lista lo ocupaba un perfil en la página web del Bard College. Aparentemente había abandonado Sotheby's para ocupar un puesto de profesora. Brink clicó en la página y leyó su bio: *Anne-Marie Riccard, PhD, Cerámica y Porcelana*. Encontró una fotografía en color de una mujer con el cabello oscuro, ojos marrones y una apariencia seria. La página mostraba su horario de oficina, una dirección de correo electrónico y un número de teléfono. Tomó el móvil, miró el registro de llamadas —Thessaly le había prometido que estaría en contacto, pero aún no había noticias de ella— y marcó el número de Anne-Marie Riccard. Cuando saltó el buzón de voz, dejó un mensaje. Después activó el enlace con la dirección de correo electrónico de Anne-Marie Riccard y envió un mensaje explicando que era un conocido de Jess Price y que le agradecería que tuviera un momento o dos para hablar con él. Le pedía que se pusiera en contacto en cuanto le fuera posible. Ponerse en contacto con ella era arriesgado —al fin y al cabo, estaba relacionada con Jameson Sedge—, pero no veía otro camino para conseguir la información que necesitaba.

Brink revisó páginas y más páginas de información sobre la Dra. Anne-Marie Riccard, leyéndolas con rapidez. Había artículos que había escrito, en su mayoría textos académicos sobre la historia de la cerámica, en especial sobre la porcelana europea de la época en la que se importaron las primeras piezas desde China hasta el inicio de las fábricas europeas en Meissen en el siglo XVI. Pero también había algunos artículos divulgativos: uno en *Town & Country* sobre su interés por la porcelana francesa, otro en la ya desaparecida revista *Toy* sobre muñecas de porcelana. Había escrito un libro sobre porcelana francesa de finales del siglo XIX y principios del siglo XX, que había publicado una editorial universitaria y tenía nueve reseñas de cinco estrellas en Amazon. No escribía sobre un tema popular, pero conocía bien su campo de estudio. Era posible que hablar con ella no le acercase a comprender lo que le había pasado a Jess en Sedge House, pero según el diario, Anne-Marie fue una de las últimas personas que vio Jess antes de la muerte de Noah.

Cuando hubo leído todo lo que pudo encontrar sobre Anne-Marie Riccard, sacó del bolsillo el pendrive que le había dado Thessaly, lo insertó en el portátil y lo abrió. Había dos documentos: un PDF titulado «Archivos policiales» y un segundo PDF que no tenía título. Brink hizo clic para abrir «Archivos policiales» y apareció un documento de cincuenta y siete páginas. Lo revisó y encontró escaneos de varios informes y de notas tomadas de la investigación del asesinato de Noah Cooke. El sello de la Oficina del Sheriff del Condado de Columbia estaba estampado en cada una de las páginas y comprendió que eran los papeles que había dentro del gran sobre blanco marcado como confidencial. Vio documentos relacionados con la detención y filiación de Jess, una foto policial, una lista detallada de la ropa y de los efectos personales que le habían incautado: un vestido veraniego, un par de sandalias, una cadena de oro.

Abrió un documento y encontró una copia de la autopsia de Noah Cooke, que leyó con gran interés. Hubo muchas especulaciones sobre cómo había muerto Noah Cooke: en la prensa, durante el juicio, en la película sobre Jess. Nunca se llegó a publicar el resultado de la autopsia, por lo que sabía Brink, y ahora comprendía por qué: la causa de la muerte aparecía como trauma por contusiones en el pecho y la región abdominal. Había una nota que aclaraba, en opinión del médico que realizó la autopsia, que las heridas del fallecido eran habituales en accidentes de coche o en caídas de al menos quince metros, cuyo impacto provocaba daños graves en los órganos internos. El corazón, los pulmones, el hígado y los intestinos estaban destrozados, lo que había generado una hemorragia interna masiva. Esencialmente, los órganos de Noah Cooke estaban pulverizados.

A Brink no le sorprendía que hubieran ocultado la autopsia: había un montón de cosas sobre el caso que no había llegado a la prensa, en especial porque Jess se negó a testificar. Pero parecía inconcebible que el equipo de la defensa de Jess no hubiera usado esta información. Era factible que una mujer joven pudiera apuñalar a su novio; le podía disparar, o envenenarlo, o incluso estrangularlo. ¿Pero cómo podía Jess ser responsable de la muerte de Noah si sus heridas fueron provocadas por una caída? ¿Cómo podía una mujer de metro sesenta y cinco pulverizar los órganos internos de un hombre? Era totalmente desconcertante.

Entonces, volviendo al pen, vio una carpeta. La abrió y se enfrentó a una serie de polaroids en color. Al mirar las fotos comprendió por qué las habían ocultado, al igual que la autopsia. Si esas fotos hubieran circulado, habría quedado claro que la muerte de Noah Gordon fue aún más horripilante de lo que imaginaba la gente.

En las fotos, Noah Cooke yacía en la biblioteca de Sedge House. Estaba desnudo, los ojos abiertos con una mirada vidriosa, el cabello negro y largo manchado de sangre. Aunque su expresión era sorprendente, lo que hizo que a Brink se le helara la sangre fue su piel: cada centímetro del cuerpo estaba cubierto con el mismo patrón de cortes que Brink había visto en el brazo de Jess, el panal chamuscado de líneas rojas cruzando torso y piernas, los brazos y la cara. Su pecho era especialmente grotesco, los pliegue pálidos de piel rosada y moteado de sangre.

Fue bajando, asqueado por la visión, y encontró otro conjunto de fotos, esta vez en blanco y negro. Las amplió, confuso. ¿Por qué había dos conjuntos de fotos y por qué uno en blanco y negro? Pero cuando miró con más atención, vio que no era simplemente un segundo conjunto de imágenes de Noah Cooke, sino un cuerpo completamente diferente. Este cadáver yacía en el suelo de Sedge House que reconoció por la descripción de Jess: la amplia escalinata con sus pilarotes tallados y la pared de retratos familiares. Sobre el pecho del hombre se extendía la misma red de cortes que había dañado el brazo de Jess, los mismos cortes que cubrían el cuerpo de Noah Cooke. Al pie de la foto aparecía el nombre de *Franklin Sedge*. El hombre muerto era el hermano de Aurora Sedge, Franklin. Lo habían matado de la misma forma que a Noah Cooke.

Brink fue revisando las fotos, pasando de Noah Cooke a Frankie Sedge, intentando encontrarle algún sentido. No era demasiado raro que dos hombres jóvenes de más o menos la misma edad murieran en la misma casa con cinco décadas de diferencia. ¿Pero que los matasen de la misma forma inusual? Era totalmente inexplicable. Brink magnificó las fotografías, ampliando el cuerpo de Frankie, después el de Noah. Durante un momento largo e intenso, Brink estudió los cortes. Se extendían sobre los cuerpos como telarañas carmesíes. La única vez que había visto un patrón como ese fue en la piel de Jess. Y, por supuesto, en su sueño.

Brink estaba a punto de cerrar el portátil cuando le echó un vistazo a su correo electrónico y, para su sorpresa, encontró una respuesta de Anne-Marie Riccard en el buzón de entrada. El nombre de *Jess Price* en el asunto debía ser el responsable de ello, porque en respuesta solo había escrito una frase, exigiendo saber su relación con Jess. Respondió explicando quién era y que había empezado a trabajar en un proyecto con Jess Price, que le había llevado hasta la Dra. Riccard. Sabía que probablemente su respuesta no fuera suficiente para ella —no había especificado qué tipo de proyecto y no había dicho nada del tipo de información que estaba relacionado con ella—, pero esperaba que se sintiera lo suficientemente intrigada para hablar con él.

La respuesta llegó en menos de un minuto: *Estimado señor Brink: estoy familiarizada con usted y con su trabajo, y como probablemente sabe, estoy muy al tanto de la situación de Jess Price. Estaré en mi oficina toda la tarde (la dirección al pie). Llevo muchos años esperando este mensaje. Venga en cuanto pueda.*

Cuando se participa en juegos de habilidad, hay momentos en los que el riesgo resulta inevitable. Mover una pieza a una posición vulnerable en el ajedrez para atraer al oponente a una trampa. Correr a través de una línea defensiva tupida para marcar un *touchdown*. Para ganar, el riesgo era inevitable. Uno tenía que enfrentarse a él, aceptarlo y asumir las consecuencias. Si quería obtener respuestas, necesitaba a Anne-Marie Riccard y, a pesar del peligro, o quizá por él, sintió una oleada de excitación ante la perspectiva de verla.

Brink se puso en pie, apartó las preocupaciones y se encaminó a la puerta. El viaje iba a durar algunas horas, pero solo eran las cuatro y veinte. Podía estar allí a última hora de la tarde si se daba prisa. Miró en el interior de la bandolera, confirmando que el diario estaba dentro, y sintió una gran oleada de expectación. Fuera lo que fuere que había ocurrido en Sedge House, fuera cual fuere la serie de acontecimientos que lo habían llevado a implicarse, Anne-Marie Riccard podría explicarlos. Cuanto antes llegase a su oficina, mejor.

Pero mientras se acercaba a la puerta de vidrio, se quedó helado. Quizá fue un espejismo surgido del asfalto negro recalentado del aparcamiento, o quizá las imágenes que había visto se habían incrustado en su mente, porque, rielando sobre la superficie de la puerta de vidrio, estaba la imagen de un hombre que no reconoció, un hombre cuya piel se había cristalizado y agrietado en miles de fracturas diminutas.

27

A cababa de abrir la camioneta cuando oyó una notificación procedente del móvil. Su antiguo profesor, el Dr. Vivek Gupta, intentaba contactar con él a través de su app de vídeo encriptada. El Dr. Gupta solo lo llamaba una o dos veces al año, así que Brink descolgó de inmediato. Sosteniendo el móvil en una mano, abrió la puerta de la camioneta, dejó que Connie saltase al interior, se metió en la cabina caliente, colocó el móvil en el salpicadero y conectó.

—Muchacho —saludó el Dr. Gupta—. Me alegro tanto de haberte atrapado antes de que te metieras en aguas mucho más calientes.

Vivek Gupta era un hombre del Renacimiento en el sentido más estricto. Además de su trabajo en criptografía y matemáticas, era un artista visual que estudiaba y replicaba las técnicas de los maestros holandeses. La «luminosidad increíble» de Vermeer le había inspirado para estudiar pintura y había abandonado Boston durante la Covid y se había retirado a Cape Cod, donde había convertido una antigua cabaña de pescadores en un estudio de pintura. Brink lo había visitado hacía unos años para pasar un fin de semana largo, comiendo langosta y hablando de todo, desde topología a Alberto Durero. Había dormido en el estudio, rodeado por cuadros de *nature morte* con botellas de vino, aves muertas y granadas, imágenes que lo habían embelesado con su color y —como todo lo relacionado con su mentor— lo habían llenado de una sensación de humildad.

El Dr. Gupta había cobijado al joven Mike Brink bajo sus alas en el otoño del primer semestre en el MIT. Brink estaba intentando adaptarse al cambio, acostumbrarse a las clases y encontrar una manera de pagar el alquiler astronómico. Vio al Dr. Gupta por primera vez desde la fila trasera de su seminario sobre Patrones, Puzles y Ecuaciones. El Dr. Gupta era un hombre alto y elegante con un acento británico con tonalidades hindúes. Era conocido por ser un excéntrico. Una de sus muchas excentricidades era tener una máquina Rube Golberg de la década de los sesenta en una mesa en su aula, una maraña deslumbrante de giros y curvas que fascinaba a sus alumnos.

Durante la segunda clase del semestre, el Dr. Gupta se dirigió a él.

—Perdóneme, ¿señor...? —Señalaba a Mike Brink desde detrás de un atril.

—Brink —respondió Mike, deseando que se lo tragase el suelo.

—Sí, bueno, señor Brink, soy consciente de que es la primera vez que asiste a una de mis clases, pero si pudiera ser tan amable de mirar a su alrededor, verá que sus compañeros están tomando notas. ¿Le importaría unirse a ellos?

Brink ya lo había experimentado antes: un profesor interpretando su falta de papel y lápiz como indiferencia e incluso arrogancia. Precisamente por esa razón, Brink siempre se sentaba al fondo del aula.

—Estoy tomando notas —replicó—. Solo que no lo hago en papel.

—¿Oh? —Se sorprendió el profesor Gupta, apoyándose en el atril, con una expresión divertida en el rostro—. ¿De verdad?

—Desde luego —aseguró Brink, sintiendo que se le calentaban las mejillas. Era una clase pequeña, con solo quince alumnos, pero todos ellos se habían girado para mirarlo—. Se lo puedo demostrar, si lo quiere.

—Por favor, hágalo —le indicó—. La semana pasada analizamos el último teorema de Fermat. Por favor exponga en la pizarra un resumen de la prueba de Andrew Wiles.

—¿Toda ella? —preguntó Brink, un poco sorprendido de que le hubiera pedido que reprodujera una prueba tan elaborada. Era larga y complicada. Reproducirla iba a ser un desafío, incluso para Brink.

El profesor Gupta levantó un rotulador y le hizo un gesto a Brink para que se acercara a la pizarra.

—Todo el conjunto, si es tan amable.

La semana anterior, el profesor Gupta se había pasado la clase analizando los retos y el misterio que rodeaban el teorema de Fermat. Pierre de Fermat, un francés del siglo XVII, había desarrollado un teorema mientras leía la *Arithmetica* de Diofanto, añadiendo la nota sorprendente de que la respuesta era demasiado larga para el margen. Durante siglos, los matemáticos se habían afanado en resolver el último teorema de Fermat. Finalmente, un matemático británico llamado Andrew Wiles descubrió una prueba en 1994, más de trescientos años después de que la formulase Fermat. Gupta había proyectado la prueba de Wiles en la pizarra, pidiendo a la clase que anotasen los puntos principales. Brink lo había asumido todo, fascinado. No estaba tan interesado en las matemáticas implicadas en el último teorema de Fermat como en el desafío que había significado resolverlo, las dificultades soportadas por Wiles, su persistencia, la búsqueda incansable de la solución. Para Brink, la búsqueda de la resolución de un puzle siempre era más interesante que la respuesta.

Mientras se acercaba a la pizarra, dudaba de que nadie, ni siquiera los tomadores de notas más entregados, hubieran apuntado toda la demostración. Brink no recordaba del todo la ecuación, pero, aun así, cuando alzó el rotulador, la vio exactamente como la había proyectado Gupta. Apareció en su mente como baldosas de colores, sombras brillantes que lo condujeron a través de la ecuación como si estuviera tocando escalas en un teclado. Cuando terminó, la pizarra estaba cubierta de números y toda la clase lo miraba absolutamente sorprendida.

—Bravo, señor Brink —exclamó el profesor Gupta, incapaz de ocultar su sorpresa—. Bravo. A partir de ahora queda liberado de venir a clase con papel y lápiz.

A partir de ese momento, el profesor Gupta había adoptado a Mike Brink. Fue su apoyo más firme en el MIT, un mentor y un amigo que lo guio en temas tanto intelectuales como prácticos. Supervisó su licenciatura, nominándolo para numerosas distinciones y galardones; le aconsejó en las decisiones sobre su carrera, lo apuntó a varias conferencias y tuvo su respaldo siempre que ocurría algo inesperado con el profesorado y la administración.

A lo largo del tiempo, Brink había visto lo valioso que podía ser Vivek Gupta como amigo. Mientras que los conocimientos de Brink sobre puzles y patrones, cifras y criptogramas eran intuitivos, los conocimientos de Gupta eran experimentales, destilados de tres décadas en las trincheras. Vivek Gupta tenía casi cincuenta años cuando conoció a Brink, una leyenda en su campo y más allá. Un «veterano de la era del Cypherpunk», como a Gupta le gustaba llamarse a sí mismo, desconfiaba de los gobiernos y de las empresas relacionadas con ellos, y creía que la única manera de protegerse en el mundo moderno era a través de códigos digitales impenetrables. Él y sus compañeros visionarios habían dedicado sus talentos a crear espacios libres, paisajes digitales sin fronteras, monedas digitales y redes privadas que les permitían evitar la vigilancia. Había sido uno de los defensores iniciales de las criptomonedas y había ido más allá al cocrear una red de *blockchain*, para canalizar después su riqueza hacia una fundación de beneficencia con miles de millones de dólares que patrocinaba pequeñas empresas en India. Creía que el capitalismo y la libertad del capital por encima de las fronteras podían sacar al mundo de la pobreza, tanto física como intelectual.

Un día después de clase, el Dr. Gupta le entregó a Brink un trozo de papel con la siguiente anotación:

*Durante siglos la gente ha defendido su privacidad con susu-
rros, oscuridad, sobres, puertas cerradas, acuerdos secretos y
mensajeros. Las tecnologías del pasado no permitían una privacidad fuerte, pero las tecnologías electrónicas sí. Los Cypher-
punks nos dedicamos a construir sistemas anónimos. Defendemos
nuestra privacidad con criptografía, con sistemas de correo anónimos, con firmas digitales, con dinero electrónico.*

Brink realizó una búsqueda rápida *online* y descubrió que
esas palabras formaban parte de «A Cypherpunk's Manifesto»,
escrito por Eric Hughes en 1993. Leyó que con frecuencia se consideraba que el movimiento fue el precursor de la revolución
tecnológica: internet, la comunicación digital, las criptomonedas
y los sistemas descentralizados en el *blockchain*. Los Cypher-
punks querían asegurar la identidad y la privacidad, y entre sus
miembros se encontraban algunos de los emprendedores tecnológicos más poderosos del mundo.

Brink comprendía la necesidad de privacidad, pero formaba
parte de otra generación. No veía el daño en ser visible. No tenía nada que ocultar, así que ¿por qué se tendría que preocu-
par? Lo que no había entendido, le enseñó el Dr. Gupta, era que
la privacidad era algo más que «no tener nada que ocultar». Se
trataba de lo que podían hacer en el futuro con la información
los que detentaban el poder. Se trataba de cómo podían limitar
y orientar su vida. Esa era la razón por la que el profesor Gupta
y los primeros pioneros del ciberespacio habían iniciado su labor: la libertad.

—Todo lo que digas puede y será usado en tu contra —había explicado a un grupo pequeño de sus alumnos a altas horas
de la noche en un pub en Cambridge—. El anonimato es poder.
El informe inicial del Bitcoin, el documento fundacional y probablemente la invención más revolucionaria en las finanzas
desde el papel moneda, fue colgado *online* por alguien llamado
Satoshi Nakamoto. Se trata de un seudónimo. Algunos creen
que el nombre representa a muchas personas que trabajan juntas

y no a un solo individuo. Sea quien fuere realmente Satoshi Nakamoto, se esconde en las sombras por una razón. Aquí mismo, ahora mismo, se está librando una guerra, y su resultado transformará el futuro.

En el segundo curso de Brink, el Dr. Gupta se enfureció cuando se enteró de que Brink había compartido *online* su «clave criptográfica» personal en el puzle numérico de Mike Brink. No importaba que Brink fuera joven y estúpido, no importaba que solo dos personas hubieran descargado el puzle, la revelación de que su información personal se había difundido en internet perturbó profundamente al profesor Gupta.

—Por supuesto, puedes intentar enterrarlo todo —le dijo—. Y puedes romper todos los lazos con Gary Sand y todos ellos. Solo usaban tus talentos para sus propios fines, como seguramente te das cuenta ahora. Eras una víctima. No se te puede echar la culpa. Pero algo como esto puede seguir ahí para siempre.

Y ahí seguía. Ese único movimiento estúpido, ese desliz *online*, esa falta momentánea de sensatez, lo había perseguido.

Brink analizó la pantalla del móvil. El Dr. Gupta estaba en su estudio de arte cubierto con un blusón manchado de pintura. Su antiguo profesor había ganado una buena cantidad de peso desde que abandonó el MIT y le sentaba bien. Las canas le cubrían las sienes, una perilla canosa adornaba el mentón y tenía profundas arrugas de risa alrededor de los ojos y la boca, pruebas físicas de su buen humor.

—Señor Brink, mi querido alumno, ¿qué demonios está haciendo buscando a Jameson Sedge en una conexión wifi pública y sin encriptar?

Brink le explicó la situación —el puzle que le había mostrado Thessaly, el encuentro con Jess en la prisión y todo lo que había seguido—, y entonces sacó el dibujo del puzle circular y se lo mostró a Gupta. Esperaba que su mentor le echase un vistazo y le proporcionase una explicación que fuera al mismo tiempo elegante y obvia, algo que Brink debería haber visto de inmediato. Pero no lo hizo. Se quedó mirando el círculo durante un momento demasiado largo, con el ceño cada vez más fruncido entre las cejas. Parecía preocupado. Finalmente dijo:

—Sospechaba que estabas saliendo de tu campo cuando me avisaron sobre ciertas búsquedas que estabas haciendo *online*.

—¿Te avisaron de mis búsquedas? —preguntó. Sabía que Vivek Gupta tenía el poder de ver cualquier cosa que quisiera en internet y debería haber sospechado de que lo estaba vigilando—. ¿Me has estado espiando?

—Y no soy el único —contestó—. La única manera de asegurarte de que no te vigilen es destrozando tus aparatos electrónicos, e incluso así no sería una protección adecuada. Ahora dime: ¿cómo has llegado a conectar a Jameson Sedge con los acontecimientos que me has descrito? Seguramente no había nada *online* que te diera dicha idea.

—No ha sido fácil. Solo había una imagen de Sedge: una foto en un acto de beneficencia.

—Me sorprende que exista incluso esa sola imagen —explicó—. Sedge es de la vieja escuela, como yo. No tiene perfiles *online*, no publica información personal y no permite que circule su imagen. Hace que eliminen sus fotos cuando aparecen y todo lo que has leído sobre él, en la Wikipedia o en *Forbes* o en *The New York Times*, se revisa continuamente. Lo sé porque uso al mismo tipo para que limpie mi huella digital.

—La foto que vi muestra a Sedge con una mujer llamada Anne-Marie Riccard. Ella tuvo contacto con Jess Price en Sedge House, que resulta que en aquel momento era propiedad de Jameson Sedge. Anne-Marie Riccard estuvo en la casa unos días antes de la muerte de Noah Cooke. Quiero ver si me puede ayudar a comprender lo que ocurrió.

El silencio, tan poco característico de Vivek Gupta, descendió sobre ellos. Finalmente dijo:

—¿Estás seguro de que es una buena idea, amigo mío?

—No veo otro camino —respondió—. En cualquier caso, ha aceptado verme. Se supone que la veré dentro de unas horas. ¿Crees realmente que Sedge tiene algo que ocultar?

—Lo conozco desde hace casi tres décadas y te puedo decir que desde luego tiene algo que esconder. Me cayó bastante bien, al principio. Nos gustaban William Gibson y Philip K. Dick. Estábamos profundamente interesados en los elementos prácticos de la criptografía y cómo podía proteger el anonimato, en especial como se formulaba en la obra de David Chaum. Fuimos miembros iniciales de la subcultura Cypherpunk, parte del grupo original que se reunió en San Francisco para redactar y publicar manifiestos. Y también fuimos de los primeros que planteamos la tecnología del *blockchain* y desarrollamos empresas que giraban alrededor de él. Pero a lo largo de los años, nuestros caminos se separaron. No sé en lo que está metido ahora y eso es algo intencionado. Para ser sincero, no es de mi cuerda. El hombre es despiadado con su privacidad. Si de alguna manera lo has amenazado, has pisado algo mucho más profundo, mucho más oscuro, de lo que puedas imaginar.

—Pero yo no he amenazado a nadie —replicó Brink—. Me han empujado a esto. El puzle vino a mí.

—Estás ayudando a Jess Price —afirmó Gupta—. ¿Correcto?

—Se podría decir así, sí —contestó Brink, dándose cuenta de que ese era, en realidad, el caso. Lo que había empezado como una visita se había convertido en algo más profundo.

—Para Sedge, el amigo de su enemigo es su enemigo. Por lo que me has dicho, Jess Price no es amiga de Sedge.

—En eso tienes razón —reconoció Brink, recordando el texto cifrado de Jess, su miedo a que la estuvieran vigilando.

—Entonces te sugiero que no te reúnas con su novia. Olvídalo todo. Destruye el puzle y regresa a Manhattan.

—No puedo —dijo y supo que era verdad. Aunque pudiera dejarlo de lado, incluso si pudiera olvidar el puzle, Jess lo perseguiría.

El Dr. Gupta suspiró.

—Entonces tranquilízalo lo mejor que puedas. Encuentra una manera de hablar con él. Asegúrale que no te vas a meter en sus asuntos.

—Pero ni siquiera sé cuáles son sus asuntos —recordó Brink.

—Nadie lo sabe, con exactitud —confirmó Gupta—. Pero el crimen que ocurrió en la casa de su familia fue la primera historia que no pudo controlar por completo. Aunque no vas a encontrar nada *online*, su nombre y la naturaleza de su empresa fueron investigados. Que Anne-Marie Riccard esté dispuesta a hablar contigo me sorprende. Mucho.

Brink apoyó la cabeza en el volante; el vinilo estaba ardiendo. De repente sintió la necesidad desesperada de seguir el consejo del Dr. Gupta y regresar a casa, a su loft, a la comodidad de sus puzles, su carrera vespertina, una noche tranquila de televisión con Connie.

—Quizá tengas razón. Quizá debería olvidarme de todo esto.

—Sí, por supuesto que deberías —recalcó Vivek Gupta—. Pero sé que no lo vas a hacer. Además, si has caído bajo el radar de Sedge, hay una maldita buena razón para ello. Ve a ver a su amiga, como has planeado, pero ten cuidado. Mientras tanto, tienes mi app de mensajes encriptados. Escanea el puzle y envíamelo. Veré lo que puedo encontrar sobre él.

28

Era última hora de la tarde cuando Mike Brink entró en el aparcamiento frente al Fisher Center en Bard, una estructura angular diseñada por Frank Gehry con un exoesqueleto plegado y arrugado como una pieza de origami metálico. Connie necesitaba correr y por eso le soltó la correa en un césped perfectamente cuidado, donde esprintó en círculos, saltando y brincando, ladrando de placer bajo el sol brillante y el aire fresco. Su euforia llamó la atención de un grupo de niños que jugaban en el extremo más alejado del campo. Una niña de unos diez años con un vestido amarillo soplaba burbujas de una varita de plástico y Connie, ansiosa por jugar, corría de burbuja en burbuja, explotándolas con el morro. Brink contemplaba cómo las esferas jabonosas e iridiscentes se elevaban y giraban bajo la luz del sol, siendo sus colores cambiantes un milagro de la curvatura constante del aire. Veía los estereorradianes de cada burbuja, contemplaba su simetría sin bordes. Cuando los números empezaron a invadir su mente, los apartó. No había tiempo para perderse en un flujo interminable de dígitos. Anne-Marie Riccard le estaba esperando.

Mientras Brink le ponía la correa a Connie, el móvil le vibró en el bolsillo. Lo sacó y vio que había un mensaje de voz de un número que no reconoció, muy probablemente del director del Motel Starlite, furioso después de haber descubierto la habitación. Abrió el mensaje y se detuvo abruptamente cuando escuchó la voz de Thessaly Moses:

Tengo algunas noticias bastante preocupantes. He intentado averiguar algo sobre lo que ocurrió a primera hora de la tarde y ahora me acaba de telefonear mi supervisor para decirme que van a trasladar a Jess fuera de las instalaciones de Ray Brook. Menuda pesadilla. En cualquier caso, lo llamo para saber si ha leído los archivos en el pendrive. Devuélvame la llamada cuando pueda. Es urgente que hablemos.

Dentro del edificio de historia del arte, el aire acondicionado lo envolvió como un baño helado. Mientras recorría el vestíbulo vacío buscando la oficina de Anne-Marie Riccard, se dio cuenta de que se sentía nervioso por la reunión. Era algo irracional, en especial por la relación tan estrecha que tenía con el Dr. Gupta, pero sus defensas se levantaban cuando se trataba de académicos. No todos los maestros habían apreciado tanto los talentos de Mike Brink como su mentor. En realidad, la mayoría de sus profesores lo habían tratado como una atracción de feria en el mejor de los casos y como un fraude completo en el peor. Podía comprender por qué. Podía leer *Guerra y paz* en unas pocas horas y recitar pasajes a demanda; podía resolver ecuaciones matemáticas difíciles después de haberle echado un vistazo al manual. Incluso los profesores que conocían su historia recelaban de él. Nunca lo decían claramente, pero sentía que la acusación estaba oculta detrás de cada intercambio: Brink disponía de una ventaja injusta. De alguna manera, de forma que no lo podían demostrar, estaba haciéndole trampas al sistema.

Brink había pasado por el MIT, licenciándose en tres años con todos los honores. Aunque había sido un alumno estrella, no era un académico. No consideraba que el trabajo académico fuera un reto, ni siquiera interesante. Cuando le ofrecieron una beca completa para el programa de doctorado del MIT, la rechazó y se mudó a Manhattan, donde empezó a trabajar como constructor de puzles en *The New York Times*, una decisión que sorprendió a sus profesores y provocó la mofa general de sus pares, que estaban aceptando puestos académicos de prestigio y empleos de consultoría muy bien pagados en empresas de todo el mundo. A Mike Brink también le habían ofrecido esos empleos, pero los había rechazado.

Eran raras las personas que comprendían que no tenía alternativa. Brink no necesitaba prestigio ni dinero tanto como necesitaba resolver puzles. Había aceptado las cartas que le habían repartido —un cerebro que al mismo tiempo funcionaba bien y mal de una manera que alteraba su vida— y aprendió a usarlas en su beneficio. Había asumido lo que el Dr. Trevers llamaba su «superpoder» y no podía imaginar cómo sería su vida si no se hubiera lesionado en aquel campo de fútbol hacía quince años. Pero aun así, había momentos en que sentía el daño con más intensidad que en otros.

—Dra. Riccard —saludó Brink, mientras estaba en la puerta de su despacho. La reconoció por la fotografía en la página web de Bard. Era alta y delgada, elegante, su cabello oscuro a la altura de los hombros. Llevaba un chal pálido tejido a mano, con sus grandes puntos formando una celosía intrincada alrededor de los hombros.

—Llámeme Anne-Marie, por favor —le pidió, haciendo un gesto para que entrase en su despacho abarrotado. Se sentó en un sofá pequeño al lado de una estantería llena de libros de arte: un catálogo del Museo Rodin en París, otro de cerámica japonesa—. ¿Y quién eres tú? —preguntó, inclinándose para acariciar a Conundrum, que la miraba con cautela.

—Connie la querrá para siempre si le da esto —le explicó, entregándole una barrita de cecina que sacó de la bandolera. Era una mentira. Conundrum tenía sentimientos intensos sobre las personas; sabía al instante si le gustaba alguien y era raro que cambiase de opinión. Era una de las cosas que más admiraba en ella: tenía un sexto sentido sobre la gente. Anne-Marie le tiró el premio a Connie y se sentó frente a Brink en un sofá de cuero idéntico al suyo.

—Gracias por hablar conmigo con tanta premura —empezó, mientras Connie se sentaba a sus pies y empezaba a roer su segundo premio de cecina del día.

—Hace años que albergo la esperanza de que alguien se ponga en contacto conmigo sobre Jess Price —explicó Anne-Marie—. ¿Sigue…?

—¿Encarcelada? —Brink acabó su frase—. Sí. En un centro en las Adirondacks. Ahora vengo de allí.

—Mencionó que está trabajando con ella en un proyecto —recordó Anne-Marie—. ¿Qué tipo de proyecto?

Brink no había tenido la intención de mentir, pero la historia le vino con facilidad.

—Puzles para presos. Una actividad voluntaria propuesta por el estado.

—Qué generoso —exclamó, lanzándole una mirada escéptica—. ¿Este tipo de trabajos voluntarios es habitual para alguien con su nivel de… experiencia?

—No exactamente —reconoció Brink, dándose cuenta de que, una vez más, su reputación le había precedido—. Pero me gusta ayudar cuando puedo. Por eso quería hablar con usted. Usted conoció a Jess, ¿no es cierto?

—Solo la vi una vez, en Sedge House. El propietario me contrató para evaluar, certificar y vender todas las antigüedades de la casa. Nunca ocurrió.

Eso le sorprendió. Había supuesto que todo lo que atesoraba Sedge House —incluida la propia casa— había sido liquidado.

—¿No se vendió?

—No —respondió—. El propietario quiso dejar las antigüedades exactamente como estaban cuando vivía su tía.

—¿No resulta un poco caro mantener una mansión de la Época Dorada solo para que haga de almacén?

—A Jameson no le preocupan demasiado los gastos. Pero, sí, fue una decisión extraña. La mayoría de la gente habría vendido el sitio con la mayor rapidez posible. Después de todo lo que ocurrió allí, decidió conservarlo. Paga a una ama de llaves para limpiar, y a un jardinero para cuidar las rosas y calentar el lugar lo suficiente para evitar que las cañerías revienten durante el invierno. Jameson es tan excéntrico como su tía Aurora. Quizás incluso más.

—¿Así que la colección de muñecas de porcelana sigue en la casa?

El rostro de Anne-Marie se ruborizó y él pudo ver cómo se tensaba.

—¿Jess le habló de las muñecas?

Asintió, con cuidado para no revelar lo interesado que estaba en todo lo que Anne-Marie le pudiera explicar sobre ellas.

—Me familiaricé bastante bien con la colección de Aurora. Aunque no la conocí en persona, sentí, a partir de su colección, que había algo, bueno, algo maravilloso en ella. Era rara, sin duda, pero conservaba cerca lo que amaba y no dejó que el mundo se entrometiera.

Anne-Marie plegó las manos sobre el regazo y continuó.

—También tenía una colección excelente de porcelana, y la porcelana ha sido mi pasión durante muchas décadas. Es mi área de conocimiento como historiadora del arte y he escrito mucho sobre ella desde los jarrones de los antiguos templos chinos hasta las piezas maestras de la mayólica francesa. Aunque las muñecas de porcelana fueron inicialmente una extensión de este trabajo, admito que empezaron a ser el centro a partir de cierto momento.

—Se trata de un campo muy particular —comentó, sintiendo la necesidad de que siguiera hablando—. ¿Cómo llegó a él?

—¿La verdad? —Sonrió, un atisbo de vergüenza hizo que se sonrojara—. Cuando era una niña de diez años, me sirvieron chocolate caliente en una de las tazas de té de mi bisabuela: una taza de porcelana china delgada como la cáscara de un huevo con una rosa en su centro y el borde dorado. La porcelana, con su ingravidez, su claridad parecida al albumen y su capacidad para capturar la luz y distribuirla a su alrededor, me hechizó. Más tarde, cuando murió mi bisabuela, heredé esas tazas. Resultó que eran de Limoges. Las traje conmigo a mi primer apartamento en Manhattan, donde ocupaban la mitad del espacio dentro del armario en mi cocina minúscula. Las usaba todos los días: un poco ridículo para una estudiante sin blanca, lo sé. De alguna manera me daban apoyo. Cada día, sostenía una taza de Limoges en mi mano y pensaba en mi bisabuela, pero también en toda la habilidad artística que se había reunido para crearla, en cómo la belleza sobrevive a las generaciones y da alegría a lo largo del tiempo. Me di cuenta de que esa taza era una obra de arte, tan preciosa como una estatua romana, solo que se podía disfrutar todos los días. Cambié mi interés hacia la historia de la cerámica. Así empezó mi pasión por la porcelana. —Anne-Marie le ofreció una sonrisa cohibida—. Por favor, perdóneme —añadió—. Le debo estar aburriendo.

—En absoluto —replicó Brink. En realidad comprendía perfectamente cómo una obsesión podía apoderarse de una vida: su descubrimiento de los puzles lo había salvado, estructurado su existencia; en realidad, lo había cambiado todo—. Me resulta fascinante.

—De hecho, es fascinante —recalcó, complacida—. La historia de la porcelana es especialmente cautivadora. Los europeos fueron los primeros expuestos a la porcelana cuando Marco Polo trajo de vuelta un jarrón pequeño desde China. Lo llamó *porcellana*, una palabra italiana que designa una caracola, porque el objeto se parecía al nácar lustroso. Muchos, muchos artistas intentaron replicar la porcelana china en los años siguientes, pero fracasaron. Había técnicas que no podían descubrir, una fórmula secreta que los chinos dominaban con maestría. Los precios de la porcelana importada eran astronómicos y solo los aristócratas más ricos se podían permitir unas pocas piezas.

»Toda Europa estaba fascinada por la porcelana y desesperada por tenerla. Un rey alemán de nombre Augusto el Fuerte invirtió una fortuna para intentar encontrar la fórmula. Al final, tuvo éxito. En cuanto se abrió la veda, por decirlo de alguna manera, la producción de porcelana explotó por toda Europa. Se crearon las fábricas de porcelana francesas, que se hicieron famosas en todo el mundo, así como las empresas británicas como Wedgwood. Las figuritas se convirtieron en caprichos codiciados. Cajas, teteras, jarrones, la gente no tenía nunca suficientes.

En muchos aspectos, la vida europea cambió con la introducción de la porcelana. Generó grandes riquezas y prestigio, por supuesto, y los reyes y las reinas de Inglaterra y de toda Europa encargaron obras maestras impresionantes, pero en el siglo XIX, una persona común podía adquirir una tetera o un precioso juego de tazas de porcelana, como mi bisabuela.

—Y como Aurora Sedge —concluyó Brink, desviando la conversación hacia su objetivo.

—Sí, como Aurora Sedge —reconoció—. Aunque ella no tenía nada de común. Pero dígame… ¿por qué se ha puesto en contacto conmigo? ¿Qué tengo que ver con su proyecto con Jess Price?

Brink había estado tanteando a Anne-Marie y decidió que había llegado el momento de plantear la razón de su visita.

—Estoy intentando comprender lo que ocurrió en Sedge House —explicó—. Usted fue una de las pocas personas que vio a Jess mientras estuvo en la casa.

—Acudí a valorar las antigüedades —explicó—. Casi no hablé con ella.

—Quizá vio algo extraño en la casa —continuó—. ¿Algo que pudiera explicar lo que le ocurrió a Noah Cooke?

—Creo que hubo una investigación —respondió ella con una voz que se había vuelto helada—. Y, como muy bien sabe, hubo una condena.

—No creo que hayan condenado a la persona correcta.

—¿Y está luchando para que se haga justicia?

—¿Hay alguna razón para que no lo haga?

—Quizá no —respondió—. Pero debería comprender la magnitud de lo que ello implica antes de que lo intente.

Brink recordó el acertijo de Jess Price. Ella creía que alguien había matado a Ernest Raythe y que él también estaba en peligro. Estudió a Anne-Marie, intentando deducir cuánto sabía.

—Por eso estoy aquí —dijo al fin—. Para comprender.

Anne-Marie se arrebujó en el chal voluminoso y diáfano, un gesto cuidadoso que se reflejó en su tono.

—Es un poco como una caja de Pandora, señor Brink. Si la abre, comprenderá lo que le ha ocurrido a Jess Price. Tendrá toda la información que está buscando, y más. Pero el conocimiento tiene sus consecuencias. Verá, ella encontró algo que llevaba oculto durante mucho tiempo. Hay personas que no quieren que dicho descubrimiento salga a la luz. Jess se acercó demasiado a ello. Usted ha visto el resultado.

—Me temo que no comprendo lo que quiere decir —replicó, mirándola con atención.

—El conocimiento es seductor —continuó—. Genera el deseo de desvelarlo, de arrancar todos los velos que lo protegen. Pensamos que queremos poseer la verdad y que eso nos gratificará, nos dará consuelo, seguridad, alivio. Pero en realidad, hay ocasiones en las que el conocimiento nos puede hacer daño. A veces un secreto está fuera de nuestro alcance por una razón.

Brink reflexionó sobre ello, inseguro de cómo responder. Él no estaba hecho para los secretos. Una compulsión, que surgía desde el centro de su ser, no le permitía que ninguno quedara sin resolver.

—No soy el tipo de persona que se puede desentender sin saber.

Anne-Marie sacó una llave de su bolso, abrió un archivador y extrajo un portafolio de cuero pequeño. Brink lo reconoció de inmediato como el portafolio descrito en el diario de Jess Price: marrón, arañado, cerrado con una gruesa tira de cuero. De regreso a su asiento, lo apretó con fuerza entre las manos, clavando las uñas en la piel suave.

—Creo que ya ha comprendido que lo que ocurrió en Sedge House no es lo que parece. No se trata solo de la cuestión de quién mató a Noah Cooke, o ni siquiera de si Jess Price es responsable de lo que ocurrió. El contenido de este portafolio podría cambiar su percepción acerca de lo sucedido. De hecho, podría cambiar su percepción sobre todo.

Brink miró por la ventana. La luz se estaba difuminando, el día agotándose a medida que se ponía el sol.

—Las percepciones están hechas para cambiarlas.

Anne-Marie metió el portafolio en su bolso, tomó las llaves de la estantería con libros y se encaminó hacia la puerta.

—Entonces venga conmigo —ordenó, su voz baja, como si tuviera miedo de que la oyeran—. Y se lo mostraré.

29

Mike Brink condujo detrás del BMW de Anne-Marie, siguiéndola a lo largo de una serie de pequeñas carreteras rurales. Estaba oscureciendo y por eso encendió los faros cuando entraron en su propiedad, después de haberse adentrado en un acceso empinado a través de un bosque denso de abetos, abedules y arces. Sus faros iluminaron señales que decían PROHIBIDA LA ENTRADA, PROHIBIDO CAZAR, PROPIEDAD PRIVADA, clavadas en el tronco de los árboles. Miró por el retrovisor, buscando el Tesla negro, y se sintió aliviado al descubrir que no lo habían seguido. Había desaparecido, pero una parte de él lo sentía allí fuera, en la oscuridad, dispuesto a materializarse en cualquier momento.

Finalmente, llegaron al final del camino de acceso y aparcaron delante de una casa moderna compuesta por tres cubos de vidrio colocados encima de losas de hormigón. Apagó las luces y comprobó el móvil. Sin servicio. Bajó de la camioneta y siguió a Anne-Marie hasta la puerta de entrada, Connie a sus pies, pero Anne-Marie lo detuvo.

—¿Le importaría? —le preguntó, mirando la camioneta—. Nunca permito perros en la casa...

Brink extendió la manta de Connie sobre el asiento de la camioneta, abrió un poco las ventanillas y cerró las puertas con llave. Habría preferido dejarla en la caja de la camioneta, pero los dachshund se criaron para cazar y podía imaginar lo que iba a ocurrir si Connie detectaba el olor de un animal. No estaba contenta de que la encerraran en la camioneta y empezó a ladrar y a saltar delante de la ventanilla, de manera que abrió la puerta y dejó que orinase cerca de un árbol. Cuando regresó a su lado, él la apuntó con el dedo como si fuera una pistola.

—¡Bang! —dijo, fingiendo que le disparaba y ella se derrumbó. Hacerse la muerta había sido un truco duro, pero después de meses de prácticas, lo había dominado. Connie yacía en el camino, la lengua colgando cómicamente de la boca. Él rio, la acarició rápidamente detrás de las orejas, la volvió a meter en la camioneta y cerró la puerta.

Delante de la casa, Anne-Marie apretó un llavero y se encendieron las luces, iluminando el interior con un velo de luz suave que dejaba ver la cocina y la sala de estar, creando una onda de reflejos sobre el vidrio.

—No hay mucha privacidad, pero, bueno, no tengo vecinos, así que… —comentó, conduciéndolo hacia la cocina, donde sacó una botella de Sancerre de una nevera para vinos.

Lo descorchó y sirvió dos copas de vino blanco. Le entregó una y lo condujo a la sala de estar, donde la arquitectura minimalista de la casa —sus paredes de vidrio y los suelos de hormigón pulido— quedaba suavizada por el halo de luz ámbar procedente de lámparas repartidas por todo el vasto espacio. Del techo alto colgaba un candelabro colorido, con las cuentas rojas y amarillas retorciéndose como los brazos de un pulpo.

—Eso es un Dale Chihuly —explicó Anne-Marie, cuando vio que él se lo había quedado mirando—. Y esas —indicó haciendo un gesto hacia tres figuritas de porcelana con ojos felinos en la repisa de la chimenea— son piezas maestras de *art déco* creadas por Erté.

Él se dio la vuelta para descubrir pergaminos hebreos enmarcados colgando de la pared de la sala de estar. Había una alacena llena de porcelana y un cáliz dorado expuesto en una estantería.

—Si dependiera de mí, me pasaría todo el tiempo en las subastas. —Se volvió hacia él con sus ojos marrones repentinamente serios—. Pero en vez de eso, estoy totalmente ocupada con otra búsqueda del tesoro.

Anne-Marie dejó la copa de vino en una mesita auxiliar y sacó del bolso el viejo portafolio de cuero.

—Jess no es la única que ha perdido los últimos cinco años de su vida con este misterio. Lo que ocurrió en aquella casa, lo que les ocurrió a Aurora Sedge y a su hermano, y su conexión con los acontecimientos que tuvieron lugar hace mucho tiempo, se ha convertido en una parte significativa de mi vida.

Se sentó en un sofá, retiró la tira de cuero y abrió el portafolio. Brink la contemplaba con un interés creciente. Pero Anne-Marie se detuvo de repente.

—¿Dónde está su teléfono?

Brink dejó la copa de vino en la mesita y sacó el móvil del bolsillo. Miró el registro de llamadas, que mostraba tres llamadas perdidas de antes: la llamada de Thessaly y dos de Vivek Gupta, pero ahora no había cobertura. De repente se dio cuenta de que nadie sabía dónde estaba. Estaba en medio de la nada sin conexión con el mundo exterior.

—Apáguelo, por favor —pidió Anne-Marie, mirando el móvil.

No hay cobertura, en cualquier caso, pensó Brink. Presionó el botón para apagarlo y a continuación lo levantó para mostrarle la pantalla en negro.

—Sé que parece paranoico, pero no puedo ser suficientemente precavida —explicó—. He pasado por demasiado para que esto quede grabado.

Brink se acercó para poder ver el portafolio. Anne-Marie lo agarraba con fuerza entre las manos.

—Cuando empecé mi carrera —reflexionó Anne-Marie—, no sabía gran cosa sobre LaMoriette. Por supuesto, había oído historias sobre sus muñecas. Todo el mundo que se interesa por mi campo de estudio lo ha hecho: las muñecas hermosas, raras y lujosas que obsesionaban tanto a los coleccionistas. Pero era la muñeca maldita, la obra maestra que fue creada a imagen de su amada hija, Violaine, la que más intrigaba a los estudiosos de LaMoriette. Lo sobrenatural, en especial cuando se mezcla con la fascinación de un objeto hermoso, puede ser irresistible para cierto tipo de personas. Pasé mucho tiempo intentando descubrir los hechos detrás de la leyenda.

»Pero muy pronto descubrí que había más de lo que había creído al principio. Los expertos en la historia de la porcelana formamos un grupo bastante reducido y empecé a llamar a colegas de mi círculo para preguntarles sobre lo que sabían sobre LaMoriette. Un amigo de la facultad, Cullen Withers, un especialista en porcelana francesa, había estado reuniendo información sobre él durante décadas. Resultó que tenía una abundancia de documentos relativos tanto a Les Bébés de Paris, la línea de muñecas manufacturadas de LaMoriette, como sobre su creación singular, la muñeca que se consideraba su obra maestra: Violaine. Cullen había recorrido la madriguera de conejo de LaMoriette y había desenterrado artículos periodísticos y entrevistas; un catálogo de una presentación de su obra en un exhibición en París en 1901; algunas fotografías, una carta manuscrita y más cosas. Descubrió que LaMoriette había estudiado con un fabricante de muñecas en Praga en la década de 1890. Sus muy alabados ojos de las muñecas —cristal plomado bañado con color— mostraban una gran influencia de las técnicas de fabricación de vidrio checas, y en una carta de dicho periodo había una referencia vaga a la amistad de LaMoriette con un judío en Praga. Seguí esta pista y aunque no encontré nada más sobre esta amistad, la historia me intrigó y proseguí mi investigación.

Anne-Marie tomó un sorbo de vino y continuó.

—Pronto descubrí que el magnate americano John Pierpont Morgan había comprado el taller de LaMoriette, que incluía una colección de libros y manuscritos raros, así como a Violaine, después de la muerte de LaMoriette por suicidio en 1909.

—¿El banquero? —preguntó Brink, recordando una historia que había leído sobre la crisis financiera de 1907, cuando J. P. Morgan había reunido a los banqueros más prominentes y los había encerrado en una sala hasta que aceptaron un rescate financiero.

—Ese precisamente —subrayó Anne-Marie—. Supongo que compró la colección por los libros y recibió a Violaine como parte del trato. J. P. Morgan entregó la muñeca a su nieta, Frances Tracy Morgan, como regalo de Navidad. La niñera de la niña, la señorita Clarice Clementine, tuvo una relación extensa con la muñeca y afirmó que Violaine estaba poseída... esa fue la palabra exacta que utilizó —explicó Anne-Marie—. Publicó un relato de su experiencia en 1928, mucho después de que terminara su estancia con la familia Morgan. Sus memorias describían todas las cosas que uno espera oír sobre muñecas encantadas: electromagnetismo, movimientos extraños de una parte de la casa hacia la otra, auras de luz, llantos misteriosos y, finalmente, violencia. La joven Frances Morgan resultó herida y, si hay que creer la historia de la niñera, quedó permanentemente aterrorizada.

»Violaine fue vendida con los documentos que verificaban la procedencia de la muñeca: dibujos que había realizado LaMoriette mientras la diseñaba, documentos personales sobre su obra. Fue una venta privada, realizada en metálico, y no había ningún archivo en la Morgan Library sobre quién había comprado a Violaine. Al final resultó que el padre de Aurora Sedge fue el comprador. Adquirió la muñeca para su hija, Aurora.

»Este portafolio —prosiguió— contiene los papeles vendidos junto con Violaine. Se encontraron en Sedge House después de la detención de Jess. Estas páginas —Anne-Marie sacó un fajo de papeles y los colocó en la mesa entre los dos— forman parte de una carta redactada por Gaston LaMoriette para su hijo, Charles LaMoriette, el 24 de diciembre de 1909. Describe un período en la vida de LaMoriette que había tenido lugar casi veinte años antes, en 1891, cuando fue a Praga para estudiar con un fabricante de muñecas llamado Johan Král. Fue la última comunicación que LaMoriette mantuvo con alguien. Se suicidó el día de Navidad de 1909.

Brink intentó agarrar las páginas, pero Anne-Marie lo detuvo. Sacó un sobre pequeño del bolsillo interior del portafolio y mostró tres fotografías en tonos sepia.

—Estas son imágenes de LaMoriette, su esposa y su hija, Violaine, tomadas en 1890 en París. Las encontré hace unos años entre las pertenencias del hijo de LaMoriette, Charles.

Brink levantó una foto y vio a un hombre corpulento con una barba arreglada, un brazo alrededor de una mujer con una pamela decorada con pájaros disecados y el otro alrededor de una adolescente, Violaine. Brink miró más de cerca a Violaine. Era alta y demasiado delgada, no era guapa exactamente, pero había un brillo en su expresión que hacía que lo pareciera. Como su padre, parecía feliz, casi jovial.

—Y esta —indicó Anne-Marie, su reflejo extendiéndose sobre el vidrio mientras mostraba otra foto, una imagen de una muñeca de porcelana— es la obra maestra de LaMoriette. ¿Se da cuenta de cuánto se parece la muñeca a su hija? Es remarcable. ¿Lo ve?

Brink lo veía. El parecido era inquietante. La muñeca, como la niña, tenía una apariencia extraña, con ojos grandes y un rostro que mostraba un carácter juguetón y travieso.

—Murió trágicamente poco después de que tomasen esta foto —explicó Anne-Marie.

—La captó muy bien —reconoció Brink, sintiendo una punzada de tristeza al comprender por completo lo que la obra maestra de LaMoriette había significado para el hombre: una manera de rendir homenaje a la hija que había perdido.

Anne-Marie colocó las páginas en dos pilas sobre la mesa.

—Aurora Sedge guardó este portafolio durante décadas. Jess Price lo debió encontrar, porque fue descubierto en la biblioteca de Sedge House después de su detención. Las páginas estaban desparramadas por la sala, totalmente desordenadas. No está completo, desgraciadamente. Creo que había más páginas, aunque solo Dios sabe lo que les ocurrió. Es posible que las perdiera el hijo de LaMoriette, que es a quien estaban dirigidas. Es posible que las traspapelara Aurora. No hay manera de tener la seguridad.

Brink recordaba el relato de Jess sobre la despensa secreta, recordaba la descripción del portafolio y la carta, y, aunque verificaba lo que le estaba diciendo Anne-Marie, no se lo iba a decir a ella. No confiaba en ella. Alguien que no permite que los perros entren en su casa no puede ser buena persona.

—El original está en francés y la traducción data de principios del siglo XX, quizá de cuando el hijo de LaMoriette vendió la muñeca —explicó, señalando las dos pilas de documentos sobre la mesa: las páginas originales manuscritas en francés y un fajo de páginas en papel cebolla en inglés, una traducción mecanografiada.

Brink había crecido hablando francés con su madre y había perfeccionado la gramática con la lectura de las novelas de Simenon. Si Anne-Marie se lo permitía, era capaz de leer el original, y miró la carta, ansioso por saber lo que decía.

—Esta carta es importante por una serie de razones —siguió explicando—. En primer lugar, no estaba destinada a que la leyera nadie más que su hijo, Charles: LaMoriette le pide a su hijo que queme la carta después de leerla; y por eso, ofrece un relato honesto sobre lo que le ocurrió a LaMoriette en Praga. Además, la narración muestra lo profundamente herido que estaba el hombre por la pérdida de Violaine. Murió solo dos meses antes de que se fuese a Praga y, según la carta, se intuye que esa fue la razón original de que fuera a trabajar con el maestro Král. En cualquier caso, la carta muestra al hombre tal como era, sin artificio, y expresa una franqueza emocional que pone en perspectiva los acontecimientos sensacionales que experimentó.

Brink echó un vistazo a la primera página y sus ojos se detuvieron en una línea del final:

Creía que podía conocer lo que no debe ser conocido. Quería ver cosas, cosas secretas, y por eso levanté el velo entre lo humano y lo divino, y miré directamente a los ojos de Dios. Esa es la naturaleza del enigma: ofrecer alternativamente dolor y placer.

Brink sintió que le recorría un escalofrío por todo el cuerpo cuando se dio cuenta de que Jess había copiado el pasaje con exactitud. Había leído un extracto que estaba escrito en la Biblia familiar de los Sedge, lo que significaba que Aurora Sedge lo debió transcribir de ese mismo párrafo, lo que a su vez significaba... por supuesto... que esta carta había estado en posesión de Aurora.

—*Levanté el velo entre lo humano y lo divino, y miré directamente a los ojos de Dios* —leyó Brink—. Eso no es algo que se diga habitualmente. ¿Sabe de qué estaba hablando?

Oyó a Connie ladrando en el exterior —lo más probable que enloquecida por una ardilla—, pero estaba demasiado inmerso en la carta de LaMoriette para comprobarlo.

—Está hablando de un descubrimiento —explicó Anne-Marie, su mirada fija en él con una intensidad peculiar.

—¿Qué tipo de descubrimiento? —preguntó Brink.

Una voz a su espalda dijo:

—Quizás el mayor descubrimiento que se haya hecho nunca.

Brink dio un respingo y descubrió al hombre pelirrojo del que había huido en el aparcamiento de la prisión, el mismo hombre cuyo Tesla lo había perseguido a través de las Adirondacks.

—El tesoro del conocimiento divino.

30

Cam Putney había sido uno de los diez tipos que trabajaban en la seguridad de las oficinas de Jameson Sedge en el centro de la ciudad. Tenía veintiún años, vivía en un cuchitril en Queens y tenía dos trabajos para pagar la pensión alimenticia de su hija. No poseía nada. No tenía coche. Ni ahorros. Tenía un gran problema con las drogas —hachís y esteroides, y escarceos ocasionales con la coca— que se comía lo poco que le quedaba del sueldo. Lo habían detenido por conducta desordenada después de una pelea en un club en Steinway Street, y cuando dio positivo en oxicodona, le multaron, lo enviaron a rehabilitación obligatoria y casi acaba en la cárcel. Nada lo centraba, excepto su hija, Jasmine, una niña preciosa de dos años que veía a fines de semana alternos.

Pero el señor Sedge debió ver algo en él, alguna chispa de su verdadera naturaleza —su capacidad para la lealtad y la obediencia, un ansia de sentir la llamada de algo más elevado— porque convocó a Cam a su despacho una tarde y le preguntó si estaba interesado en un ascenso.

—Quiero que forme parte de mi equipo de seguridad personal —le explicó—. Es una oferta que no aparece con frecuencia.

—¿Quiere decir un guardaespaldas?

Sedge sonrió.

—La seguridad es algo más que proporcionar protección física, aunque eso, por supuesto, forma parte del trabajo. La seguridad es existencial. Engloba todos los elementos del ser humano: física, intelectual, espiritual, financiera. Virtual. Quizá sepa que cada año se roban sesenta millones de identidades, pero ¿es consciente de que muy pronto no existirá nada más que nuestra identidad? Mi identidad es tan vital, y tan valiosa, como mi cuerpo físico. ¿Por qué? Porque sobrevivirá a mi cuerpo. Viviré en ella, experimentaré una existencia en ella, mucho después de que deje de existir biológicamente. Comprometer mi identidad es comprometer mi mismo ser. No soy un hombre que se quiera ver comprometido. ¿Me entiende, señor Putney?

Asintió, inseguro de qué implicaba exactamente el puesto pero ansioso por oír más.

—Sí, señor —recalcó.

—No se parece en nada a cualquier otro trabajo que haya tenido. Requerirá una dedicación significativa. El horario es, digamos, extenso. Bastante más que un empleo a jornada completa. Algo más que una vocación, algo que exigirá ciertos actos de responsabilidad: pruebas de drogas semanales, horarios ampliados, reeducación mental y física, viajes internacionales. Y se tendrá que entrenar en técnicas de seguridad alternativas. ¿Se siente cómodo con estas condiciones, señor Putney?

Cam se quedó mirando a Sedge, su mirada firme, sus uñas de manicura, la confianza que le habían dado el dinero y el poder. Aunque no tenía ni idea de lo que Sedge tenía en mente, sabía que quería más de la vida de lo que le estaba dando ahora.

—Sí, señor.

—El trabajo le hará ir más allá de sus límites —siguió explicando—. Mis ideas y mi negocio son poco ortodoxos y unirse a mi equipo será un desafío para usted. Considero a mi equipo de seguridad como samuráis modernos: físicamente en forma, pero también afilados intelectual y espiritualmente. Usted será la hoja que se encuentre entre ellos —hizo un gesto hacia la ventana al exterior— y yo.

Cam miró por la ventana el paisaje urbano de Manhattan. Nunca habían hecho nada por él.

—Estoy interesado —respondió—. Señor.

—Muy bien. Lo he observado durante los últimos meses. Es listo. Trabaja duro. En una forma física excelente. Creo que estará a la altura del desafío. Al menos, estoy dispuesto a correr el riesgo.

—Muchas gracias, señor —replicó, oyendo la emoción en su voz. Era la primera vez que alguien había expresado que valía algo.

—Seguro que está a la altura de su talento. El salario, por cierto, es generoso. Pero conlleva beneficios adicionales. Uno de ellos es un fondo educativo para su hija, Jasmine Lee Putney, que cubrirá el coste de la matrícula en la institución que elija.

Cam nunca había mencionado a su hija a nadie del trabajo, y le tomó con la guardia baja oír su nombre. De repente sintió que Jameson Sedge podía ver a través de él, a través de los tatuajes y los músculos, a través de su cabello rubio teñido y su uniforme de trabajo, y dentro de su alma.

—Eso es muy generoso, señor.

—Aunque lo necesito los fines de semana, puedo arreglarlo para que pueda seguir con su acuerdo de visitas quincenales, al menos por el momento. No obstante, no se lo puedo garantizar en el futuro. Habrá momentos en los que tendrá que acordar visitas alternativas. Confío en que esté dispuesto a afrontar este inconveniente.

Cam se lo quedó mirando, perplejo. No solo sabía el nombre de su hija, sino también los detalles de su acuerdo de custodia.

—Lo puedo gestionar —respondió.

—Entonces creo que nos entendemos. —Sus palabras eran un apretón de manos y una despedida. Miró hacia la puerta y Cam, aturdido, se fue.

Al cabo de una semana, Cam firmó una serie de acuerdos digitales —contratos ricardianos, los llamó el señor Sedge— que garantizaban legalmente lo que ya había dado moralmente: lealtad y silencio. Su entrenamiento empezó a la semana siguiente y, a lo largo de dieciocho meses, lo transformó. La mitad de ese tiempo lo pasó con el señor Sedge, garantizando su seguridad física. Pero durante la otra mitad, lo llevaron al límite. Formación con armas de fuego, artes marciales, meditación, pero también tecnología informática, seguridad *online* y comprensión de las complejas claves criptográficas que aseguraban las redes de Singularity. Lo aprendió todo, desde codificar y analizar sistemas de datos a gestionar el sistema encriptado de comunicaciones internas de Sedge. Monitorizó todas las comunicaciones que entraban o salían de los servidores de la empresa. Con el tiempo, Cam se convirtió en la barrera física entre el mundo y Jameson Sedge, pero también en su barrera digital. El triángulo tatuado selló su entrenamiento, una señal de que estaba preparado para el servicio.

Durante este periodo, vio a su hija según lo programado, teniéndola en su casa a fines de semana alternos. Dejó de tomar drogas, dejó de beber y se convirtió en mejor padre. Su salario y el fondo educativo generaron un tipo de estabilidad para Jasmine que Cam no había tenido nunca. Permitió que su hija prosperara.

Eso fue hace más de una década. Desde entonces, Cam había llegado a comprender la naturaleza del poder de Jameson Sedge. No era solo financiero, aunque también lo era. La red de amigos del hombre era más fuerte que el dinero. Sedge obtenía lo que quería cuando lo quería. Cam lo vio de cerca durante su tiempo en la prisión, donde todos los recursos estaban centrados en Jess Price.

Cuando el señor Sedge le dijo a Cam que lo iban a trasladar a Ray Brooke, se resistió a abandonar la ciudad. No solo porque iba a estar a más de cinco horas de Jasmine, sino porque no confiaba en nadie para que cuidara del señor Sedge como lo hacía él. Los otros guardias no se preocupaban tanto como Cam. Proteger al señor Sedge no era su trabajo. Era su vocación.

31

—Jameson —se presentó el hombre mientras se acercaba a Mike Brink, extendiendo la mano—. Jameson Sedge.

Brink aceptó el apretón de manos del hombre y miró al exterior. El Tesla negro estaba en el camino de acceso y, para sorpresa de Brink, el guardia teñido de rubio de la prisión —el hombre con el triángulo pitagórico tatuado en el cuello— estaba apoyado en el coche, fumando un cigarrillo. De repente lo comprendió. El guardia era el tipo de Sedge dentro de la prisión. Jess Price tenía razón: la estaban vigilando.

Anne-Marie tomó las páginas de la carta de LaMoriette de las manos de Brink, las volvió a deslizar dentro del portafolio y lo cerró con la tira. Entonces se puso en pie, besó a Jameson y fue a servirle una copa de vino.

Brink había elucubrado sobre la relación de Anne-Marie con Jameson y el beso —junto con el hecho de que el tipo tuviera una llave de la casa— confirmó lo que sospechaba. Se preguntó si ya habrían sido pareja cuando Jess Price se encontró con Anne-Marie hacía cinco años, o si su relación habría surgido después de que Anne-Marie valorase las antigüedades de Aurora Sedge. Se volvió hacia Jameson, evaluándolo. Era un hombre guapo, con unas cuantas pecas por encima de la nariz y sobre las mejillas, y unos intensos ojos almendrados. Suponía que debía estar hacia finales de la cincuentena, pero tenía una apariencia aniñada que le hacía parecer más joven. Su ropa estaba a la moda y era cara: lujosos mocasines italianos de ante verde, tejanos de diseño, un polo verde. Recordó lo que Vivek Gupta le había dicho sobre su viejo amigo: *El hombre es despiadado con su privacidad. Si de alguna manera lo has amenazado, has pisado algo mucho más profundo, mucho más oscuro, de lo que puedas imaginar.*

—Encantado de alcanzarle finalmente —dijo Jameson. Tenía un acento entre británico y americano, un dialecto de internado elitista que Brink había oído por primera vez en Boston. Su acento del Medio Oeste había destacado, de manera que aprendió rápidamente a afilar las vocales y recortar las consonantes—. Verá, tengo bastante urgencia en hablar con usted.

—Una llamada telefónica es normalmente lo mejor —replicó Brink. No estaba seguro de cómo manejar la mezcla de agresividad y encanto de Jameson. El tipo había registrado su habitación en el motel, le había cerrado el acceso a Jess y lo había seguido desde las Adirondacks. Sin duda, también estaba detrás de los problemas de Thessaly en la prisión. Después de eso Brink no se podía quedar tranquilamente sentado y mantener una charla agradable con el tipo. Algo en Jameson Sedge desencadenaba todas las alarmas en Brink, una especie de cualidad escurridiza y depredadora, elegante y peligrosa, como un mocasín impermeable deslizándose a través de aguas poco profundas.

—Le he hecho sentir incómodo —reconoció Jameson—. Me temo que es mi talón de Aquiles. Anne-Marie siempre me dice que me precipito sobre las cosas sin considerar cómo afectará ello a otras personas.

—No se preocupe —replicó Brink. Metió la mano en la chaqueta y encontró las llaves de la camioneta. Necesitaba irse—. En otra ocasión.

—¿Se va ya? —preguntó Jameson, mirando las llaves en la mano de Brink.

—Se ha hecho tarde —explicó Brink—. Y tengo por delante un viaje largo.

Anne-Marie regresó de la cocina.

—Debe estar agotado —dijo, dedicándole una mirada comprensiva—. Pero quédese un poco más. —Entregó a Jameson una copa de vino blanco.

—Realmente no es posible —repitió. No quería saber lo que Jameson quería de él. Necesitaba ponerse en camino, cuanto antes mejor.

—Por favor, la cena estará lista en unos minutos. Puede comer y ponerse en camino en media hora. Además, Jameson y usted tienen que hablar. —Movió los ojos hacia el portafolio de cuero sobre la mesita—. Y también hay algo importante que necesito hablar con usted.

—Venga, señor Brink, es una noche hermosa y hay una vista magnífica desde la terraza —dijo Jameson, haciéndole un gesto a Brink para que lo siguiera—. Cam Putney cuidará de su mascota.

Brink miró hacia fuera y vio que el guardia de prisiones rubio estaba ahora apoyado en su camioneta. Brink no se iba a ir hasta que se lo permitieran.

Brink siguió a Jameson al exterior, hacia una terraza volada que dominaba una masa oscura de árboles. Más allá, el terreno descendía con un ángulo pronunciado hasta formar un declive empinado que desaparecía en la noche. El aire era cálido, pero aun así, al situarse al lado de Jameson, sintió que le cosquilleaba la piel. Brink sacó el móvil y lo encendió. Seguía sin cobertura.

—Cuando construí esta casa para Anne-Marie, lo que me convenció fueron las vistas. Imaginé una caja de vidrio colgada entre los pinos, una forma pura acurrucada sobre los árboles viejos y nobles. Esta es todo lo contrario de la casa de mi tía Aurora. Sedge House es tan pesada, tan excesiva, tan llena de trastos. Quería vivir como si formase parte de la naturaleza, fundirme con el paisaje, como si le perteneciera.

La luna había aparecido. Era brillante y la luz caía sobre un claro, donde había un helicóptero parado sobre una pista de aterrizaje circular.

—Mi Eurocopter —explicó, siguiendo la mirada de Brink—. Compré cien acres para asegurarme de que los vecinos no se quejasen por el ruido. Aun así, molesta a la gente, aunque no lo puedan oír, pero nada que ver con los celos ridículos de los neoyorquinos por el estatus. Tuve que implicar a mi equipo legal para que fuera posible, pero no hay nada mejor que llegar a la ciudad en media hora un domingo por la tarde. Anne-Marie obtuvo la licencia de piloto, de manera que podemos partir en cuando queramos.

—¿Anne-Marie? —preguntó Brink, sorprendido. Con su actitud tranquila y recatada y su carrera en el mundo de las antigüedades, no parecía el tipo de persona que iba saltando de un lado a otro en un helicóptero.

—No le gustaba volar cuando la conocí, pero no dejó que eso la detuviera. Aprendió a volar para superar su miedo. Esa es, quizá, su mayor cualidad: utilizar el conocimiento para superar los terrores del mundo. Cuando tiene miedo, domina lo que teme. Es realmente una mujer sorprendente.

—No lo dudo —reconoció, pensando en su persistencia en buscar la carta de LaMoriette.

—Es una de las personas más inteligentes que conozco, que es desde luego la razón de que llevemos tanto tiempo juntos. No creo que nadie hubiera podido comprender el valor increíble de lo que descubrió la tía Aurora. Para mí ha sido un valor en muchos sentidos.

—¿Tan valiosa era la colección de porcelana de su tía? —preguntó Brink, recordando que Anne-Marie había insinuado que la porcelana había pasado de moda entre los coleccionistas. Por la manera de hablar de Jameson sobre ella, se podría pensar que valía millones.

—La porcelana de Aurora no me interesa —respondió Jameson, despectivo.

—¿Entonces de qué se trata? —preguntó Brink—. Los hombres como usted no hacen nada sin un incentivo.

Jameson lo miró durante un minuto. Entonces, apoyándose en la barandilla de la terraza, dijo:

—He leído sobre usted, Mike Brink. Dicen que es un genio, un hombre con un cerebro único entre un millón. Admito que resulta aleccionador que uno esté simplemente en la media. Las habilidades como las suyas están fuera del alcance de la mayoría de nosotros. Pero soy un hombre práctico. Si hay algo que no puedo hacer por mí mismo, me aseguro de que mis amigos lo puedan hacer por mí.

—El único problema —intervino Brink, ofreciéndole a Sedge un atisbo de sonrisa— es que yo no soy su amigo.

—Lo sé —reconoció, devolviéndole la sonrisa—. Usted cree que me conoce. Soy un viejo rico que busca la manera de mantener sus privilegios en un mundo cambiante. Bueno, supongo que lo soy. Pero... —Jameson levantó los ojos hacia el cielo y Brink siguió su mirada, las estrellas brillaban sobre la pizarra de un negro claro de la noche—. Soy capaz de ver lo pequeños que somos, lo insignificantes. Hay tantas cosas que no sabemos y tantas cosas que están más allá de nuestro alcance. Aun así, estamos al borde de algo que cambiará todo eso, y eso me empuja a continuar. Usted no me puede fallar. Querer vivir para siempre es tan viejo como la propia vida. En *Hamlet* se refieren a la muerte como *un país sin descubrir del que no regresa ningún viajero*. Pero aun así Hamlet siente el impulso de explorar lo que se encuentra más allá de su comprensión.

Jameson bajó la mirada hacia Brink.

—Ese país sin descubrir es la labor de mi vida. La conciencia, las características de la conciencia durante la vida y más allá... estos temas se han convertido en el impulso dominante de mi negocio y, francamente, de todo lo demás. Después de la muerte de mi padre, su parte de la fortuna familiar se dispuso en un fideicomiso para mí. Cuando tuve la mayoría de edad, utilicé mis privilegios para crear empresas, todas ellas girando alrededor de una sola idea: que la conciencia no nace ni se destruye, sino que es una fuerza universal e indestructible que da forma a la materia. Que, de hecho, la materia sirve a la conciencia.

Brink se apoyó en la barandilla de la terraza, escuchando, intentando encontrar una pista de cómo algo de todo esto estaba relacionado con Jess Price o con el puzle que le había dado.

—Empecé Singularity Technology para investigar mi creencia en que la mente humana perdura más allá de la decadencia del cuerpo. Lo podría llamar «transhumanismo», pero no pienso en ello en esos términos. En realidad, después de leer la carta de LaMoriette, he llegado a considerar que la misión de comprender la conciencia humana, y de protegerla de las vicisitudes de la materia, ha sido la búsqueda primaria de la humanidad desde el mismo inicio. Vivimos en una época en la que dicha búsqueda ha alcanzado un punto de inflexión: podemos utilizar la inteligencia artificial, las tecnologías de manipulación genética y el poder de las redes informáticas para explorar las posibilidades infinitas del desarrollo humano. Me he asociado con filósofos, genetistas, biólogos y todo lo que gira a su alrededor para explorar las estructuras posibles de lo que se podría llamar «el alma humana» y cómo interactúa con el cuerpo. Las investigaciones más remotas de la humanidad, nuestros objetos más antiguos, nuestros textos ancestrales y nuestras religiones más extendidas siempre han girado alrededor de la naturaleza de esas cosas, pero aún seguimos buscando respuestas. Por eso creo que debemos trabajar juntos, señor Brink. Sus talentos serían muy útiles para mi trabajo.

—No puedo ver de qué manera —replicó.

—Creo que subestima sus talentos.

—Y yo creo que los sobreestima —repuso—. Tengo una habilidad para ver patrones y resolverlos. No soy sobrehumano y no tengo ningún interés en vivir para siempre.

—*Sobreestimar* es otro nombre de la fe —explicó—. Y en eso tiene razón: tengo fe en sus habilidades. Esa es la diferencia entre hombres como yo y el resto de las personas. Cuando tengo fe en algo, cuando sé en mis tripas que es verdad, lo persigo sin tregua. Hasta el final. Y por eso voy a ahorrarnos tiempo y llegar a la cuestión: Jess Price tiene algo que necesito.

—¿Y qué podría ser?

—Quizá le mencionó algo de ello en la prisión —dijo Jameson—. Quizás aludió a algo que encontró en la casa de mi tía y después escondió. Quizás esa información sea muy, muy valiosa para mí. Tan valiosa que podría verse libre de preocupaciones financieras durante un tiempo bastante largo si me ayudase a dar con ella.

—¿Tiene idea por lo que ha pasado Jess? —preguntó. Se había sentido receloso ante Jameson, pero ahora empezaba a encontrarlo malvado. Parecía que no le preocupaba que la vida de la mujer estuviera arruinada—. Dudo que quiera nada más que su libertad.

—Es posible que no sea totalmente consciente de ello —insistió Jameson—. Pero creo que sabe algo que me puede ayudar a obtener lo que es, por derecho, mío. Quizá le dio esa información o, si no lo hizo, quizás insinuó cómo encontrarla. También cabe la posibilidad de que la haya destruido, lo que me parece cada vez más probable a medida que pasan los años. He registrado a fondo Sedge House en su búsqueda, pero parece que se ha desvanecido.

—Entonces no me necesita para nada —concluyó.

Jameson lo evaluó durante un momento antes de acercarse un paso a Brink, dejando a la mitad la distancia entre ellos.

—Comprendo sus reticencias. No le ha gustado que cortase su acceso a Jess Price. —Dio otro paso, reduciendo nuevamente a la mitad la distancia entre ellos. Brink lo podía oler, la mezcla de sudor y colonia cara; podía oír su respiración. Era un despliegue de postureo masculino, uno que Brink conocía de los vestuarios futbolísticos—. Pero permítame que se lo deje claro. Jess Price puede intentar ocultarlo, pero lo encontraré.

—Por qué no nos lo pone fácil a los dos —replicó Brink—, y me dice exactamente qué está buscando.

Jameson debía estar preparado para esa pregunta, porque no dudó.

—Se trata de una antigüedad de gran valor, una que mi tía Aurora tenía en su poder. Una que ha estado oculta durante milenios por su poder para cambiar la relación entre la humanidad y nuestro lugar en el universo.

—¿Qué tipo de antigüedad? —preguntó Brink, aunque ya lo sabía. Su mente se centró en la imagen de un círculo, con números a lo largo del perímetro y letras hebreas en el centro.

—Una que tiene el poder de cambiar el futuro —replicó Sedge—. Y si me ayuda, lo podremos cambiar juntos.

La puerta se abrió y Anne-Marie salió a la terraza.

—De eso precisamente quería hablar con usted —dijo—. Venga, la cena está lista y hay mucho de qué hablar.

32

Durante el viaje desde la casa de Anne-Marie hasta Ray Brooke, Cam Putney pensó en su hija. Ahí era donde iba su mente siempre que se detenía el tiempo suficiente para pensar. Activó la función de autoconducción, programó el destino en el GPS del Tesla y dejó que el coche hiciese el trabajo. El Modelo S Plaid tenía una velocidad punta de 155 millas por hora y, aunque no podía correr tanto durante todo el camino —había programado el coche para que redujera cuando se encontrase con un control por radar—, llegó a Ray Brooke casi al instante.

Contemplar el paisaje que pasaba volando a través del parabrisas le relajaba la mente, lo tranquilizaba, generando una especie de pantalla sobre la que veía la tarde de Jasmine sin él. La veía salir de la escuela, la veía bajar al metro con su niñera, la veía tirar la mochila en la entrada e ir a su habitación. La imaginaba terminando los deberes de ciencias, un dinosaurio en papel maché que debía entregar el lunes, y su madre discutiendo con ella para que se comiese los guisantes de la cena. Conocía su rutina nocturna, aunque nunca había vivido con ella: escoger la ropa para el día siguiente, una ducha, hacer la mochila de la escuela. Su hija casi tenía trece años, crecía con rapidez y la echaba de menos. Y, aunque hablaban con frecuencia por teléfono, y él se había asegurado de que tuviera lo mejor de todo, su fracaso en estar presente lo llenaba de remordimientos. Había momentos en que se preguntaba si valía la pena. La sensación de pertenencia que tenía en Singularity, el dinero, el conocimiento de que lo que estaba haciendo podía cambiar el mundo... significaba mucho para él, pero ¿a qué estaba renunciando a cambio?

Normalmente, su trabajo dejaba poco espacio para el arrepentimiento. Después de su primer año como miembro del equipo de seguridad de élite de Singularity, empezó a entrenarse con Ume-Sensei. El señor Sedge la presentó como su mentora y llamó la labor que iban a hacer como *entrenamiento de la conciencia*, pero Cam la veía como algo entre una sargento de instrucción militar y una coach New Age. Al principio no le gustó la idea de que le enseñase una mujer joven. Tenían más o menos la misma edad —principios de la veintena— y ella tenía la mitad de su estatura, delgada como una ramita, con una apariencia tranquila y despierta. Hablaba inglés con un fuerte acento japonés que él tenía dificultades para comprender y solía desconectar cuando hablaba. Quería perderla de vista totalmente, pero entonces, durante su primer entrenamiento en artes marciales, lo tumbó y aturdió con un golpe fuerte y rápido en el plexo solar. A partir de ese momento, prestó atención.

Ume-Sensei lo entrenó en artes marciales, meditación y las responsabilidades que acarreaba el poder.

—En este momento —le dijo—, eres fuerte. Habrá un momento en que serás débil. Comprende los dos estados del ser y sobrevivirás.

Cam llegó a comprender que la fuerza necesitaba la debilidad para existir. La acción era el resultado natural de la quietud; la muerte, el contrapunto natural de la vida, y la violencia, la base del cuidado. Era cierto que su trabajo, por brutal que fuera, le permitía apoyar a lo que más quería: su hija. Todo lo que Cam había hecho por Sedge hacía posible que protegiera a Jasmine. Solo necesitaba cumplir con su compromiso, ayudar al señor Sedge a llegar a donde iba, y sería libre para ser mejor padre.

No iba a tardar mucho, el plan del señor Sedge se estaba completando. Cuando el señor Sedge le explicó a Cam que debía volver a Ray Brook y evitar que la Dra. Moses siguiera interfiriendo, Cam supo que estaban cerca del final. Por supuesto, eso iba a significar hacerle daño, quizás incluso matarla. Pero Ume-Sensei le había abierto los ojos a la verdadera naturaleza de la violencia y, aunque no disfrutaba de ella, aceptaba que era necesaria. No podía haber paz sin guerra. No podía haber vida sin muerte. El futuro no podía existir sin la aniquilación del presente.

No se trataba de sandeces budistas, aunque así era cómo lo veía Cam al principio. Estaba en el centro de la misión del señor Sedge. Cam tardó mucho tiempo en asumirlo. Casi había abandonado Singularity por un desacuerdo con Ume-Sensei sobre su dieta: nada de carne roja, un montón de verduras japonesas de las que no había oído hablar, entrenamiento físico extenuante y toda una farmacia de medicinas naturales. Cuando le dijo que se fuera al diablo y lo dejara en paz, ella lo miró con sus impenetrables ojos marrones y le dijo:

—Debemos amar lo que nos hace daño. Los que nos hieren son nuestros maestros más profundos.

Para muchos el señor Sedge podía parecer un enemigo, pero, de hecho, era su salvador.

Cam lo comprendió durante su tercer año en el empleo, después de ganarse el acceso completo a la red encriptada de Singularity y ver el cuadro completo de la misión del señor Sedge. El hombre había creado una capa de existencia nueva encima del mundo conocido, una red global de información asegurada por una contabilidad inviolable y respaldada por miles de millones de dólares en criptomonedas. La contabilidad estaba autenticada y se mantenía por todo el globo y, a diferencia de otras formas de tecnología *blockchain*, se fundamentaba en una variedad nueva de procesador informático, que el señor Sedge había creado con un equipo de desarrolladores internacionales. Singularity no era solo una empresa, y el señor Sedge no era solo un billonario. Era un visionario que iba a alterar el curso de la existencia humana. Esta red situaría a Singularity, y a Jameson

Sedge, en el centro de la propia vida. El trabajo de Cam era asegurarse de que eso ocurriera.

Cam estaba al mando de su primera misión. Subió al avión de Singularity en Teterboro y voló a Kiev, donde se encontró con un hombre en el vestíbulo del Hotel InterContinental. No intercambiaron ni una sola palabra. El hombre colocó un dedo en la pantalla del móvil de Cam para verificar su identidad; Cam puso un sobre grande sobre la mesa y recogió un paquete que contenía un disco duro, y se fue. No sabía nada del contenido del sobre; no sabía nada de lo que había en el disco duro. Pero Sedge estuvo satisfecho con su trabajo y a lo largo de los años siguientes realizó docenas de intercambios, en Kiev, Minsk, Moscú y Londres. Cada vez era la misma rutina: entregar un sobre, recoger un disco duro y entregárselo a Sedge.

La única variación en esta rutina eran sus viajes a Londres. Allí se encontraba siempre con un americano. El tipo temía que los estuvieran vigilando, y el señor Sedge reconoció que probablemente estuviera en lo cierto, por lo que los intercambios se realizaban con un cuidado especial. Una vez, se cruzaron delante de la National Gallery, intercambiándose los sobres sin pronunciar ni una palabra. Otra vez, se encontraron en el metro, el hombre dejó una bolsa en su asiento, guardándose el sobre en el bolsillo cuando bajaba al andén. El contacto más largo que tuvieron fue en su última reunión, en noviembre de 2017, en un pub cerca de Red Lion Square, próximo a la estación de Holborn. El hombre se presentó como Gary Sand e invitó a Cam a una copa. Se sentaron en un rincón del pub, lejos de la puerta. Cam pidió una pinta de Guiness y escuchó a Gary Sand —estaba claro que no era el nombre real del tipo—mientras hablaba sobre las oportunidades de inversión de un fondo que estaba reuniendo. Cam le siguió el juego, planteando preguntas sobre el fondo hasta que, con su pinta casi vacía, sintió una mano debajo de la mesa. Sand le deslizó el disco duro, se puso en pie y se fue. Cam terminó la cerveza, pagó la cuenta y voló de vuelta a casa.

Las reuniones con Gary Sand intrigaron a Cam e inspiraron su única infracción al protocolo de Singularity. Buscó en la red y descubrió que Gary Sand y el señor Sedge tenían una larga historia en común. Habían formado parte de un grupo de desarrolladores iniciales de las comunicaciones criptográficas, una banda de futuristas tecnológicos que vivían en el Área de la Bahía a finales de los ochenta. Algunos miembros de este grupo se apartaron totalmente de la sociedad. Pero no fue el caso de Gary Sand y Jameson Sedge. Cam encontró una serie de correos electrónicos de 2008 que hacían referencia a Satoshi Nakamoto y al desarrollo de una forma alternativa de intercambios que los ricos no pudieran manipular o amañar para dominar a los pobres. El señor Sedge había formado parte de ese experimento. No por el dinero, sino para liberar al mundo de la opresión.

—Estamos cerca —le había reconocido el señor Sedge el día que abandonó Manhattan para trabajar en la prisión de Ray Brook—. Tan cerca del mayor adelanto en la historia de la humanidad, uno que vencerá a la muerte. Se acerca una gran revolución. Y Jess Price tiene la llave.

La verdadera naturaleza de la misión del señor Sedge, con su fundamento social y político radical, sorprendió a Cam. Sabía de la misión personal que lo impulsaba —comprender la naturaleza de la conciencia y de la mortalidad—, pero hasta ese momento no se había dado cuenta de que el hombre que había cambiado la vida de Cam planeaba cambiar el mundo.

33

Anne-Marie puso la mesa para la cena, suavizó las luces y empezó a servir la pasta de una bandeja.

—Bien hecho —dijo Jameson, haciéndole un gesto de asentimiento a Anne-Marie mientras se sentaba. Fue un gesto seco, casi formal, como el que se hace a una sirvienta.

Anne-Marie no hizo caso al cumplido.

—La he hecho esta tarde y la he tenido en la nevera: farfalle con tomate fresco, ajo, mozzarella y albahaca del mercadillo local —explicó, mientras abría otra botella de vino y empezaba a servirlo en las copas—. Tiene apetito —afirmó, sirviendo la pasta en el plato de Brink—. Coma y se sentirá mejor.

No hacía falta demasiado para convencerlo. Estaba hambriento.

—Está delicioso —reconoció, degustando un bocado de la pasta—. Me mantengo con comida rápida. —Eso no estaba lejos de la verdad: sus dos últimas comidas habían sido una pizza en el Starlite y un bocadillo de pavo en el área de servicio de la autopista.

Anne-Marie se sentó, empezó a comer y entonces se detuvo para pasar el dedo a lo largo del borde de su plato azul cobalto.

—Esa es la cuestión: ¿cree que la comida sabe mejor cuando se degusta en una porcelana de trescientos años de antigüedad?

—No tengo ni idea —respondió Brink, estudiándola e intentando deducir si lo decía en serio. Era una pregunta muy rara y no sabía leer su expresión, así que decidió que iba en serio—. Nunca he comido en un plato de trescientos años.

—Bueno, ahora lo está haciendo y le puedo asegurar que sabe mejor —explicó Anne-Marie, ensartando un tomate con el tenedor.

—El veneno, sin duda —intervino Jameson, guiñándole el ojo a Anne-Marie—. Ese azul probablemente esté mezclado con plomo.

—Empecé a explicarle la historia de la porcelana, pero esa historia tiene otra cara, una historia esotérica si la quiere llamar así, una que ha ocupado a muchos académicos antes que a mí. Una que tiene una conexión directa con la antigüedad de la que le ha comenzado a hablar Jameson.

Brink levantó la mirada, sintiendo que la conversación había cambiado.

—¿Cómo es eso?

—La porcelana, como le mencioné antes, se consideraba una sustancia misteriosa en la Europa de principios de la edad moderna. Los reyes la codiciaban por su luminosidad y fuerza, pero era imposible fabricarla, tan imposible que el proceso se comparaba con la alquimia. De hecho, se convirtió en uno de los objetivos primarios de los alquimistas. El descubrimiento de la fórmula para convertir metales básicos en oro y la arcilla en porcelana terminaron siendo búsquedas hermanas: la fórmula secreta para la transformación del plomo en oro era la búsqueda de la Piedra Filosofal, mientras que la fórmula para fabricar porcelana a partir de la arcilla era llamada «el Arcano».

»El hombre que fabricó la primera pieza de porcelana europea fue Johann Friedrich Böttger, un alquimista y químico genial, que fundó la primera fábrica de porcelana en Meissen, en el siglo XVII. Poco después se crearon otras fábricas. A medida que la porcelana se hacía más habitual, su valor cayó. Pero, aunque ya no seguía siendo tan valiosa como el oro, sus propiedades... empezaba como tierra sin refinar y se transformaba en una sustancia pura y luminosa... siguieron formando parte de la tradición esotérica. Y fue un recipiente de porcelana el que llegó a contener un secreto muy importante.

—¿Qué tipo de secreto? —preguntó Brink, mirando por la ventana, con la esperanza de vislumbrar a Connie. La camioneta estaba donde la había dejado, pero el Tesla había desaparecido. Todo estaba en silencio y supuso que Connie se habría quedado dormida.

—Tuvimos la primera noticia por la carta de LaMoriette a su hijo —explicó Anne-Marie—. Hace referencia a un texto, que contiene conocimientos secretos de orígenes antiguos. En dicho texto aparece una especie de código o puzle.

—Se le conoce como «el Puzle de Dios» —concretó Jameson.

—Y ahí es donde entro yo —intervino Brink, comprendiendo por fin por qué Jameson estaba tan interesado en él. Jameson sospechaba que Jess Price le había dado a Brink información sobre el puzle que, por supuesto, era lo que había hecho—. Cree que le puedo ayudar a resolverlo.

—Primero tenemos que encontrarlo —reconoció Jameson—. Sabemos por la carta de LaMoriette a su hijo cómo consiguió el puzle. Sabemos que, junto con su obra maestra, la muñeca Violaine, estaba en su poder en 1909 cuando se suicidó. Y sabemos que mi tía fue propietaria de Violaine hasta su muerte y que Jess Price descubrió la muñeca en la casa en 2017. Pero la muñeca desapareció y no tenemos ninguna información sobre el puzle: qué aspecto tiene o qué tipo de código contiene. Pero eso es lo que pretendo descubrir.

Brink le miró a los ojos, manteniendo una expresión neutral. Iba un par de pasos por delante de Jameson y Anne-Marie. Sabía qué aspecto tenía el puzle. Lo veía con claridad, cada número y cada letra en su lugar.

—Cuanto más lo busco, más convencido estoy de que el puzle contiene algún tipo de información sagrada, una especie de criptograma que, si se usa de la manera adecuada, alterará la manera en que la humanidad ve el pasado, el presente y el futuro. Creo que mi tía tenía ese criptograma en su poder.

—Y como Jess Price fue la única persona que ocupó la casa después de la muerte de Aurora —intervino Brink—, cree que tiene la información sobre el puzle.

—Sabemos que la tiene —recalcó Jameson—. Ernest Raythe lo llegó a confirmar.

—¿Trabajaba para usted? —preguntó Brink, sintiendo una oleada de rabia al darse cuenta de que el primer psiquiatra de Jess en Ray Brook la había traicionado. Recordaba los cientos de páginas de informes en el sótano de la prisión. ¿Raythe había compartido todo eso con Sedge?

—Lo hacía —respondió Jameson—. Me entregaba informes regulares sobre sus progresos. Jess le dijo que había encontrado algo que le describió como «un puzle incompleto».

—Pero ¿por qué? —preguntó Brink, intentando comprender cómo un médico podía hacer lo que había hecho Raythe. Tenía una obligación moral y profesional con su paciente—. ¿Dinero?

—Raythe y yo teníamos un objetivo similar: comprender lo que había pasado realmente en Sedge House. Su meta era ayudar a Jess. Creía que era inocente y quería que saliera libre. Creo que estaba realmente interesado en ella y deseaba que se hiciera justicia. Mis razones eran, bueno, bastante diferentes, como he empezado a explicar. Compartíamos recursos. Incluido el diario en su bandolera.

Brink se quedó mirando a Jameson, avergonzado. ¿Cómo demonios sabía de la existencia del diario?

—No esté tan sorprendido —explicó Jameson, con una sonrisita—. Cam lo vio leyéndolo en la prisión. Cuando lo describió, supe que era el que encontré en Sedge House y entregué a Raythe. La policía se llevó de la casa todo lo que pudiera utilizar en su investigación. Pero el diario estaba metido dentro de la Biblia de Aurora, que la policía no pensó en examinar. Lo hallé luego de que se fuera la policía, lo leí y se lo di a Raythe después del encarcelamiento de Jess en Ray Brook.

—Si ha leído el diario sabe que Jess encontró a Violaine. Y sabe lo de la alacena secreta.

—Desde luego —dijo Jameson—. Abrimos la alacena y miramos en el interior.

—Pero Violaine no estaba —explicó Anne-Marie—. Ni el puzle.

Sedge hizo un gesto hacia la sala de estar, donde estaba el portafolio de cuero encima de la mesita.

—Las páginas de la carta de LaMoriette estaban desparramadas por la biblioteca. La policía se las llevó como prueba, pero las devolvieron cuando determinaron que no tenían absolutamente nada que ver con el caso. Contienen información sobre lo que ocurrió, pero la policía no se dio cuenta.

—Y estaban incompletas —añadió Anne-Marie—. Nunca descubrimos las páginas finales. Es posible que se perdieran después de la muerte de LaMoriette. O Jess pudo haberlas destruido. Intentamos conseguir más información sobre ellas a través del Dr. Raythe, pero Jess no llegó a revelar lo que les había ocurrido.

—Si estaba en comunicación con Raythe —intervino Brink, colocando la bandolera sobre la mesa y sacando el portátil—, probablemente ha visto esto.

Sacando el pendrive del bolsillo delantero, lo insertó, abrió una carpeta y mostró las fotos: las imágenes en blanco y negro del cadáver de Frankie Sedge, después las polaroids del cuerpo de Noah Cooke. Las colocó una al lado de la otra en la pantalla y las amplió, magnificando los patrones tallados en la piel de los dos.

—Más de cincuenta años separan a estos dos cuerpos, pero aun así hay similitudes sorprendentes entre ellos.

Jameson se puso unas gafas, se acercó al portátil y examinó las fotos. Brink se recostó y contempló sus reacciones. No era agradable mostrar algo así, como quitarle a alguien la silla cuando se va a sentar y contemplar cómo lucha por recuperar el equilibrio. La cara de Jameson se llenó de sorpresa, después de confusión y después de dolor. En esta sucesión de respuestas emocionales, Brink vio al hombre que era Jameson bajo la dureza exterior, un niño que sentía el dolor de la muerte de su padre, un hombre acostumbrado a usar el dinero y el poder para ocultar todo lo que había sufrido, un hombre que glorificaba la inmortalidad, mientras intentaba luchar para aceptar su propio pasado.

—¿De dónde demonios ha sacado estas imágenes? —Estaba conmocionado y sus modales refinados se resquebrajaron por primera vez durante toda la velada.

—Supongo que el Dr. Raythe no le mostró todo lo que descubrió —explicó Brink.

—*Mon Dieu*, ¿cómo consiguió Raythe todo esto? —preguntó Anne-Marie, poniéndose unas gafas para leer y acercándose a la pantalla.

—Tenía un montón de información que no había visto nadie. Ni siquiera la psiquiatra actual de Jess sabía nada de estos archivos.

Jameson no apartó la mirada de las imágenes.

—No sabía que existieran estás fotos de mi padre —reconoció en voz baja—. Por supuesto, siempre me he preguntado qué le ocurrió, pero nunca se habló de ello. Mi madre estaba tan abatida, tan rota. No soportaba hablar del tema. Nunca. Al final, leí sobre su muerte en periódicos viejos. Pero no había nada parecido a estas fotografías entre todo lo que he visto. Nunca imaginé que su muerte hubiera sido tan horrible.

—Raythe debió pensar que había una conexión con Jess o no habría conservado esto en su historial.

—Tenía razón —reconoció Anne-Marie. Suspiró y cerró el portátil—. Existe una conexión. Aquí. Deje que le enseñe algo. —Colocó un plato de porcelana bajo las luces—. Si mira de cerca, verá que la superficie de este plato está marcada con un patrón de grietas. Se llama «agrietar». Las líneas de agrietamiento aparecen como consecuencia de una presión extrema o desigual.

Brink se quedó mirando el patrón, sorprendido. Era igual al de los cuerpos de Frankie Sedge y Noah Cooke. El mismo patrón que en la piel de Jess. El mismo que había visto sobrevolando su propia piel en la puerta de vidrio.

Anne-Marie continuó.

—De hecho, las palabras *crazing* y *crazy* tienen la misma raíz:[7] agrietarse, perder la integridad. El agrietamiento de la porcelana, como volverse loco, es el resultado de una disrupción interna. Una presión interna que tiene como resultado una explosión.

Brink recordaba el informe de la autopsia. Fijaba la causa de la muerte como un traumatismo por fuerza bruta ejercida sobre el cuerpo —una caída o un accidente de tráfico—, pero esos dos escenarios eran imposibles. Parecía como si el traumatismo se hubiera producido siguiendo la línea de lo que había descrito Anne-Marie: una presión, de gran fuerza, algo desde dentro.

—¿Y esto está relacionado con lo que les ocurrió? —Hizo un gesto con la cabeza hacia las fotos en la pantalla de su portátil—. ¿Y a Jess?

—Está todo en la carta de LaMoriette —respondió Anne-Marie—. La que escribió a su hijo la noche antes de morir. Lo reúne todo: los elementos esotéricos del Arcano del alquimista y un secreto que ha pasado de generación en generación durante miles de años, uno que puede cambiar el futuro de la humanidad.

—No puede —intervino Jameson—. Cambiará el futuro de la humanidad. En cuanto hayamos completado el puzle.

—Escuche, Mike, sabemos que Jess Price hizo un dibujo —expuso Anne-Marie, su voz suave, como si se estuviera disculpando—. Sabemos que era lo suficientemente intrigante para atraerlo a la prisión. Ahora que sabe lo que está en juego, seguramente verá que será del mayor interés de Jess Price que nos ayude a completar el puzle.

—Por lo que puedo decir —replicó Brink, acomodándose en la silla—, esta cosa ni siquiera es un puzle. Le falta un patrón coherente que permita una solución. Y aunque lo pudiera

---

7. Literalmente, *crazing* significa *agrietarse* y *crazy*, *loco*. (N. del T.)

resolver, realmente no veo cómo puede ser del mayor de interés de Jess que les ayude.

—Bueno —intervino Jameson Sedge, sacando una pistola de la funda escondida debajo de su camisa y colocándola sobre la mesa—, desde luego es de su mayor interés. ¿Qué nos dice de ayudarnos a encontrar la respuesta?

34

El arma yacía en la mesa entre ellos. Brink nunca había visto tan de cerca una de verdad. Aunque Ohio estaba lleno de armas, su padre no cazaba y a su madre francesa le resultaba incomprensible la cultura de las armas de América y no permitió nunca un arma de fuego cerca de su hogar. Se dio cuenta de que había algo atrayente en ella: el brillo del metal negro, la empuñadura rectangular, el ángulo perfecto del cañón, el tope del cargador. Tuvo que controlarse para no asirla.

Su interés pareció divertir a Sedge.

—Una Walther PPK semiautomática y *vintage* —explicó—. De fabricación alemana. Perteneció a mi padre.

—Es una belleza —reconoció Brink, sintiendo un retortijón en el estómago.

—Estoy de acuerdo —dijo Sedge, tomándola en la mano y desplazando el dedo sobre la cresta metálica encima del cañón—. Siempre he creído que si hay una manera elegante de dejar este plano de la existencia, sería por la gracia de la Walther de mi padre. —Lentamente movió el arma hacia Brink—. ¿No le parece?

Brink había creado puzles bajo plazos imposibles, había soportado la presión de concursos de doce horas recitando dígitos de pi, había resuelto puzles por dinero y por prestigio, y por su propia cordura. Pero nunca lo habían amenazado por uno.

—Realmente, las armas no son lo mío —reconoció. Estaba paralizado desde la cabeza hasta los dedos de los pies, sus extremidades le hormigueaban y se habían quedado sin sangre—. Soy más bien del tipo de morir pacíficamente en mi cama mientras duermo siendo un viejo arrugado y senil de ciento un años.

Sedge rio.

—Ve, señor Brink, no somos tan diferentes. Ambos valoramos la longevidad. No hay ninguna necesidad de morir prematuramente. Desde luego, no en este momento. Así que veamos el puzle.

Tenía el corazón desbocado. No podía dejar de pensar en el arma. No dudó ni por un segundo de que Sedge la utilizaría. Por lo que sabía, Raythe también había tenido la información que quería Sedge. No había manera de que saliera de allí sin que les diera algo. Pero entregarle el dibujo de Jess —que se encontraba en su bandolera en la sala de estar— le parecía una traición. Había otra manera.

—Necesito papel —pidió de manera inexpresiva.

Anne-Marie se puso en pie, fue a la cocina y volvió con una hoja de papel y un bolígrafo. Brink tomó el boli y dibujó el círculo —los radios como un sol brillante, los números del 1 al 72 en el círculo exterior—, solo alterándolo ligeramente, dejando fuera algunas de las letras hebreas y algunos de los radios. Le entregó el dibujo a Jameson y se puso en pie, apoyándose en la mesa. La adrenalina le atravesaba. De repente, sintió como si se fuera a marear. Sedge enfundó la pistola, tomó el dibujo y lo examinó con atención.

Anne-Marie se inclinó, estudiando el círculo. Brink sabía que no iban a encontrar nada más de lo que tenía él.

—¿Qué significa? —preguntó finalmente Anne-Marie.

—Está incompleto —respondió, haciendo crujir los nudillos con la esperanza de que el dolor sordo ahogara la ansiedad creciente que le atravesaba—. Irresoluble hasta que encontremos el original.

—Pero Jess Price debe saber lo que falta —dijo Jameson.

—Si lo sabe, no me lo ha dicho.

—Aquí —intervino Anne-Marie, sacando un diccionario hebreo de la estantería y abriéndolo sobre la mesa delante de Jameson—. Esto puede ayudar.

Mientras Anne-Marie y Jameson intentaban traducir el puzle, Brink miró más allá, hacia el interior de la casa. Necesitaba salir de allí, con rapidez, pero no iba a ser fácil. El lugar estaba completamente abierto, todos los espacios —la sala de estar, el comedor y la cocina, incluso un dormitorio elevado— eran visibles. No había manera de escabullirse sin que se dieran cuenta. Solo había un lugar con un poco de privacidad en una casa como esa: el cuarto de baño.

Anne-Marie le señaló un pasillo al otro lado de la sala de estar. Mirando a través del vidrio de la ventana hacia el camino de acceso en penumbra, verificó que el Tesla se había ido y que su camioneta no tenía obstáculos para salir. Su primer impulso fue salir corriendo a través de la puerta principal, subir a la camioneta y salir de allí pitando. Pero Sedge no iba a tener demasiados problemas en detenerlo. Un disparo con la Walther sería suficiente. Brink tenía que salir, pero debía ser inteligente para hacerlo.

Agarró la bandolera del sofá y allí, sobre la mesita, estaba el portafolio de cuero, exactamente donde lo había dejado Anne-Marie. Supo al instante lo que debía hacer. Con rapidez, antes de que Anne-Marie y Jameson lo pudieran ver, se inclinó sobre la mesita, tomó el fajo de páginas del interior del portafolio, y lo deslizó dentro de la bandolera. No se podía ir sin saber lo que había descubierto LaMoriette.

Brink trabó la puerta del cuarto de baño, se apoyó en ella y cerró los ojos. Tenía el corazón desbocado. Era incapaz de respirar. No había tenido un ataque de pánico desde hacía años, no desde el primer año en el MIT, pero estaba al borde de uno. Le recorrió una oleada de adrenalina y se difuminó, después otro.

Se le encogió el pecho; se le cerró la garganta. Se acercó al lavabo, abrió el agua fría y se mojó la cara; el frío le permitió recuperarse. ¿En qué demonios me he metido? Estaba completamente fuera de su elemento. Nada era como había creído que era.

El cuarto de baño era enorme, con un jacuzzi enmarcado por ventanas panorámicas. Había una ducha de vapor separada, rodeada de vidrio, y un busto de mármol de un emperador romano, quizá procedente de Sedge House. El aire estaba lleno de aroma a higos: una vela Diptyque ardía en un rincón, su luz era lo suficientemente brillante para leer. Sacó el móvil, rogándole a los poderes de la tecnología que le dieran cobertura. Pero cuando revisó el ángulo superior derecho de la barra, vio que no tenía.

Aun así, cuando estaba a punto de guardarse el teléfono en el bolsillo, vio una notificación de una llamada perdida. Thessaly había dejado un mensaje de voz a las 6:44 de la tarde, hacía unas tres horas, cuando estaba en el despacho de Anne-Marie. Puso el volumen lo más bajo posible, apretó PLAY y escuchó:

No quiero asustarlo, pero aquí está pasando algo que no puedo explicar. Cuando he regresado al despacho, he descubierto que tenía bloqueado mi acceso digital a todos los archivos DOCCS, incluso a la base de datos interna con mis pacientes actuales. Me rechazaba la clave de acceso, y cuando llamé a la asistencia técnica, me dijeron que mi nombre y mi identificación como empleado no constaban en su sistema. Hice que lo comprobaran tres veces antes de asumir que habían borrado mi información.

Que me hayan expulsado del sistema es demasiada coincidencia para que se trate de un simple error informático. Aquí está ocurriendo algo fuera de lo normal. Alguien está eliminando a todo el mundo que podría ayudar a Jess Price. Primero el Dr. Raythe. Después usted. Ahora están intentando eliminarme a mí. Estoy empezando a ver que estoy en grave peligro.

No tengo pruebas, pero creo que el hombre que intercepté en el aparcamiento está detrás de todo esto. Solo hablé con él unos minutos pero conseguí su nombre: Jameson Sedge. Sabía un montón sobre usted: que habían cancelado su acceso a la instalación, por ejemplo. Quería hablar con Jess. Cuando le dije que necesitaba que le concedieran privilegios de visita, insistió en que ya había recibido permiso. No me lo creí —yo reviso a todos los visitantes de la prisión que ven a mis pacientes— e hice que los guardias le acompañaran a su coche, lo que le sacó totalmente de sus casillas. No obstante, cuando regresé al despacho y comprobé la relación de visitantes, su nombre figuraba efectivamente en ella. Resulta que el tipo tiene amigos en las altas esferas, lo que explicaría por qué usted ha perdido su acceso a la prisión. Y por qué ahora yo estoy perdiendo el mío.

Todo lo relacionado con este tipo me daba mala espina, así que decidí llamar al departamento de policía del condado de Columbia, donde detuvieron a Jess Price. Tengo un conocido en el departamento y le pregunté si sabía algo sobre Jameson Sedge. Casi se ahoga cuando oyó el nombre.

Como ya sabe, hubo un circo mediático alrededor de la detención de Jess. Nunca se puso realmente en cuestión que fuera culpable —la policía la encontró cubierta con la sangre de Noah— y la prensa la trató como culpable, aunque no tuviera pruebas. Pero mi conocido me dijo que hubo otras personas a las que interrogaron durante la investigación y, aunque la policía no pudo conseguir pruebas para apoyar sus pesquisas, tenía la sensación de que había indicios sólidos de que esas personas podían estar implicadas en lo que ocurrió esa noche en Sedge House. Cuando le pregunté quiénes eran los sospechosos principales, respondió: Jameson Sedge y la Dra. Anne-Marie Riccard.

También me dijo que mi predecesor, el Dr. Raythe, se puso en contacto con él en 2018, un año después de que Jess quedase bajo sus cuidados. Aparentemente, el Dr. Raythe acudió a la comisaría de policía del condado de Columbia y revisó el archivo del caso. Por eso tenía las fotografías que escaneé, las que estaban en el pendrive. Si no ha tenido la oportunidad de revisar esos archivos, hágalo ahora mismo y comprenderá por qué resulta tan perturbador.

Aunque ahora nada de esto tiene sentido para mí, sé una cosa segura: no podemos dejar desprotegida a Jess Price. Soy consciente de que, si me voy a casa, probablemente no podré regresar. Y por eso voy *a hablar con Jess en mi despacho. Le preguntaré lo que quiera que le pregunte y si confía en mí, lo que —como sabe— no ha hecho antes, lo grabaré y se lo enviaré. No prometo nada más que hacer lo que pueda para comprender por qué intentan hacerle daño. Y protegerla.*

Brink sintió que le recorría una oleada de urgencia al terminar de oír el mensaje de voz de Thessaly. Jameson y Anne-Marie no eran simplemente cazadores de tesoros que esperaban encontrar una antigüedad valiosa. Estaban mucho, mucho más implicados en esto de lo que había pensado. Tenía que salir de allí de alguna manera.

Brink revisó el cuarto de baño, buscando una ruta de huida. Las ventanas panorámicas cerca del jacuzzi no se abrían, pero, al lado del retrete había una que sí lo hacía. Era pequeña, pero si hacía las maniobras correctas, sería lo suficientemente grande para dejarlo pasar.

Descorrió el cierre, abrió la ventana, apartó la mosquitera y se inclinó hacia la noche. La luz de la luna dejaba un rastro sobre el bosque, fino y blanco como azúcar en polvo. Respiró hondo el aire fresco. Al mirar hacia la oscuridad, el mundo le pareció de repente más nítido, más claro. Se sintió bañado en una sensación de propósito. Le asaltó la idea de que quizás esto fuera lo que había echado de menos desde que la lesión lo apartó de los campos de fútbol: la sensación de que formaba parte de una lucha importante. Eso era lo que era tan gratificante en los puzles. Lo hacía para ganar, pero también para conseguir algo profundamente personal. Resolver el problema y terminar el puzle. Abandonar el terreno con un resultado absoluto. Ahora que estaba seguro de que Jess estaba en peligro, todas las decisiones que tomase tendrían consecuencias.

La ventana daba al bosque y había una caída de unos tres metros hasta el suelo. Comprobando que había asegurado la bandolera, subió al retrete y sacó una pierna por la ventana, después la otra, y saltó, aterrizando con suavidad en el césped. Le dio la vuelta a la casa y vio a Anne-Marie y a Jameson hablando intensamente en la cocina. Jameson parecía enfadado y suponía que Anne-Marie intentaba calmarlo, y, aunque quería saber sobre qué estaban discutiendo, no tenía ni un minuto que perder.

Sacó las llaves del bolsillo y abrió la puerta de la camioneta. Esperaba que Connie le saltase encima: odiaba que la encerrasen y había estado fuera durante más de dos horas. Pero la camioneta estaba vacía. Intentando no dejarse llevar por el pánico, buscó en el suelo del asiento del acompañante. Encontró el bebedero de plástico y su juguete para morder, pero no a Connie. Se volvió hacia el bosque detrás de la casa, pensando que habría podido salir de alguna manera. Pero Connie había desaparecido. Cuando se dio cuenta de que la correa y la mantita tampoco estaban allí, supo que había ocurrido lo peor: Cam Putney tenía a Conundrum.

Le invadió la rabia. Quería volver a la casa y enfrentarse a Jameson, obligarle a llamar a su matón y ordenarle que trajera de vuelta a Conundrum. Pero sabía que sería una estupidez. Era exactamente lo que quería: Brink airado y enloquecido, dispuesto a hacer todo lo que quisieran. A pesar de la rabia, a pesar del miedo creciente ante la idea de lo que le pudiera ocurrir a Connie, necesitaba calmarse.

Subió a la camioneta, cerró la puerta y respiró hondo para recuperarse. En cuanto hubiera salido de allí sería libre para pensar en su siguiente movimiento.

Deslizó la llave en el contacto y la giró. Nada. Lo intentó de nuevo y una vez más. Nada. Ni una sacudida del motor ni un parpadeo de las luces. Comprobó el depósito, que estaba a la mitad y entonces vio, para su horror, que la batería estaba muerta.

35

Cam Putney contempló a Thessaly Moses. Entró por un extremo de su casa y la recorrió hasta el otro, encendiendo las luces hasta que todo el sitio brillaba como el patio de la prisión por la noche. Obviamente, la mujer estaba aterrorizada. Había intuido su presencia, lo había presentido aunque en realidad no lo había visto. Su primer mecanismo de defensa era bañar de luz hasta el último rincón. Al encenderse las lámparas del segundo piso, pensó que era interesante cómo la presencia de luz siempre se equipara con seguridad: la luz del sol, una fogata, una lamparita en la habitación infantil. Su hija no pudo dormir sin una hasta que no cumplió los siete años. Pero la luz facilitaba el trabajo de Cam. Lo veía todo con una claridad perfecta. El archivo grueso que la Dra. Moses sacó del bolso y colocó sobre la mesa del comedor al lado de un delgado MacBook Air dorado, el mismo modelo que le compró a su hija cuando la escuela solo fue *online* durante la pandemia. La luz eliminaba las sombras de manera que nada se le ocultase a Thessaly Moses. Pero tampoco se le ocultaba nada a Cam Putney.

La casa formaba parte de una comunidad vallada a unas dos millas de la prisión, un conjunto de diez casas ubicadas en la densidad del bosque de Adirondack. Cam aparcó a más de una milla, escondiendo el Tesla entre los árboles. La mascota de Brink ladraba como loca en el maletero, saltando de un lado a otro como un *pinball*. Llevaba así desde hacía horas y estaba tentado de poner fin a su sufrimiento. Pero a Sedge no le iba a gustar. Le había ordenado que se llevase el perro de Brink, no que lo matase, y Cam no se iba a arriesgar a enfadarlo por algo así. Era mejor dejar que se cansase y que se durmiese.

Cam anduvo alrededor de la casa, buscando una manera de entrar. Permaneció en las sombras, con cuidado de no ser visto por los vecinos. Lo último que necesitaba era alguien llamando a la policía. En la parte trasera de la casa descubrió una ventana que se abría hacia la sala de estar. Podía ver a la Dra. Moses sentada ante la mesa del comedor, con el portátil abierto. Estaba intentando entrar de nuevo en la base de datos gubernamental del NYS, pero, por supuesto, se le negaba el acceso. Él había cambiado personalmente la clave, impidiéndole el acceso a toda la información relacionada con sus pacientes, incluida Jess Price. Había sido fácil entrar, cambiar la clave y redirigirlo todo hacia su propia cuenta. Si su portátil se parecía a su ordenador de sobremesa, no disponía de ninguna protección, sin un programa antivirus, ni siquiera un VPN. Estaba claro que no tenía ni idea de que todo lo que escribía, todas las notas clínicas, todos los mensajes personales de correo electrónico, cada publicación en las redes sociales, cada centavo que depositaba en la cuenta bancaria, todo estaba siendo monitorizado.

De repente, la Dra. Moses se puso en pie y se giró hacia la ventana. Durante un momento electrificante se lo quedó mirando y él estuvo seguro de que lo había visto detrás del vidrio. Pero ella se giró, salió de la habitación con movimientos firmes, sin miedo, y supo que no se había dado cuenta de su presencia.

Cam se puso manos a la obra. Primero lo intentó con la ventana. Estaba cerrada. Después con la puerta trasera. También estaba cerrada, pero se trataba de una cerradura sencilla, que podía abrir sin demasiados problemas. Sacó el conjunto de ganzúas y se inclinó delante de la cerradura. El sudor se le deslizaba por la piel. Se lo limpió de los ojos y se puso a trabajar, probando las ganzúas con rapidez y en silencio. La cuarta funcionó. El bombín hizo clic. Giró el pomo y empujó la puerta sin hacer ruido; una oleada de aire frío le pasó por encima al entrar, el aire acondicionado le provocó un escalofrío en la piel húmeda. Cerró la puerta a sus espaldas y se deslizó hacia el interior, atravesando el comedor y entrando en la sala de estar que estaba conectada con él. Al esconderse detrás de una estantería con libros, la Dra. Moses regresó al comedor con una botella de vino. Cam sintió una oleada de alivio. No había oído la apertura o el cierre de la puerta. No lo había oído al atravesar el suelo de madera del comedor. No había oído nada. Ella se sirvió una copa de rosado, tomó un sorbo y se sentó delante del portátil.

Al estar cerca de las estanterías, vio manuales de DSM-4 y DSM-5, un estante con novelas en tapa dura y filas de libros de autoayuda, todos bien alineados. Había una fotografía de una pareja de ancianos negros de pie en un parque: supuso que los padres de la Dra. Moses. Con suavidad, sin hacer ruido, le dio la vuelta a la foto. No quería saber nada de la vida de Thessaly Moses: nada de sus padres, nada de sus hábitos de lectura, nada de que forzaba el aire acondicionado hasta conseguir temperaturas subárticas. Cuanto más supiera, más duro sería hacer lo que había venido a hacer. Y necesitaba que esto fuera fácil.

Sacó la Glock 43 de la funda, sintiendo el peso en la mano. Estaba caliente, conservando el calor de su piel. Levantarla era como alzar un dedo, su arma era una extensión de su cuerpo, una parte de él. Mantuvo la mano firme cuando apuntó. Esa era una de sus fortalezas: una puntería sólida como una roca, una habilidad innata para acertar en su objetivo bajo cualquier condición, reflejos que le permitían golpear sin dudar. Pero aún no descargó el golpe. Aún no. La contempló. Se preguntó sobre ella. ¿Sabría lo atrapada que estaba? ¿Que fuera donde fuere, él estaría allí?

Deslizó el dedo sobre el seguro y apuntó a la nuca. Pero cuando estaba a punto de apretar el gatillo, ella se inclinó y sacó el móvil del bolso, deslizó un dedo sobre la superficie de vidrio y conectó el teléfono al portátil.

Él depositó la Glock en un estante y se acercó, intentando ver. Le llevó un segundo darse cuenta de lo que estaba haciendo, pero de repente lo supo: había transferido manualmente un archivo del móvil al portátil. Por su apariencia, era un archivo de audio WAV, un mensaje de voz. Le recorrió una oleada de ansiedad. Conocía cada recoveco de su existencia *online*. Había controlado su correo electrónico, sus canales en las redes sociales, sus cuentas bancarias. Pero había encontrado una manera de evitar su vigilancia. Había creado el archivo en la prisión, lo había guardado en el móvil y ahora lo estaba descargando, manteniéndolo a salvo de su red electrónica. Solo llevaba medio día alejado de Ray Brook y ella había conseguido ocultárselo.

Cam había matado antes, pero esos trabajos fueron rápidos, anónimos y lejos de casa. Había matado en habitaciones de hotel y en callejones, una vez en los lavabos de un aeropuerto, pero siempre sin implicaciones personales. La única excepción había sido el Dr. Ernest Raythe, un hombre que veía cada día en la prisión. El señor Sedge no le dio tiempo para prepararse y había sido una sorpresa. Aun así, cuando llegó el momento de eliminar a Raythe, estaba preparado.

Fue necesaria una gran creatividad para que pareciera un accidente. Era una fría noche de diciembre, una semana antes de Navidad, uno de esos días cortos y grises cuando el sol se pone a las cuatro de la tarde. El aparcamiento de la prisión estaba lo suficientemente a oscuras para ocultarlo mientras subía al coche de Raythe: un Subaru Outback, nuevecito por el olor del interior. Se había escondido en el asiento trasero, se había tumbado y había esperado a Raythe. La nieve caía espesa sobre el vidrio, blanqueando el parabrisas, de manera que cuando Raythe se sentó en el asiento del conductor, el coche era una cápsula oscura y aislada.

En otra vida, irrumpir en los coches había sido la especialidad de Cam. Esta habilidad le acarreó su primera condena juvenil, con quince años, y después su primera estancia en la cárcel de verdad, a los diecisiete. Siempre había sido bueno con las cerraduras y llevaba un juego de ganzúas en el cinturón, pero, en realidad, las cerraduras más fáciles de abrir eran las electrónicas, que podía desmantelar sin dañar el coche. Cuanto más sofisticada era la electrónica, más fácil era deshabilitarla. El señor Sedge debía saber eso de él, debía saber que tenía un don para montar y desmontar sistemas, debía conocer su época de ladrón de coches y su paso por la cárcel. Tenía sentido. Solo un criminal con talento para resolver sistemas complicados podía encajar en el cuadro de Singularity.

Pero, cosas de la suerte, el coche de Raythe no estaba cerrado. Fue un regalo inesperado. Lo mismo que la nieve: húmeda y resbaladiza, después helada, formando una capa de hielo sobre las carreteras de montaña. Raythe no llegó a sospechar que Cam estaba allí. Conducía con lentitud, metódicamente, de noche, demasiado preocupado por los peligros de carreteras secundarias reviradas como para sospechar que había un hombre escondido a sus espaldas. Cam era un tipo grande, pero se pudo insertar en el hueco detrás del asiento del conductor como un fantasma, su respiración lenta y silenciosa, sus manos plegadas sobre el regazo, esperando. Años de meditación le habían enseñado a ralentizar su cuerpo, a regular la respiración, a volverse casi transparente.

Raythe siguió conduciendo, subiendo por la montaña a oscuras, y Cam supo que matarlo no le iba a costar demasiado, un giro duro y rápido de la cabeza, un golpe fuerte. Cuanto más rápido, mejor. Ernest Raythe era un buen médico, dedicado a sus pacientes de una manera que Cam respetaba: la lealtad era uno de los atributos más nobles, como decía siempre Ume-Sensei. Cam vivía cada día según esa creencia, sacrificando sus deseos por el bien de una misión más grande. Pero la preocupación de Raythe por sus pacientes lo había acercado demasiado al señor Sedge, demasiado a la verdad, y eso representaba una amenaza para toda la empresa. No importaba el dolor que le provocase, no podía permitir que Raythe se acercara más.

Cam no disfrutaba de la violencia. Algunos de los tipos del equipo de seguridad del señor Sedge lo hacían. Fanfarroneaban sobre la brutalidad de su trabajo, regodeándose en la capacidad para dominar, humillar y destruir a otro ser humano. Con el tiempo, Sedge los fue despidiendo a todos, hasta que el grupo inicial de samuráis de Singularity quedó reducido a un solo hombre: Cam Putney. Su puesto le daba poder, pero sabía que era una espada de doble filo, como le había enseñado Ume-Sensei. Un día se encontraría en el lado opuesto de este intercambio. Era inevitable, una ley absoluta del universo, que la materia y la energía se transformaran. Del día a la noche. De la fuerza a la debilidad. De la vida a la muerte. Un día su poder se desvanecería y quedaría a merced de una fuerza más poderosa que él. Pero para eso faltaba mucho y tenía un trabajo que hacer.

Cam recogió el arma y penetró en el comedor, silencioso como un fantasma. Respiró para equilibrarse antes de levantar la Glock. Recordó el momento en que había matado a Ernest Raythe: el crujido del cuello, la inercia del coche lanzado por la carretera secundaria. Lo había calculado para que pudiera saltar justo antes de que el vehículo cayera por el barranco. El Dr. Raythe no había sospechado nada hasta que fue demasiado tarde. Lo mismo le iba a ocurrir a la Dra. Thessaly Moses.

36

L*a batería muerta*. Mike Brink maldijo en voz baja, frustrado. No era el momento para que se averiara su camioneta, pero no era culpa suya: cuando Cam secuestró a Connie, había dejado abierta la puerta del lado del pasajero. La luz interior debió quedar encendida y había agotado la batería.

Respiró hondo y evaluó la situación. La camioneta estaba en la cima de un camino de entrada en pendiente, rodeado por un centenar de acres de bosque espeso. Podía intentar caminar hasta la carretera, pero iba a tardar demasiado. Bajar de la colina con la mayor rapidez y el sigilo posibles era la única alternativa.

Pero aunque pudiera arrancar la camioneta, el motor era viejo y ruidoso, y lo iba a delatar en un instante. Pero, espera, no necesitaba arrancar el motor. La gravedad lo llevaría al pie de la colina. Lentamente, Brink liberó el freno de mano, apretó el embrague, dejó la palanca en punto muerto y fue soltando los pedales. La camioneta rodó en silencio bajando por el camino empinado.

Estaba nervioso por la incertidumbre mientras contemplaba la carretera a oscuras y con curvas. Aunque no se veía a Cam por ningún lado, Brink tenía la sensación de que el tipo no estaba demasiado lejos. Podía estar esperando al final del camino o incluso aparcado cerca de la casa. No tenía manera de saberlo. Ahora no tenía más alternativa que seguir adelante.

El camino de acceso era largo y revirado. Casi no lo podía ver, porque los faros no funcionaban, así que lo tuvo que recorrer a ciegas, intentando mantenerse en la calzada. Finalmente, llegó al pie de la colina. Giró el encendido. El motor tartamudeó, tosió y cobró vida.

Prendió los faros y condujo con rapidez, poniendo la mayor distancia posible entre él y Jameson Sedge. Al pasar las millas, Brink empezó a relajarse. Bajó la ventanilla y sintió el aire frío de la noche sobre la piel. Solo eran las diez, y al aumentar la distancia con Jameson Sedge, se fue dando cuenta de lo tenso que estaba. Durante las últimas horas, todos los músculos en el cuerpo de Brink habían estado en tensión. Movió los hombros, intentando liberarlos de la rigidez. El aroma a pino le invadió los sentidos y su mente comenzó a aclararse.

Mirando el reloj en el salpicadero de la camioneta, vio que habían pasado veinte minutos desde que le dijo a Anne-Marie que iba al baño. Se preguntaba cuánto tiempo les habría llevado percatarse de que había desaparecido. La imaginaba llamando a la puerta, para comprobar que seguía allí. Cuando no hubo respuesta, debieron romper la cerradura y vieron la ventana abierta. Imaginaba a Jameson saliendo al camino y descubriendo que no estaba la camioneta. Anne-Marie habría abierto el portafolio de cuero, habría descubierto que Brink se había llevado la carta y después se habría desencadenado el infierno.

Brink llegó al final del camino, giró hacia una pequeña carretera rural y aceleró. No sabía hacia dónde iba, solo que necesitaba ir muy lejos. Estaba a unas diez millas de la propiedad de Anne-Marie cuando se detuvo a un lado de la carretera, encendió las luces de emergencia, sacó el móvil del bolsillo y comprobó la cobertura. Para su alivio, tenía barritas. Encontró un mensaje de texto de Thessaly que decía: *No es seguro enviar el archivo de audio desde mi móvil y no confío en el ordenador del trabajo. No dejo de tener la sensación de que aquí me vigilan. Ahora voy a casa para enviarlo por correo electrónico. Tenía razón. Jess Price es mucho más de lo que aparenta. Compruebe su e-mail dentro de media hora.*

Redactó un mensaje de texto a Thessaly Moses pidiéndole que llamase a su amigo policía y le dijese que tenía razón: Jameson Sedge y Anne-Marie Riccard estaban implicados. Habían retirado pruebas de la escena del crimen —un diario que Jess había redactado mientras estaba en Sedge House— y las habían escondido. Brink presionaba a Thessaly para que llamase inmediatamente a la policía y les dijese que interrogasen a Jameson y a Anne-Marie.

Después de haber enviado el mensaje, dejó el móvil y se concentró en la carretera. Era tarde y estaba en medio de ninguna parte. Estuvo tentado de parar y leer la carta de LaMoriette en la camioneta, pero eso lo habría convertido en un blanco inmóvil. Necesitaba encontrar algún lugar público en el que pudiera leer en paz. Detenerse lo podía poner en peligro, pero su necesidad de saber lo que había en la carta era más fuerte que la cautela. Finalmente, vislumbró un restaurante abierto las veinticuatro horas a un lado de la carretera. Destacaba como un faro en la oscuridad: una estructura angular prefabricada de los años cincuenta con una pared de vidrio que se abría a filas de reservados de vinilo turquesa. Parecía lo suficientemente seguro. El lugar estaba vacío y no había tráfico en la carretera, así que fue hasta la parte trasera del edificio y aparcó detrás de un contenedor. Ahí nadie iba a ver su camioneta.

En el interior, escogió un reservado en el fondo, lejos de las ventanas. Se sentía mareado, con la sangre latiéndole. Necesitaba café. Llamó a la camarera y pidió una taza y una ración de tarta de cereza. Era joven, quizás en la veintena, con laca de uñas negra y un mechón verde en el cabello, y por su expresión supo que su aspecto reflejaba totalmente el malestar que sentía.

Después de que se alejase, sintió cómo le caía encima un gran peso cuando se dio cuenta de la manera drástica en que había cambiado la situación en las últimas horas. Se había visto implicado en algo peligroso y complicado, un juego con las apuestas muy altas. Por si esto no fuera lo suficientemente malo, Connie había desaparecido y no tenía ni idea de cómo recuperarla.

Metió la mano en el bolsillo y sintió el dólar de plata, caliente y suave. Destino y azar, destino y libre albedrío: ¿qué era lo que estaba en juego? Había corrido un riesgo y decidió conocer a Jess Price, solo para descubrir que se había abierto una puerta a otro puzle, un laberinto que le había hecho dar vueltas y más vueltas. Durante años había navegado por la vida, llevado por su talento. Pero ahora se estaban poniendo a prueba todas sus habilidades.

Esperó el café, mirándose las manos, dejando que todo se fuera asentando. Intentó hacer que todo tuviera sentido. Los hombres muertos con marcas idénticas en sus cuerpos y el patrón extraño en el brazo de Jess que era similar a ellas. El Puzle de Dios, como lo había llamado Jameson, y la carta de LaMoriette, esperando que la leyese. El triángulo pitagórico tatuado en el cuello del guardia de la prisión, y el puzle de Mike Brink con su clave criptográfica. Dispuso las piezas delante de él como láminas transparentes, capas separadas que, cuando se juntaban, creaban una imagen compuesta. Se acabarían uniendo para revelar algo importante, sabía que sería así, pero no importaba cómo examinase las piezas, no podía ver lo que era.

Al final, la camarera le sirvió el café y la tarta de cereza. Comió con rapidez, mirando por los ventanales, buscando a Jameson. El tipo no lo iba a dejar escapar con tanta facilidad, de eso estaba seguro. Aunque el restaurante estaba lejos, el Tesla negro podía aparecer en cualquier instante. En realidad no debería haber parado, pero necesitaba leer la carta que había sacado del portafolio. Necesitaba saber de qué estaban hablando Jameson y Anne-Marie; necesitaba comprender cómo estaba relacionado con Jess Price. Quizás algo en la carta le ayudaría a comprender el círculo que había dibujado Jess. A veces, cuando estaba trabajando en un puzle que le desafiaba, le llegaba la inspiración cuando menos lo esperaba y descubría la respuesta. Quizá tendría suerte y vería una solución para el Puzle de Dios.

Terminó el café y se sintió un poco menos ansioso. El azúcar y la cafeína lo habían calmado. Se le disipó el mareo y empezó a ver su situación con cierta claridad. Estaba en peligro, eso era indiscutible, pero también se encontraba en una posición de fuerza. Tenía información que Jameson y Anne-Marie querían y había conseguido ganarles la partida en todo momento. Había desarrollado una conexión con Jess; había desenterrado el archivo policial confidencial del sótano de la prisión; tenía a Thessaly Moses y su contacto con el departamento de policía dispuestos a ayudarle. Pero su as en la manga era la carta de LaMoriette, el documento que, según Anne-Marie, unía todas las piezas.

Así las cosas, tenía todas las cartas. Como había dicho una vez el gran maestro del ajedrez Savielly Tartakower: *El ganador es el que comete el penúltimo error*. Ahora solo se tenía que asegurar de que su error no fuera el último. Metió la mano en la bandolera y sacó el fajo de páginas que había tomado del portafolio de Anne-Marie, la carta de LaMoriette, y empezó a leer.

37

24 de diciembre de 1909
París, Francia

Mi querido hijo,

Para cuando leas esto, te habré causado mucha tristeza, y
por eso te pido perdón. Como sabes, hijo mío, soy un hombre
acosado, y aunque el peaje ha sido duro, al final he hecho las
paces con mis demonios. No escribo esto como una excusa por
lo que he hecho. Sé muy bien que no hay perdón para eso, ni a
los ojos de Dios ni a los de los hombres. Aun así, escribo este
relato de mi descubrimiento por pura necesidad. Se trata de mi
última oportunidad para recopilar los acontecimientos increíbles, los acontecimientos terribles y maravillosos, que cambiaron mi vida y, si te aventuras en estos misterios que estoy a
punto de relatar, también cambiarán la tuya.

   ¿Qué, preguntarás, es responsable de semejante tormento?
Te lo explicaré, pero ten cuidado: en cuanto sepas la verdad, no
te resultará fácil olvidarla. Me ha perseguido cada minuto de
cada día. No había manera de ignorarla. Me sentí atraído por
su misterio como la polilla que da vueltas alrededor de la llama: *In girum imus nocte et consumimur IgnI*. Y, aunque soy afortunado de haber sobrevivido para dar testimonio de la verdad,
incluso ahora, cuando me encuentro al borde del abismo, no

puedo evitar encogerme ante la idea de confiarte un secreto tan peligroso.

He sufrido, pero se trata del sufrimiento de un hombre que ha creado su propia cámara de tortura. Creía que podía conocer lo que no debe ser conocido. Quería ver cosas, cosas secretas, y por eso levanté el velo entre lo humano y lo divino, y miré directamente a los ojos de Dios. Esa es la naturaleza del enigma: ofrecer alternativamente dolor y placer. Y aunque la verdad que estoy a punto de revelarte te pueda impresionar, si te ofrece el más mínimo refugio de esperanza, entonces esta, mi última comunicación, habrá logrado todo lo que pretende.

Hay muchos momentos en los que podría empezar la historia de la caída de un hombre, pero yo partiré del mes de septiembre de 1891. Tú eras un niño pequeño, pero es posible que recuerdes que ese fue el año en que perdimos a tu hermana mayor. Por entonces tu madre y yo llevábamos casados dieciséis años y habíamos vivido nuestra cuota de felicidades y tristezas, pero nada que pusiera a prueba nuestro matrimonio como el fallecimiento de Violaine. Golpeado por la pena, creí que un ambiente extranjero y una separación de los lugares en los que había vivido y muerto tu hermana podrían ofrecerme algún consuelo.

Y así viajé a Praga para trabajar para el maestro fabricante de muñecas Johan Král. Aunque no era joven, pues acababa de cumplir los treinta y cuatro veranos, acudí al maestro Král ansioso por aprender su arte. Por supuesto, había aprendido mi oficio hacía muchos años, bajo la supervisión de mi padre, cuya tienda en el 147 de la Rue Saint-Denis ya era entonces una leyenda en París, antes de que la heredase y la convirtiera en el gran éxito que es en la actualidad.

Pero el maestro Král tenía una habilidad que yo no dominaba: el arte de los ojos de cristal de Bohemia, cuya presencia era desconocida en París. Su técnica era bastante ingeniosa. Creaba el color en el centro de un orbe de cristal usando un método de soplado que infundía el iris con minúsculas burbujas de aire. El resultado era que los ojos capturaban y dispersaban la luz. De hecho, cuando vi una de las muñecas de Král en una tienda en París, la pequeña parecía que movía los ojos para seguir todos mis movimientos. Sus muñecas eran hipnóticas, tan vivas hasta el punto de incomodar.

Aun así, aunque el maestro Král era claramente superior en el arte de los orbes de cristal, sus muñecas, en conjunto, eran bastante simples comparadas con las mías. La forma de las extremidades y la calidad del material, las expresiones planas de las caras: todo ello demostraba que me necesitaba. Cuando supe que el maestro Král pretendía realizar una transición completa hacia todas las partes de porcelana, le escribí para proponerle un intercambio: lo ayudaría a establecer su factoría de porcelana a cambio del secreto de sus ojos de cristal.

Pasé en la fábrica mis primeras semanas en Praga. Estaba ubicada cerca de la ciudad, en lo que en su momento había formado parte de una cantera de mineral, donde se extraían, refinaban y pulverizaban cal y otras piedras naturales. La fábrica estaba muy llena y era bastante oscura, con ventanas en la parte superior de los muros que daban al este y al norte. Trabajaban bajo luces de gas incluso durante el día. Mi primer acto al entrar en el taller fue meter la mano en un barril de ojos de cristal, cientos de orbes perfectamente fabricados, solo para sentir su peso. ¡Qué bellos eran! Sus superficies de cristal suaves y frías golpeaban entre sí; su perfección gélida me daba escalofríos.

Durante todo el día fabricábamos muñecas de porcelana. Král había instalado un horno en un edificio anexo, una especie de horno de botella con un carcasa exterior de ladrillos que nos permitía estar dentro de la chimenea, acercándonos a las llamas cuando metíamos y sacábamos la porcelana. Al retirarlos, los cuerpecitos aparecían con las extremidades muy largas e hinchadas por el calor como hogazas salidas del horno. Cuando salían se trataba de un momento de alquimia, una reacción pura y elemental cuando el fuego y la tierra y el aire y el agua se funden en una forma sólida. Cuando levantaba una muñeca por la pierna con las pinzas metálicas y la metía en una cuba de agua fría, siseaba y escupía como una víbora. Me alejaba, con rapidez, como si me hubieran pinchado, contemplando cómo se elevaban las volutas de vapor hacia las vigas metálicas, saliendo por un agujero en el tejado, y elevándose hacia el cielo azul helado.

En mi recuerdo, Praga siempre ha sido oscura y tenebrosa, una sensación que tiene poco que ver con la calidad de la luz, sino que más bien refleja la mente del hombre que era entonces. Mi pena durante ese año fue inmensa. Hasta entonces había vivido una existencia más bien encantada. Tu madre era, en pocas palabras, el amor de mi vida, y Violaine... bueno, *Violaine*. Mi mano tiembla cuando pienso en ella, mi hija vivaz y brillante.

No obstante, estaba ansioso por aprender del maestro Král y dispuesto a compartir mis conocimientos con él. Había traído una muñeca de nuestra tienda en París, uno de mis primeros intentos de utilizar ojos de cristal. Mientras el cuerpo era perfecto, una porcelana brillante con un esmaltado blanco cremoso, los ojos dejaban mucho que desear. No los había alineado bien, de manera que la mirada se perdía, dando al bebé un bizqueo terrorífico.

El maestro recibió el obsequio como una muestra de amistad: si estaba dispuesto a mostrar mis debilidades como fabricante de muñecas, él también lo haría. El maestro Král señaló los defectos pero también admiró las proporciones de la figura, en especial la cualidad luminosa de la porcelana. El maestro Král colocó el Bébé de París en el escaparate de su tienda de muñecas, donde miraba a los transeúntes, bizca y loca como un ganso de Aquitania.

Unas semanas después de mi llegada a Praga, me fijé en un hombre delante de la tienda de muñecas. Era alto y delgado, llevaba un sombrero y un abrigo largo y negro, lo que era una vestimenta extraña para un cálido día de otoño. No habría vuelto a pensar en él si no me lo hubiera encontrado de nuevo en el mercado de la Plaza de la Ciudad Vieja. Había pagado por una hogaza de pan de centeno y estaba valorando una ristra de embutido cuando apareció a mi lado, fingiendo que estaba examinando una pila de repollos. Tenía una barba oscura y rizada y unos grandes ojos negros. Me miró con una intensidad peculiar, que me dio la impresión de que me había estado buscando y que, ahora que me había encontrado, no me iba a dejar ir.

Se presentó como Jakob y me empezó a hablar en checo. Mi incomprensión fue evidente de inmediato: había aprendido las frases necesarias para comprar pan en el mercado, pero esa era toda la amplitud de mis conocimientos. Intenté comunicarme y Jakob detectó mi acento y cambió inmediatamente al francés. ¡Qué alivio sentí al escuchar mi idioma! Hacía solo unas semanas que había abandonado París y, aun así, me sentía como si hubiera perdido una extremidad.

—Acompáñeme a tomar una jarra de cerveza —sugirió, y como seguía teniendo el día libre y estaba intrigado por sus intenciones, acepté.

La taberna estaba cerca del Teatro Estatal, una sala de ópera que había acogido a Mozart un centenar de años antes. Jakob me había invitado a una cerveza, pero él tomó té, endulzado con un cubo de azúcar.

—Perdóneme —se disculpó—. Me doy cuenta de que es una manera bastante extraña de acercarme a usted, pero usted es el fabricante de muñecas, ¿no es así? Dígame... ¿es creación suya la que se muestra en el escaparate de la tienda del señor Král?

Me sorprendió que le hubiera prestado atención a mi muñeca. Me sentía orgulloso de ella, a pesar de sus ojos terriblemente malos. Le expliqué que la muñeca era mía y que estaba en Praga para aprender el arte del cristal.

—Su creación es una figura refinada, mucho más que las otras muñecas que he visto.

Se lo agradecí y pronto supe que Jakob tenía veinticuatro años, era judío, vivía en un barrio al norte de la tienda de muñecas y era hijo de un rabino. Después de esta presentación, Jakob bajó la voz y dijo:

—¿Usted cree que uno tiene un propósito en la vida?

—Por supuesto —respondí, sin dudar—. ¿Cómo se podría sobrevivir sin uno?

—¿Y su propósito?

La pregunta me había estado rondando por la cabeza desde la pérdida de Violaine. Su muerte había desequilibrado el universo. Parecía que el mal superaba muy ampliamente al bien y con frecuencia me había preguntado por qué debería continuar. Si a alguien como Violaine, una niña sensible e inteligente, se la podían llevar tan injustamente, ¿qué tipo de mundo era este?

—Para crear belleza —respondí al final—. Cuando se han revelado todos los horrores de la vida, Dios nos envía la belleza para consolarnos.

Esto provocó una sonrisa en el rostro de Jakob.

—Le hemos estado esperando, señor LaMoriette. Le hemos estado esperando durante muchos años.

—¿Quién me ha esperado? —pregunté, porque seguía confundido ante sus intenciones.

—Pronto le invitaremos a nuestro hogar.

Acabé la cerveza y me giré para llamar a la camarera. Cuando volví a mirar su silla, estaba vacía. Había una pila de monedas sobre la mesa y Jakob se apresuraba por la calle adoquinada, destacándose su sombrero negro entre la multitud.

38

Fue hacia principios de octubre cuando se planteó un misterio en la tienda de muñecas. Llegué una tarde y descubrí que la muñeca que había fabricado ya no estaba en el escaparate. Creyendo que la había movido alguien, busqué en las estanterías, apartando muñecos de madera, muñecas de trapo, bebés con cabeza de cerámica, buscando mi Bébé de París de porcelana. Král estaba en el mostrador, atendiendo a un cliente. Cuando quedó libre, le pregunté por la muñeca. El maestro Král estaba perplejo. Me dijo que nadie la había comprado. En realidad, no tenía intención de venderla, porque quería guardarla como regalo. Pero cuando revisamos juntos los estantes, mi primera impresión era correcta: la muñeca había desaparecido.

Poco después, Jakob se me acercó de nuevo. Era una tarde de sábado a finales de octubre y acababa de volver de pasar la tarde en el horno. Jakob me esperaba delante de la tienda de muñecas, de pie en las sombras, como había hecho el día de nuestro primer encuentro. Esta vez me invitó a cenar a su casa. Acepté. Tenía hambre y no tenía nada que comer en mi habitación, pero aún más atractiva que la comida era la oportunidad de saber más de su *quartier* de nacimiento. Y, por supuesto, estaba la atracción de mi lengua materna. Hablar con Jakob en francés era como un tónico: calmaba mi espíritu cuando añoraba París y me ofrecía la ilusión de que nada —ni la nostalgia ni la pérdida— era insuperable.

Atravesamos las calles estrechas mientras caía la noche. Al cruzar el río, descubrí casas con leña recién cortada apilada delante de las puertas, cubiertas por el olor a humo. Caminamos durante quince minutos y pronto llegamos al ayuntamiento, una estructura larga y elegante con una buhardilla que sostenía una torre alta. En su forma había algo de los edificios de París, algo barroco, con la torre tallada en piedra como una pieza de ajedrez.

Jakob me condujo directamente al hogar de su familia, una casa sin adornos en una plaza frente a una estructura imponente que se alzaba hasta el cielo púrpura: la Sinagoga Vieja-Nueva. Jakob me explicó que ese era el templo que dirigía su padre como rabino. Y, aunque tenía curiosidad por saber más, no hubo tiempo para preguntar. De repente nos rodeó una multitud de niños: sus hermanos y hermanas, siete u ocho niños y niñas. Entramos en una casa llena del aroma de un guiso al fuego, del sonido de un violín que estaban tocando en una habitación trasera y del rumor bajo de una lengua que no pude comprender. En mi ignorancia había interpretado la fluidez de Jakob en francés como una afinidad cultural. Había creído que compartíamos costumbres, que teníamos ideas similares sobre el mundo, quizás incluso los mismos rituales en la mesa. Pero en cuanto entramos en su casa comprendí que no sabía nada de él.

El padre de Jakob, el rabino Josefez, me saludó mientras me quitaba el abrigo. No lo entendía, por supuesto, y Jakob tradujo, como lo iba a hacer cada vez que me hablara su padre.

—Mi padre le da la bienvenida —explicó Jakob—. Se siente honrado de tener con nosotros a un artista como usted.

Me sentí halagado, pero sorprendido de que conociese mi obra. En Praga no había ningún ejemplo de ella, excepto el Bébé de París desaparecido, y no había hablado al respecto con Jakob, excepto para explicarle mi propósito al trabajar con el maestro Král. Ante mi confusión, Jakob dijo:

—Fue mi padre quien vio su golem en el escaparate de la tienda de muñecas. Me pidió que investigara sobre su creador. Fue él quien comprendió su talento. Fue él quién le ha elegido.

Golem. Era la primera vez que escuchaba la palabra y no sabía nada de su significado. Le debería haber pedido que me lo explicara, pero estaba a punto de perder la compostura. Jakob me había prometido una cena, pero no se habló de ello. Me condujo por un pasillo y entramos en una habitación a oscuras, donde el rabino hizo gestos para que tomara asiento frente a la mesa y él se sentó delante de mí. Antes de tener la oportunidad de ponerme cómodo, sonó un golpe en la puerta. Entró un grupo de cuatro hombres. Se quitaron los abrigos y los sombreros y se unieron a nosotros alrededor de la mesa. Jakob presentó a los hombres como amigos. Al sentarse, saludaron calurosamente a Jakob, llamándolo *Bocher*, que, según me susurró él, designaba a un joven que estudiaba el Talmud.

Pronto los hombres empezaron a hablar. Nunca se dirigieron a mí directamente, nunca le pidieron a Jakob que tradujera sus palabras, y de esa manera seguí ignorando los detalles precisos de su discusión. Aun así, cuando me miraban, sentía su gran interés por mi presencia.

Al final, entró la madre de Jakob y sirvió la cena: el guiso que había olido al entrar. Comimos en silencio y, cuando terminamos, el rabino se puso un abrigo de lana y les deseó las buenas noches a los demás. Nos hizo un gesto a Jakob y a mí para que lo siguiéramos en la fría noche otoñal. La noche era clara, la luna era grande en el cielo, iluminando el tejado en punta de la sinagoga y, más allá, los chapiteles del ayuntamiento, una ristra de lanzas contra el cielo nocturno. Delante del templo, el rabino sacó una llave del bolsillo y abrió la puerta.

Una vez dentro, Jakob encendió una vela y me la entregó, después alumbró otra para él y juntos atravesamos un pasillo estrecho, subimos un tramo de escaleras hasta un altillo que dominaba el espacio inferior. En Saint-Sulpice, donde me habían bautizado, esto habría sido el altillo para el coro. Pero en la sinagoga no vi ningún órgano, ni tubos, nada que pudiera indicar una dedicación a la música. Jakob encendió más velas, hasta que el espacio relumbró con la luz. El rabino tomó una y se acercó a un gran armario de madera en un rincón de la sala, levantó su anilla de llaves y lo abrió.

No puedes imaginar, hijo mío, lo sorprendido que quedé al ver aparecer un pie bajo la luz de la vela. Al derramarse la luz, apareció una pierna, después un torso grueso. Sorprendido, me encontré examinando la criatura con inquietud. ¿Qué demonios podía ser? Jakob ayudó a su padre y juntos sacaron una especie de maniquí del armario.

Vi que, aunque lo habían moldeado con forma humana, era más grande que un hombre, una especie de gigante al menos dos cabezas más alto que Jakob, que, según mis estimaciones, era alto. Lo llevaron hasta el centro de la sala y lo tumbaron suavemente en el suelo de manera que quedó tendido sobre la espalda, bañado en la luz de las velas. Estaba dañado, incluso se estaba desmoronando en algunos sitios: un brazo se había deteriorado y la cabeza y el torso presentaban fracturas.

Finalmente, el rabino habló, haciendo gestos del maniquí a mí.

—A mi padre le gustaría preguntarle si podría reparar nuestro golem —explicó Jakob.

La figura tendida delante de mí se encontraba en un estado terrible. Cuando pasé la mano sobre la cavidad del pecho, la arcilla se desmenuzó.

—Es muy frágil —reconocí—. Me atrevo a decir que no lo deberían haber movido del armario.

—Lo fabricó un ancestro de mi padre, el rabino Loew de la línea masculina de David —explicó Jakob—. Lo formó a partir del polvo de su sinagoga.

Miré alrededor de la sinagoga, la obra de cantería, preguntándome qué demonios quería decir. Una figura de este tamaño necesitaba al menos cinco kilos de arcilla.

—¿Cuándo lo moldeó el rabino Loew?

—El golem cobró existencia hace unos trescientos años.

Mi primera reacción fue de sorpresa: era absurdo que la arcilla, incluso cocida y protegida de los elementos, pudiera durar dos décadas, mucho menos treinta.

—Mire, aquí. —Toqué la mano derecha, donde faltaban tres de los dedos—. Ni siquiera esta reparación sencilla aguantaría. La mano se rompería si intentase remodelar los dedos. Tendría que modelar todo el brazo, todo el torso, las piernas y la cabeza. Tendría que modelarlo por entero con arcilla nueva.

Mientras Jakob le explicaba a su padre lo que había dicho, miré con mucha más atención lo que llamaban «el golem». Su cara estaba tallada de manera irregular, las extremidades eran gruesas, el torso cuadrado y los ojos y la nariz con forma de bloque, como si los hubieran cortado con un cuchillo.

—El golem es una criatura simple —explicó Jakob, viendo mi interés—. La única razón de su existencia es para servir y proteger. No tiene inteligencia, pero su fuerza es inmensa. Durante tres siglos, mi familia lo ha cuidado lo mejor que ha podido. Pero ya no lo podemos seguir haciendo. Se está desintegrando.

El rabino le hizo un gesto a su hijo y Jakob se acercó a un arcón de madera que había cerca.

—Venga, hay algo que le debemos mostrar —dijo Jakob.

Me acerqué al arcón y vi a mi Bébé de París tendido en el interior. Los ojos de cristal, que siempre habían estado desalineados, lanzaban una mirada siniestra. Me quedé helado al advertir que Jakob, mi nuevo amigo, había robado la muñeca.

Antes de que pudiera exigir una explicación, el rabino abrió un libro y arrancó una hoja de vitela. Era muy antigua, amarilla por la edad, y —en el centro de la página— vi un círculo grande y elaborado con muchos números y símbolos.

—Este es el nombre verdadero del Creador, HaShem, nuestro secreto más preciado —susurró Jakob—. Ha pasado de padre a hijo durante miles de años. Hubo algunos que conocieron el secreto del Nombre antes de estar preparados y esos hombres sufrieron graves consecuencias. Pero no tema. Está protegido. Va a recibir este conocimiento por invitación y por necesidad.

El rabino habló con su hijo y Jakob se volvió hacia mí.

—Mi padre pregunta si está aquí voluntariamente y si consiente en ser testigo de lo que estamos a punto de mostrarle.

A pesar de mi confusión, no dudé. Quería comprender el secreto al que se había referido Jakob. Afirmé que estaba allí por mi propia voluntad y le pedí al rabino que continuara.

—Quédese a mi lado —susurró Jakob—. No importa lo que ocurra, no hable.

Hubo pocas posibilidades de reaccionar. El rabino empezó el ritual inmediatamente, leyendo algo de un texto, cantando palabras que no podía comprender. Jakob me apretó el brazo, obligándome a seguir callado o, quizá, para mantener el equilibrio él mismo. Tenía una mirada de lo más terrible en los ojos, una que no hacía nada por calmar mi propia sensación de incomodidad. El rabino caminó cinco veces, seis veces alrededor del golem. Después del séptimo círculo, se detuvo. Se inclinó sobre la criatura y tocó su frente.

Los segundos siguientes se hincharon, se ralentizaron, se llenaron de una tensión que me atravesaba. Y entonces, en ese silencio cerrado, la criatura se despertó. Los ojos se abrieron con un parpadeo y durante diez segundos, quizá veinte, contemplé cómo la muñeca despertaba a la vida.

Pero al mismo tiempo que se asentaba la fuerza, apabullaba a la criatura. Empezó a moverse de un lado a otro de una manera terrorífica, sus ojos recorriendo la sala de una forma enloquecida. El rabino puso una mano sobre la cara de la muñeca, pronunció de nuevo las palabras y la vida volvió a abandonarla.

—Ve —dijo Jakob—. La porcelana es una sustancia dura y luminosa, como la luz convertida en sólido. Los poderes del Creador se expresan a través de la luz. El golem resistió a la fuerza de la vida. No se rompió. Su obra es adecuada para nuestros propósitos, amigo mío.

Me quedé mirando todo esto, sorprendido, demasiado aterrorizado para hablar, pero a pesar de todo demasiado fascinado para salir corriendo.

—Podemos hacer que el golem viva —explicó Jakob—. Pero necesitamos un envase fuerte. Un envase mejor. Uno fabricado en porcelana.

El rabino me miró a los ojos y por fin comprendí lo que querían de mí.

39

Trabajé en secreto. No fue difícil hacerlo. Era raro que el maestro Král supervisara a sus artesanos ahora que yo estaba allí —confiaba en mi ojo, según decía, más que en el suyo— y así sabía cuándo los hombres estarían trabajando y cuando no estarían. Acudía al horno a altas horas de la noche, cuando los otros hacía tiempo que se habían ido, o los domingos por la mañana, cuando estaban durmiendo la resaca o pidiendo su redención en la iglesia. Así trabajé sin interferencias, usando caolín y fuego para experimentar con mi golem.

El rabino quería que crease un cuerpo de porcelana que se pudiera mover con facilidad, que fuera fuerte, ligero y duradero. Ni por un segundo creí que mis intentos tendrían éxito o que en realidad pudiera andar. Pero aun así una parte de mí se dejó llevar por la fantasía de que estaba creando una criatura real. Como Geppetto tallando a su niño de madera, imaginé a un ser pequeño que saldría al mundo por voluntad propia, llevando consigo la artesanía de mi labor: su nariz pequeña y hermosa y la barbilla perfecta.

Mi padre me dijo una vez que la creación de un bebé de porcelana es mucho más que fabricar un juguete. Es más, incluso, que un proyecto artístico, aunque se requiere mucho arte para hacerlo. Los niños que adoptan nuestras creaciones, decía, las aman con la ternura de un padre. Memorizan la forma de la oreja del bebé, el color de sus ojos, el peso preciso de su cuerpo. Aprenden a amarlo y protegerlo. En ese sentido, el arte del fabricante de muñecas es el fundamento de lo que nos hace humanos. Y tuve todo eso presente cuando creé esta figura, forjándola con tanta ternura que solo se la podría amar.

Mis instrucciones habían sido específicas en todos los sentidos, pero los rasgos exactos de la criatura dependían solo de mi diseño. Empecé con esbozos de la figura que iba a fabricar, trabajando en el mecanismo de las articulaciones móviles, los contornos de la cara y la ubicación de la cavidad que contendría el rollo de papel. Decidí que las extremidades deberían tener articulaciones. Las construía con muelles, añadiendo un sistema que acolchaba la porcelana, protegiéndola de los golpes del movimiento, e hice que los tobillos y las muñecas girasen sobre goznes engrasados. Decidí utilizar cuero suave para el torso, uniendo las partes de la muñeca con cordones por dentro de la figura. Esto permitía una gran flexibilidad y fuerza, como si fueran tendones. Estaba seguro de que utilizaría este procedimiento en el futuro y, de hecho, fue uno de los métodos que patenté a mi regreso a París y que ha sido de gran valor a lo largo de los años.

Tuve que reinventar cada elemento del proceso. Hice moldes nuevos. Creé una forma novedosa de unir las extremidades y el cuello al torso: un diseño de junta articulada que permitía aún mayor fuerza y movilidad, una innovación que también llegué a patentar. Los muelles en las rodillas y los codos darían flexibilidad a la criatura y los ojos de cristal extraordinarios del maestro Král le otorgarían una mirada hipnótica.

La fabricación de una máquina tan delicada me empujó hasta tales límites que hubo momentos, durante los meses que trabajé en ella, en los que dudé de mis capacidades. No era nada parecido a lo que se hubiera fabricado antes y cometí muchos, muchos errores a lo largo del camino. Pero el orgullo por mi trabajo me impulsó a seguir adelante, la misma sensación de orgullo que sentí cuando apareció mi Bébé de París en el escaparate de la tienda del maestro Král y los transeúntes se detenían a contemplar la luminosidad brillante y divina de la porcelana. Sentí el orgullo del artista, el orgullo deslumbrante y optimista del creador por su obra, un orgullo que, ahora lo veo, después de todo lo que ha ocurrido, me cegó totalmente.

Porque ¿qué hombre que no fuera ciego crearía una figura según la imagen de su hija muerta? Violaine nos dejó cuando tenías cinco años, hijo mío, pero has visto su retrato colgado en la sala de estar. Es fiel a su apariencia y captura tan bien su deslumbrante cabello castaño y sus inteligentes ojos verdes que a menudo tenía la sensación de que seguía con nosotros cuando pasaba a su lado. Tenía quince años cuando la perdimos, pero yo la seguía viendo como era cuando era una niña pequeña, jugando con las muñecas que había escogido en la tienta de la Rue Saint-Denis. Violaine era una niña maravillosamente caprichosa y obstinada con su propio conjunto de peculiaridades. No le gustaba el helado, por ejemplo, ni ninguna sensación de frío —ni el hielo, ni la nieve, ni siquiera un suelo de mármol bajo sus pies descalzos—, un hecho que nos divertía a tu madre y a mí continuamente, pero que, después de colocar a Violaine en la cripta fría de Père Lachaise, me dejó tan desesperado que no pude dormir durante una semana. *Debe tener tanto frío*, pensaba, *tanto frío, mi pobre niña, debe estar tan terriblemente helada en esa tumba.*

Había cientos de pequeños detalles que personificaban su personalidad singular —pecas en sus mejillas, ojos de un verde translúcido y labios delgados y delicados—, y aunque habían abandonado el mundo con su muerte, los podía reproducir en porcelana. Fundí y refundí, hasta que un día se materializó. Deposité la figura de arcilla sobre una losa de piedra, su cuerpecito pálido como una niña sobre una pira y lo empujé al fuego. Cerré la puerta del horno y me aparté, con el corazón golpeando mi pecho, y cuando saqué la losa del fuego, descubrí una criatura demasiado perfecta para ser real. Brillaba con una calidez desmedida, una fuerza palpitante y pulsante que me atreví a comparar con el poder del sol. Con su cuerpo en llamas y sus ojos vacíos con una mirada vacua y terrible, parecía un tótem antiguo sacado de un abismo. ¡Qué noble era mi Violaine! ¡Qué radiante! ¡Cómo se aferraba el calor a la porcelana resbaladiza, el blanco mate brillando anaranjado, explosiones de color recorriendo sobre las superficies como el agua deslizándose sobre la cera! Al contemplar cómo se enfriaba la figura, las oleadas de calor remitiendo y la piel endureciéndose en un blanco lustroso y nacarado, supe que lo que había hecho era bueno. En ese momento de alegría, sentí que había rendido tributo, por humilde que fuera, a mi hija perdida.

El día de Nochevieja tuve fiebre. Supongo que el frío de la fábrica y los meses de trabajo agotador me habían pasado factura y caí enfermo. No pude salir de mi apartamento durante muchos días, ni siquiera para comprar comida. La fiebre me consumió y me perdí en la tierra entre el sueño y la vigilia. Vi a Violaine como había sido el año anterior, en el calor de una tarde de primavera, el sol sobre su piel; cómo sonreía de placer mientras comía *tarte aux fraises* bajo el cerezo detrás de nuestra casa. Era una dulce tortura recordarla y hacía que la realidad de su muerte fuera aún más terrible.

Estaba de excursión fuera de la ciudad con un amigo cuando murió. No había vuelto a casa a la hora y la estuve esperando despierto durante toda la noche, loco de preocupación. Cuando al final sonó el timbre de la puerta y tu madre dejó pasar al gendarme, supe que Violaine había muerto. Aun así, lo saludé con educación. Lo acompañé a la terraza, como si el aire fresco pudiera diluir su mensaje. Sus botones de latón brillaban bajo la luz de primera hora de la mañana y, consciente de la gravedad de sus noticias, mantuvo el quepis en la mano y lo colocó sobre el pecho con deferencia. Era su trabajo y lo ejecutaba con dignidad, relatando la noticia con la sensibilidad de un médico anunciando una enfermedad terminal. Le oí decir lo que había ocurrido —*un accidente, señor*—, pero no lo comprendí del todo. Sus palabras parecían una especie de sinsentido, demasiado alejadas del reino de la posibilidad para que pudieran ser ciertas. *Una curva en la carretera. Un solo momento de distracción. Una tragedia terrible.*

¿Cómo un momento de distracción lo podía destrozar todo? Comprendía muy bien los hechos: los caballos se habían asustado; el cochero perdió el control. El destino quiso que hubiera un estanque bajo la carretera y el carruaje cayó en él. Los restos del carruaje sugerían que Violaine había sufrido heridas muy graves, aunque no hubieran caído al agua. Su amigo se rompió el cuello e informes posteriores del médico del pueblo confirmaron que igual habría muerto si no se hubiera ahogado. Pero cuando sacaron a Violaine del estanque, descubrieron que, aunque tenía las piernas aplastadas, había muerto ahogada.

Tras la muerte de Violaine, comprendí la naturaleza de la desesperación. Teñía cada hora de cada día con un tinte sombrío. Pero con el tiempo llegué a comprender que no es la desesperación la que rige el mundo y que, desde luego, no es la desesperación lo que nos mantiene con vida. Es, más bien, el amor: el amor que siento por ti, hijo mío, el amor que sentía por Violaine, el amor que sentía mientras moldeaba al golem a su imagen. Un amor que te permite soportar cualquier tristeza.

40

Aunque me habían dado instrucciones para llevar al golem al rabino en cuanto lo hubiera completado, pasaron muchos meses antes de que regresase al Barrio Judío. Lo retrasé haciéndola perfecta en todos los sentidos. Me gasté una pequeña fortuna en comprarle cabello a un fabricante de pelucas de la Ciudad Vieja, el más caro de su colección: unos lustrosos tirabuzones castaños que llegaban hasta la cintura de la muñeca. A una modista le encargué ropa: un lujoso vestido de seda en rosa que imitaba el vestido de fiesta que había llevado Violaine la noche que murió. No solo una capa de seda, sino cinco, de manera que se abrieran alrededor de sus piernas como los pétalos de una flor.

A finales de abril ya no podía esperar. Empaqueté el golem en una maleta de cuero, la coloqué en una carreta pequeña del taller y la transporté a través de la Ciudad Vieja hasta el Barrio Judío. Anduve lentamente, como resistiéndome a cada paso. Cada bache en el adoquinado, cada empujón de un niño corriendo, me llenaban con la urgencia de volver atrás. Estaba obligado a entregar a Violaine, lo sabía, pero con cada paso sentía que era un error separarme de ella. Había llegado a pensar que era mía, aunque era cierto que no tenía ninguna justificación para hacerlo.

Habían pasado más de seis meses desde la última vez que había estado en el Barrio Judío y en ese tiempo había cambiado considerablemente. Las flores crecían en las macetas de las ventanas y las calles estaban llenas de niños jugando. Llamé a la puerta del rabino y me abrió Jakob, mirándome con los ojos brillantes por la excitación.

—Pase, pase y acompáñenos —me invitó Jakob. Su mirada fija en la carreta—. Nos estábamos sentando para cenar.

Entré en su casa, tirando de la carreta a mis espaldas. Todo estaba igual que en otoño, con el sonido de un violín y el aroma a alimentos cocinados, pero me había asaltado una enajenación profunda. Cuando Jakob intentó tomar mi abrigo, me aparté. Cuando su madre me ofreció té, lo rechacé. En lugar de sentirme bienvenido, como antes, me sentí amenazado.

Jakob estaba sorprendido de presenciar este cambio, pero no me presionó para que me explicase, y no habría podido justificar mi comportamiento aunque lo hubiera intentado. ¿Cómo podía expresar que lamentaba nuestro acuerdo? ¿Cómo le podía decir que me sentía como un padre entregando a su propia hija? Conocía mis obligaciones y tenía intención de cumplirlas, pero me hacían daño.

El rabino entró en la habitación y me saludó. Su barba había crecido en los meses transcurridos desde que lo vi por última vez. Pude ver, por la manera en que me miraba, que también se había dado cuenta del cambio en mí.

—He terminado su encargo —anuncié, permitiendo que Jakob lo tradujera. Saqué la maleta de la carreta y la coloqué sobre una mesa entre nosotros—. Estará complacido. Representa la culminación de mis habilidades y, perdóneme por mi arrogancia, es perfecta.

—No se requiere perfección en un golem —replicó el rabino—. Solo fuerza y duración.

—Por favor —dije, sintiendo que mis mejillas se ruborizaban de la emoción—. ¿Le puedo mostrar la criatura extraordinaria que he fabricado?

El rabino se me quedó mirando con una expresión indescifrable. Hizo un gesto hacia su sombrero y su hijo se lo acercó.

—Venga —indicó y nos condujo fuera de la casa hacia la plaza.

Cargando con la maleta en los brazos, la llevé a la sinagoga y la subí al altillo. El rabino hizo un gesto a su hijo, que encendió unas velas. Bajo la luz débil y parpadeante, la abrí.

Violaine yacía en una cama de virutas de madera, acomodada como un huevo de ave en su nido, sus ojos de vidrio verdes mirando hacia arriba. La porcelana cremosa de su piel reflejaba el brillo de las velas; su cabello castaño lustroso se derramaba sobre los hombros. Recordé el golem espantoso que había visto en el mismo altillo, con su mano de arcilla desmigajada. La diferencia entre mi criatura y el golem del rabino Loew era extrema: uno apagado, basto y decrépito; la otra tan hermosa como una niña real. Pero el rabino y Jakob no reaccionaron como había esperado. Durante todo un minuto completo se quedaron mirando a Violaine y entonces se lanzaron a lo que supuse que era una discusión sobre la criatura, sus palabras rápidas e incomprensibles.

Jakob se volvió hacia mí.

—Estamos sorprendidos por el hecho de que el golem sea femenino —anunció, con una interrogación en sus ojos.

—No especificaron el sexo —repliqué, dándome cuenta de golpe de lo alejada que estaba mi hermosa golem de sus expectativas. Esperaban un envase de porcelana; yo les había dado una obra maestra—. Pero le aseguro que es la figura más fuerte, más duradera y más capaz que se puede fabricar. —Procedí a mostrarles las extremidades articuladas, la cabeza móvil y el compartimento oculto en la base del cuello. Durante todo ese tiempo el rabino no dijo nada. Finalmente, le habló a su hijo y le hizo un gesto para que lo tradujese.

—Está bien, dice mi padre —anunció Jakob, aliviado—. Muy bien. El espíritu puede vivir en esta criatura. Aceptamos el trabajo que ha hecho y le agradecemos sus esfuerzos.

Les devolví el agradecimiento y, como la fuerza de mis sentimientos amenazaba con destruir mi equilibrio, me di la vuelta para irme.

—Pero espere —me pidió Jakob—. Mi padre tiene una última petición, Monsieur LaMoriette.

—¿Qué más necesita? —pregunté, mi orgullo mezclándose con la pena—. Les he entregado mi mejor obra. Es tan brillante y deslumbrante como el sol.

—¿De qué vale el sol si nunca lo ha visto brillar?

Si hubiera sido un hombre menos orgulloso, un hombre menos curioso, me habría dado la vuelta y me habría ido. Pero quería comprender los secretos del círculo del rabino. Quería levantar el velo entre lo humano y lo divino y ver el milagro de la creación. Quería ver la vida ardiendo en mi Violaine. Y por eso, para mi eterno arrepentimiento, me quedé.

41

Mike Brink pasó la última página de la carta. No había nada más. Estaba claro que no terminaba allí. ¿Pero dónde estaban las páginas que faltaban?

Dejando la carta, parpadeó y miró a su alrededor, siendo consciente del restaurante vacío, los reservados de vinilo turquesa, su reflejo temblando sobre el vidrio oscuro del ventanal. Todo parecía extraño y distorsionado. El aire estaba demasiado caliente, las luces demasiado brillantes, la cafeína que corría por su interior demasiado intensa. Respiró hondo y flexionó los dedos, cerrándolos en un puño, sintiendo la necesidad de apretar hasta que los nudillos se volvieron blancos. La carta de LaMoriette yacía delante de él, un fajo sólido de páginas llenas de la escritura de un hombre perseguido por su pasado. El hombre había experimentado algo profundamente perturbador en Praga, algo con tanta fuerza que su vida empezó a girar alrededor de ello, girando y girando.

Brink deslizó las páginas en el bolsillo frontal de su bandolera y lo cerró con la cremallera. No podía dejar de pensar en el círculo del rabino, la representación circular del nombre HaShem que el rabino utilizó para despertar al golem. Por su descripción, estaba seguro de que era el mismo círculo que Jess Price le había pedido que resolviera, el mismo al que Anne-Marie se había referido como el Puzle de Dios, el mismo círculo que Jameson Sedge había descrito como un tesoro de valor incalculable.

Pero aunque estas conexiones estaban claras, Brink no estaba más cerca de resolver el puzle que en el primer momento en que lo vio. Intentó comprender qué tenía que ver con el Arcano de Anne-Marie o, en el mismo sentido, con el «país sin descubrir» de Jameson. ¿Qué tenía que ver con Jess Price la carta de un hombre perdido en Praga, escrita hacía tanto tiempo? ¿Y qué demonios tenía todo esto que ver con él? Anne-Marie había prometido que la carta de LaMoriette iba a dar sentido a todo. Pero aun así, incluso después de que Brink la hubiera leído, la carta solo servía para plantearle más preguntas.

Sacó el móvil, pidió a la camarera la clave del wifi y se dio cuenta de que no le quedaba demasiada carga. La batería estaba casi muerta y tenía el cargador en la camioneta, con el resto de sus cosas. Puso el modo de ahorro de energía y revisó su correo electrónico. Había dos mensajes: uno de Thessaly Moses, con un adjunto pesado: claramente el archivo de audio que había prometido enviar. El segundo mensaje era de Vivek Gupta, su mentor y amigo, con un enlace a su app encriptada. Abrió el enlace y leyó:

Mi querido muchacho, debo admitir que la aventura en la que te has embarcado está provocando que pierda el sueño. Que Jameson Sedge esté detrás de ese puzle ya me habría dejado suficientemente intrigado, pero he examinado la configuración que me enviaste y he descubierto algo de gran interés. Te debo advertir de nuevo que tengas cuidado. Lo que has revelado es único, muy buscado y peligroso por muchas razones, no solo porque lo quiera Sedge. Ahora ya debes saber que tienes un don singular y ese don te arrastra a situaciones que muchos de nosotros no experimentaremos nunca. Las personas extraordinarias atraen acontecimientos extraordinarios, tanto buenos como malos. Te tienes que proteger. Deshazte de tus aparatos, porque seguramente deben estar comprometidos. No intentes ponerte en contacto conmigo. Yo te encontraré.

Debajo del mensaje había un enlace con un blog conectado al *Adirondack Daily Enterprise*. El mensaje del Dr. Gupta había sido enviado cinco minutos antes, a las 11:03 de la noche. Brink abrió el enlace y leyó el titular del artículo del blog: ÚLTIMA HORA: DESTACADA PSIQUIATRA DE RAY BROOK ATACADA Y HOSPITALIZADA.

Solo tuvo que leer la primera línea para darse cuenta de que el artículo versaba sobre la Dra. Thessaly Moses. La habían atacado en su casa y, aunque el artículo no daba mucha información —ni sobre la naturaleza de sus heridas ni si se había detenido a la persona responsable—, era precisamente de lo que les había avisado Jess Price. Alguien la había estado esperando y vigilando. Habían herido a Thessaly y, si no habían atrapado a la persona, Jess estaba en peligro.

Se concentró en el mensaje de Thessaly Moses. Había llegado a las 9:47 de la noche, lo que significaba que lo debió enviar justo antes de que la atacasen. El mensaje estaba vacío con el archivo de audio adjunto al pie. Lo descargó pero decidió esperar a reproducirlo. No podía arriesgarse a que lo oyeran, ni siquiera la camarera, de manera que dejó el dinero al lado de la cuenta, agarró la bandolera y salió del restaurante. No había ningún sitio más seguro que su camioneta.

Al salir a la noche, miró el reloj. Eran las 11:09. El aparcamiento seguía vacío, la carretera más allá sin ningún tráfico, y se detuvo, desplegando sus antenas. Algo no estaba bien. Recorrió con la vista el aparcamiento, con el pavimento cuarteado y los estacionamientos vacíos, sintiendo que allí había alguien, esperando en las sombras. Durante años, Vivek Gupta le había insistido para que se protegiera de cualquier observación, pero no le había hecho caso considerando que era pura paranoia. Pero ahora, después de su experiencia en la prisión y del ataque contra Thessaly, comprendió cuánta razón había tenido Gupta.

La noche era tranquila, el rumor bajo de las cigarras llenaba el aire. Y a pesar de la urgencia que sentía por volver a la camioneta, no tuvo más remedio que admirar la disonancia salvaje de las criaturas. Había cigarras cerca de su hogar infantil en Ohio y su canción siempre le había llenado de melancolía. Una cálida tarde de verano, su padre le describió el sorprendente ciclo vital de las cigarras, que podían vivir durante años enterradas como ninfas, solo para salir a la superficie durante unos pocos días o semanas, encontrar una compañera, depositar los huevos y morir. Una existencia tan breve parecía demostrar la futilidad de la vida, pero ¿quién podía decir que la longevidad importaba en el esquema de las cosas? Pensó en la búsqueda alocada de la inmortalidad por parte de Sedge, su negativa a aceptar los límites de la vida y la muerte. Pero lo importante era la canción, ya fuera que durase uno o cien días.

La camioneta esperaba en las sombras. Entró y cerró las puertas. No había ni un alma en el aparcamiento, pero aun así estaba intranquilo, de manera que arrancó el motor y salió con rapidez. Iba vigilando la carretera en busca de indicios. Necesitaba pensar con claridad. Necesitaba tomar las decisiones correctas. Pero no tenía ni idea de dónde demonios estaba. Había conducido al azar, siguiendo pequeñas carreteras serpenteantes y perdiéndose en el laberinto de las colinas que subían y bajaban, empujado por sus emociones más que por tener una idea clara de la dirección. Podría usar el GPS si tuviera la más mínima idea de un destino.

No podía evitar la sensación de que debería haber previsto lo que le había ocurrido a Thessaly. Jess le había advertido que estaban en peligro, les había dicho que la muerte del Dr. Raythe no fue un accidente. El ataque contra Thessaly no era una coincidencia. Raythe había muerto después de haber empezado a desenterrar información sobre Jess, y Thessaly lo había retomado donde lo había dejado Raythe. Seguramente Brink podría haber hecho algo más para evitarlo.

Pero aunque se culpaba de haber abandonado a Thessaly, se recordó a sí mismo que ella había insistido en que él abandonase la prisión. Lo acompañó hasta la camioneta. Le dijo que se pondría en contacto con él cuando lo necesitase. No había podido discutir con ella. Lo que había ocurrido no era culpa suya ni tampoco era culpa de ella. Ninguno de los dos podía haber sabido lo serio que era, o lo peligroso. Le vino a la memoria algo que había dijo Anne-Marie: *Debería comprender la magnitud de lo que ello implica.*

Estaba empezando a ver esa magnitud. El ataque contra Thessaly lo cambiaba todo. Ahora las apuestas eran más altas, y las consecuencias, mortales. Fueran cuales fueren las historias que había sido capaz de contarse antes —que había una explicación lógica de su expulsión de la prisión; que no estaba en un peligro real—, ahora habían desaparecido. Estaban participando en un juego a vida o muerte y el peligro era real.

Quería conducir directamente a Ray Brook, pero eso no iba a ser bueno para nadie. No lo iban a dejar volver a la prisión y el hospital de Ray Brook sería el primer lugar en el que lo buscaría Jameson Sedge. Era un objetivo lo mismo que lo era Thessaly. Recordó algo que el Dr. Raythe había apuntado en su informe: *Debe haber personas muy poderosas detrás de esto.* Jameson Sedge era una de esas personas. Un instinto primario le advirtió que Sedge estaba detrás del ataque contra Thessaly, y su instinto sobre gente así raramente se equivocaba. Vivek Gupta tenía razón: bajo un exterior refinado había algo fanático en Jameson, algo implacable. Jameson había admitido que estaba en una búsqueda de conocimientos esotéricos y que su tía había descubierto algo esencial para la conciencia humana. Pero ¿hasta dónde estaba dispuesto a llegar para conseguirlo?

Recordó lo último que le había dicho Jess: *Recuerda tu promesa.* Pero ¿cómo demonios podía cumplir una promesa que había hecho en un sueño? No comprendía lo que ella necesitaba que hiciera. Resolver el Puzle de Dios, hasta ahí llegaba, pero ¿qué más? ¿Un texto religioso antiguo podría servir de algo para limpiar su nombre? ¿Un cuento extraordinario sobre secretos religiosos y rituales arcanos tendría algún valor concreto? Estaba claro que Jameson Sedge creía que sí y Anne-Marie también. Pero Brink no estaba tan seguro. Se sentía cerca del límite de sus capacidades. Su genialidad era profunda pero estrecha. Con los elementos correctos y las pistas adecuadas, podía hacer cosas extraordinarias. Pero lo que le estaba pidiendo Jess lo empujaba hasta los bordes de su imaginación y sabía que la habilidad para imaginar una solución era el truco para encontrarla.

Salió de la carretera, estacionó en el arcén y tecleó la clave del móvil. El Dr. Gupta le había advertido que su teléfono podía estar comprometido, que alguien podía usarlo para dar con él, pero necesitaba escuchar el mensaje de Jess. El archivo de audio se abrió en la oscuridad, iluminando la pantalla. Esperaba que el móvil tuviera batería suficiente para poder oírlo completo. Al apretar PLAY sintió una oleada de expectación y temor: muy pronto, en cuestión de segundos, volvería a oír la voz de Jess. Y, aunque ansiaba conocer lo que tenía que decirle, estaba aterrorizado por lo que podría significar.

42

Mike Brink puso en marcha la grabación. Oyó el crujido del micrófono, después la voz de Thessaly Moses llenó la camioneta.

Mike Brink cree que tiene algo que decirle. No sé si es así o no, pero estoy de acuerdo en darle la oportunidad de grabar un mensaje para él. Me aseguraré de que lo reciba.

Hubo unos segundos de silencio, el zumbido del aire acondicionado de fondo, un crujido cuando Thessaly volvió a hablar.

Sé que le preocupa que la puedan oír. Aquí no hay cámaras de vigilancia. Este es un despacho privado.

Silencio. Thessaly lo intentó de nuevo.

Sé que esto es difícil para usted, Jess, pero no hay alternativa. Es posible que Mike Brink esté en peligro. Si hay algo que le pueda explicar, cualquier cosa, lo tiene que hacer ahora.

Había algo dando golpecitos cerca del micrófono del móvil y se imaginó a Jess tamborileando la mesita con la punta de los dedos llenos de costras. Sintió su fragilidad y su intensidad, su energía maníaca acumulándose detrás de la grabación.

¿Prefiere que me vaya? Esta puerta tiene cerradura.

Brink oyó el tintineo de un juego de llaves al levantarlas.

Aquí tengo las llaves. Soy la única que tiene acceso. Si me necesita, dé un golpe. Esperaré en el pasillo.

Se reprodujo el sonido de tacones altos, el zumbido de la puerta abriéndose y el clic firme al cerrarse. Se cerró con llave y Jess se quedó sola.

Brink imaginó el despacho inmaculado de Thessaly, con sus carpetas organizadas, su jarra con bolígrafos de colores, el cubo de Rubik resuelto en una esquina del escritorio. Imaginó la prisión al anochecer, las presas en su dormitorio. Imaginó a Jess inclinándose sobre la mesa, preparándose para hablar. Sintió cómo se acercaba al levantar el micrófono hacia sus labios:

Michael, si te llega esto, es posible que aún haya una oportunidad.

Algo en la manera en que pronunció su nombre y en la intimidad del tono casi lo dejó helado. Respiró hondo y aferró el volante, el corazón latiéndole con fuerza.

No fui capaz de explicártelo antes. Lo intenté, de verdad que intenté darte toda la información posible, pero era como pasar trozos de un código Morse a través de un cable: siempre hay más significados bajo cada señal, siempre quería decir mucho más. Sabía que nos estaban vigilando y no me podía arriesgar a hablar, pero de alguna manera sentí que me comprendías. ¿Tú también sentiste nuestra telepatía? ¿Cómo una mirada significa más que las palabras? No creo que me equivoque en que hay algo entre nosotros, una conexión extraordinaria que nos permite comprender cosas que nadie más puede. Supe en cuanto nos conocimos que me podías ayudar a reunir las piezas de lo que ocurrió. Perdóname. Sé que te he metido a ciegas en un laberinto, uno que te ha tenido dando vueltas, pero es posible que seas la única persona que lo pueda resolver. Ahora que ha empezado, es imposible volver atrás. Debemos navegar juntos por el laberinto. Así que, mientras tenga la oportunidad, te indicaré la dirección correcta. Escucha y te lo explicaré con toda la claridad que me sea posible.

Brink oyó que Jess se ponía en pie, oyó el sonido de su movimiento hasta la puerta, comprobando la cerradura, regresando a su asiento y acercando la grabadora.

Solo recuerdo fragmentos de esa noche. Recuerdo que Noah apareció en su motocicleta con comida china para llevar y una botella de vino blanco frío, y su presencia en Sedge House hizo que todas las cosas extrañas que habían ocurrido parecieran, de repente, insustanciales. Si yo hubiera insistido, nos podríamos haber ido de inmediato. Podría haber saltado al asiento trasero de su motocicleta y regresado a la ciudad. Pero Noah tenía hambre y había conducido durante más de dos horas para ver la casa y, por supuesto, pasar tiempo conmigo. Limpiamos un sitio en la mesa del comedor y comimos, bebimos vino y hablamos. Hicimos el amor sobre la alfombra turca en la biblioteca y fuimos felices de una manera en la que ninguno de los dos lo volvería a ser nunca.

Cuando Noah vio las muñecas, quedó fascinado. Era escultor y debió reconocer la destreza en la colección de Aurora, porque la estudió durante un buen rato. Le expliqué la historia de LaMoriette como me la había explicado Anne-Marie, le dije lo que me había dicho Mandy e incluso le expliqué las cosas raras que habían ocurrido desde que llegué, insistiendo en que las debía haber imaginado. Me pidió que se lo enseñase todo y por eso bajé a Violaine a la biblioteca y después lo llevé a ver la puerta secreta en la alacena. Como niños buscando un tesoro, sacamos el portafolio de su escondite y lo abrimos. Sentí la emoción de leer la carta del fabricante de muñecas LaMoriette, la excitación de descubrir un tesoro oculto.

Noah examinó a Violaine con atención y descubrió un compartimento pequeño en la parte trasera de la cabeza. Usando la punta de un cuchillo de cocina, lo abrió. Dentro había un puzle circular, dibujado en un trocito de papel. Aunque LaMoriette lo había mencionado en la carta a su hijo, era la primera vez que veía algo así. Era un círculo extraño y hermoso lleno de números y símbolos, intrincado, dibujado con gran cuidado. Me intrigó y lo examiné durante mucho tiempo, intentando comprender qué podía ser.

Fuimos a la biblioteca, encendimos algunas velas y estudiamos juntos el círculo. Noah había asistido de niño a la escuela hebrea y explicó que los cuatro símbolos eran hebreos: Yvd, Hay, Vav, Hay. El nombre de Dios. Y, a pesar de la advertencia en la carta de LaMoriette —o quizá por ella—, Noah y yo tratamos de pronunciarlas.

Para nosotros solo era un juego, como niños jugando con un tablero de Ouija o realizando una sesión. Noah estaba de pie en el centro de la sala y lo leyó en un soliloquio juguetón y dramático. Con la luz de las velas bailando a través de la mansión a oscuras y la cálida noche de julio extendiéndose al otro lado de las ventanas, todo parecía dispuesto para arriesgarse: ¿hasta dónde íbamos a llegar? ¿Qué nos podía detener?

Nada, pensé. Nada nos puede parar.

Lo siguiente que recuerdo es despertarme. Había pasado el tiempo. Las velas estaban casi consumidas, las llamas rodeadas de cera. Ahora sé que me desmayé, pero en ese momento me sentí como si estuviera bajo el agua, nadando hacia la superficie, obstaculizada por el peso de un mar muy oscuro. Intenté sentarme, pero todo se tambaleaba debajo de mí. Cuando finalmente reuní la fuerza para ponerme en pie, la habitación no me pareció familiar. La biblioteca era un caos, las estanterías estaban desencajadas, los libros tirados por todas partes, un sillón tumbado, las copas de vino rotas. Me llevó un momento asumir que estaba en Sedge House y no recordaba que había llegado Noah. Y entonces lo vi.

Estaba tendido de espaldas, desmadejado sobre el parqué, su sangre lamiendo el borde de la alfombra turca como el café a una galleta de azúcar. Había una pesadez terrible en el aire, el olor a sangre, la sensación de que había ocurrido algo inexplicable. Me recuerdo pensando que no podía ser real, nada que pudiera haber pasado en realidad, pero aun así había ocurrido algo, algo tan poderoso y tan destructivo que me había dejado tan cambiada como un árbol después de una tormenta eléctrica, quemada y deformada por lo que había atraído.

De todo lo que recuerdo de esa noche, la cara de Noah es lo que veo con más claridad: sus ojos azules abiertos y helados, como si estuviera mirando algo justo más allá de su visión. El color había desaparecido de sus mejillas, dejándolo de un gris amarillento. Impresión y miedo, desesperación e impotencia me apabullaron. Durante un momento creí que podía volver atrás y cambiar lo que había hecho. Pero, por supuesto, no podía volver atrás. Supe que nada volvería a ser igual.

Intenté darle sentido a la muerte de Noah, pero el mundo se había roto. He pasado los últimos años reuniendo las piezas. Y, aunque no he tenido un éxito completo, lo que sé ahora, a partir de la línea temporal presentada en el juicio, fue que llamé al 911 a la 1:14 de la madrugada. Los paramédicos llegaron trece minutos después, seguidos por la policía. Noah fue declarado muerto a la 1:33 de la madrugada y me detuvieron. No había nada que pudiera hacer o decir para explicar lo que había ocurrido —me aterrorizaba hasta lo más profundo de mi ser— y por eso permanecí en silencio.

Pero lo que no se presentó en el juicio y lo que nunca le he explicado a nadie fue que esa noche había alguien más en Sedge House. Una mujer vestida completamente de rojo. Entró silenciosamente en la biblioteca, feroz y hermosa, y limpió la sangre de mis manos y las lágrimas de mis mejillas. Había venido a consolarme, según me dijo. A salvarme. Me explicó que no me dejaría sola. Me dijo que tomase las páginas finales de la carta de LaMoriette —las que contenían la información sobre el círculo y el ritual— y las escondiese con la muñeca. «Volveremos a por ellas cuando sea seguro», me explicó, y en mi estado mental de terror, confié en ella. Juntas, escondimos a Violaine y la carta en la maleta de cuero, ocultándola, y, de repente, todo pareció diferente, como si hubiera capturado un genio en la botella. Y, de alguna manera, lo era: la tormenta había quedado contenida. Al menos por el momento.

Entonces escondí la maleta. No en la alacena secreta —Mandy sabía cómo abrirla y no me podía arriesgar a que se lo dijera a alguien—, sino en otro sitio, un sitio en el que nadie la pudiera encontrar. Un lugar oculto. Pensé que regresaríamos más tarde a recogerla; la mujer de rojo me ayudaría a comprender qué se suponía que debía hacer.

Por supuesto, eso resultó imposible. Debería haber sabido que me encerrarían. Pero ahora tú puedes hacer lo que yo no puedo. Para hallar la maleta, te debes aventurar en el sotobosque para buscar lo que está escondido. Tendrás que ser breve y tendrás que hacer algunos cambios a lo largo del camino, pero si miras hacia abajo, a la profundidad de las tinieblas, la encontrarás: Delaware, 16; Maryland, 24; Virginia, 1; Illinois, 8; Arkansas, 4. Virginia y Arkansas reciben un lazo azul. Los demás, rojo.

Con eso terminaba la grabación.

Brink sintió un peso ominoso en el pecho, una necesidad familiar lo dominaba. Jess había construido un acertijo, que lo llevaría directamente a la maleta oculta.

Delaware, 16; Maryland, 24; Virginia, 1; Illinois, 8; Arkansas, 4.

Una parte de él deseaba ignorarlo. Profundizar en esto no podía llevar a nada bueno. Pero Brink no tenía alternativa. Su mente se centró en el acertijo, aislando las pistas, dándole la vuelta, examinando cada palabra y cada número buscando información que pudiera extraer. No había podido detenerse en resolverlo, aunque lo hubiera querido. Jess sabía eso de él. Sabía que no sería capaz de liberarse. *Ahora que ha empezado, es imposible volver atrás. Debemos navegar juntos por el laberinto.*

Arrancó el motor, puso la camioneta en movimiento y condujo. Delante, había un paso a nivel del ferrocarril. Brink ralentizó la camioneta al bajar las barreras. Las luces rojas brillaban en la oscuridad, tintando la carretera de color carmesí. Mirando hacia atrás, vio que la carretera estaba vacía. Pero aun así sentía que algo se aproximaba, algo lo acechaba, una presencia que permanecía justo fuera de la vista. Era la misma sensación inquietante que había sentido en el aparcamiento: alguien o algo acercándose.

Brink tomó el móvil y volvió hacia atrás el archivo de audio y apretó PLAY: *Te debes aventurar en el sotobosque para buscar lo que está escondido… Delaware, 16; Maryland, 24; Virginia, 1; Illinois, 8; Arkansas, 4. Virginia y Arkansas reciben un lazo azul. Los demás, rojo.*

Descansó la cabeza en el volante, dejando que la voz de Jess lo abrazase. Le invadió una nostalgia terrible. No la podía explicar, pero el sonido de su voz le llevó de vuelta a la canción de las chicharras. Su tiempo con Jess había sido limitado y solo habían pasado unos pocos momentos juntos, pero ella hacía que se sintiera vivo.

Te debes aventurar en el sotobosque. Las Sedge[8] son hierbas del bosque y forman parte el sotobosque. *Mira hacia abajo, a la profundidad de las tinieblas.* Jess había escondido algo y quería que él lo encontrase. Brink giró en redondo y condujo en dirección hacia Sedge House.

---

8. *Sedge* es el nombre en inglés de las juncias. *(N. del T.)*

43

A medida que Brink ascendía por el sinuoso camino de grava y se acercaba a la casa a oscuras que se alzaba al final, le pareció extrañamente familiar. En realidad, nunca había estado en la propiedad, pero reconoció los torreones y los gabletes, y los rosetones. ¿Cómo la había llamado Jess? *Un gran pastel de bodas gótico*. La descripción coincidía con lo que estaba viendo: la ubicación perfecta de la mansión sobre el río, el porche envolvente con sus volutas de molduras blancas. Aunque era noche cerrada y no podía ver gran cosa de los alrededores, percibió el jardín de rosas, con las filas de rosas emparradas, todas ellas perfectamente mantenidas. Jameson seguía teniendo un jardinero, según había mencionado Anne-Marie, pero no parecía que nadie viviese en la casa. Observó el mirador y, durante un instante, imaginó a Jess de pie detrás del cristal lleno de polvo, resaltando su piel pálida sobre el cristal oscuro.

Jess le había dado una serie de pistas, pero no podría resolver su puzle hasta que entrase en la casa. *Aventurarse en el sotobosque*. ¿Pero cómo iba a entrar? Seguramente Jameson tenía cámaras de seguridad o, como mínimo, una alarma. El tipo era un fanático de la seguridad, según el Dr. Gupta. Pero, aun así, al caminar alrededor de Sedge House, no vio ninguna cámara y no había luces automáticas ni perros guardianes. Nada.

Las puertas estaban cerradas, al igual que las ventanas de la planta baja, pero mientras caminaba alrededor de la casa buscando posibles puntos de entrada, recordó algo del diario de

Jess Price. Mandy había entrado en la casa a través de la puerta del sótano. La encontró en la parte trasera de la casa. También estaba cerrada, pero la puerta era vieja y la madera estaba reblandecida por el paso del tiempo. Sacó la navaja de bolsillo, desplegó el destornillador, lo metió entre la madera blanda y el pasador, y desatrancó la cerradura.

El sótano era húmedo, oscuro y olía a moho. Rebuscó el móvil y encendió la linterna. La luz blanca y brillante atravesó la negrura, abriendo un sendero a través de un espacio reducido, recorriendo paredes cubiertas de estantes y una caldera enorme de principios del siglo XX, grande como un pulpo, con sus conducciones de cobre extendiéndose en todas direcciones como si fueran serpientes. Al final, dio con una estrecha escalera de madera que lo condujo hasta la primera planta, apareciendo cerca de la despensa del mayordomo que había descrito Jess. Atravesó el pasillo, girando la linterna hacia una gran escalinata con los postes de las barandillas tallados en forma de loro, a los que les brillaban sus ojos enjoyados. La oscuridad era profunda y vasta, y tuvo la sensación de que atravesarla era como pasar por una caverna. Podría haber encendido todas las luces —Sedge House estaba lejos de la carretera y no había ninguna casa a la vista—, pero no podía arriesgarse a ello. Estaba allí para resolver el acertijo de Jess Price, conseguir lo que había venido a buscar y salir lo más rápido posible.

Aun así, dudó un momento delante de la escalinata. Sentía una sensación muy extraña al encontrarse en un espacio que solo había imaginado. Su linterna cayó sobre el candelabro de cristal en el comedor, sobre las pesadas cortinas de damasco y se detuvo en las fotografías enmarcadas de la familia Sedge. Aurora y Frankie surgieron de las sombras, mirándolo desde las imágenes de color sepia, Aurora delgada y como un pajarito, su hermano alto y jovial, con una sonrisa en la cara, ignorante de los acontecimientos terribles que estaban por venir.

Se abrió camino por el pasillo hasta un conjunto de puertas corredizas que daban a la sala de estar. La luz de la luna se derramaba a través de las ventanas polvorientas, cayendo sobre el mobiliario. Por un momento, la sala pareció surgida de un yacimiento arqueológico, una estructura antigua rescatada de un desastre natural, ceniza y sedimentos sobre todas las superficies. Recordó que Jess había sentido que estaba invadiendo la propiedad de Aurora, y ahora él sentía que su presencia podía alterar las pistas que Jess había dejado atrás.

Fue hasta el centro de la habitación y levantó una sábana, dejando a la vista un sofá de terciopelo. Una fila de muñecas bebé sentadas una al lado de la otra, con sus ojos de vidrio brillando bajo la luz. No creía en espíritus ni maldiciones ni que esas muñecas fueran nada más que antigüedades abandonadas. Pero, aun así, al pasar por al lado, sintió un escalofrío de inquietud. Tomó una, sintiendo su peso, dándose cuenta de sus ojos luminosos. Había una explicación lógica para lo que pasó aquella noche, de eso estaba seguro. Una combinación de elementos —una mansión vacía y a oscuras, alcohol y la imaginación desbocada de una escritora— había conspirado para generar las circunstancias que había experimentado Jess. Dejó la muñeca de vuelta en el sofá. Era un juguete, nada más, ni nada menos.

Jess no sabía en lo que se estaba metiendo cuando llegó a Sedge House. Se vio atrapada en algo que no tenía nada que ver con ella y sufrió unas consecuencias terribles: la destrucción de una carrera prometedora, el trauma de la muerte de Noah, años de encarcelamiento. La habían atraído y arrinconado. Le ponía furioso, y la fuerza de este sentimiento le recordó lo emocionalmente implicado que estaba con Jess y lo que le había ocurrido. Ya no se trataba de resolver el puzle. Se trataba de la conexión con una mujer cuya historia estaba empezando a condicionar su vida.

Se sentó en el borde del sofá. Apartando una muñeca, sacó la libreta del bolsillo y anotó la serie de pistas que le había transmitido Jess en el archivo de audio:

Delaware, 16; Maryland, 24; Virginia, 1; Illinois, 8; Arkansas, 4.

¿Qué había dicho Jess? *Tendrás que ser breve y tendrás que hacer algunos cambios a lo largo del camino, pero si miras hacia abajo, a la profundidad de las tinieblas, la encontrarás.*

Ser breve. Acortar las palabras. Apuntó las formas abreviadas de los estados:

DE, MD, VA, IL, AR.

Estudió las diez letras, intentando ver si podían ser un anagrama. Pero no importaba cómo colocaba las letras, no daban nada. Apuntó los números al lado de las letras:

DE, 16
MD, 24
VA, 1
IL, 8
AR, 4

Tendrás que hacer algunos cambios a lo largo del camino. ¿Qué tipo de cambios tendría la necesidad de hacer? Estaba analizando los números cuando lo vio: sustituciones. Necesitaba seleccionar algunas de las letras y sustituirlas. Los números al lado de las abreviaturas le indicaban cómo hacerlo. *Virginia y Arkansas reciben un lazo azul.* Un lazo azul era el primer lugar. VA y AR se debían sustituir en el primer lugar. *Los demás, rojo:* sustituciones de la segunda letra. Anotó las 26 letras del alfabeto en la libreta.

A B C D E F G H I J K L M N O P Q R S T U V W X Y Z

Brink contó 16 letras después de la letra E, deteniéndose en la U. Tachó la E y la sustituyó por la U, obteniendo la primera sílaba: DU. Hizo lo mismo con MD, contando 24 letras después de la D y obteniendo la B; se creó la sílaba MB. DUMB. Le llevó menos de treinta segundos descubrir la solución: DUMBWAITER.

Jess había escondido la maleta en el montaplatos.

Brink subió corriendo las escaleras hasta la tercera planta y encontró la puerta del montaplatos. Lo reconoció de inmediato por la descripción de Jess. Había un panel tallado en el marco de la puerta con dos botones pequeños de baquelita. Su primera suposición fue que la maleta estaba dentro del montaplatos, pero cuando consiguió abrir la puerta, solo descubrió un espacio vacío. Apretó uno de los botones de baquelita. El motor empezó a resonar, pero el montaplatos no llegó. Apretó el otro botón y oyó que el motor giraba de nuevo, pero una vez más el montaplatos no apareció. El trasto no estaba roto; se había atascado.

Se estaba empezando a preguntar si había realizado las sustituciones correctas. Como había señalado Jameson, no pudo tener demasiado tiempo para esconder nada. No debió tener la presencia de ánimo para empaquetar a Violaine en su maleta y buscar un lugar seguro donde guardarla —un lugar al que podría volver más tarde, como había dicho— entre el momento en que llamó al 911 y la llegada de la policía. Debía estar fuertemente traumatizada por la violencia de la muerte de Noah, pero, aun así, se trataba de acciones calculadas y racionales.

Estaba a punto de bajar las escaleras cuando recordó la pista: *Mira hacia abajo, a la profundidad de las tinieblas, y la encontrarás*. Mira hacia abajo. Volvió al hueco, pero mirar hacia abajo del montaplatos no reveló nada más que el vacío. Se le debía estar escapando algo algo. Se estaba preguntado qué podría ser cuando recordó que Jess había encontrado a Violaine en el ático. Había otro piso. Quizá si subía al ático y miraba hacia abajo por el hueco del montaplatos aparecería la maleta.

Al avanzar por el pasillo, examinó el papel floral con la linterna, intentando encontrar la puerta oculta. Al final la descubrió, entró y subió por las escaleras hacia la oscuridad. Movió la linterna alrededor del espacio, enviando la luz a través de un enrejado de telarañas. El aire estaba viciado, carente de oxígeno, plagado de galaxias de motas de polvo.

La puerta del montaplatos estaba abierta. Brink atravesó la sala y miró dentro. Le llevó diez segundos verificar que habían atrancado las poleas: había un bolígrafo metido en el mecanismo. Apuntando la linterna hacia abajo, vio, en las profundidades del hueco, tendida encima del montaplatos, una maleta de cuero. Jess la había tirado dentro del hueco y había metido un bolígrafo en la polea para asegurarse de que nadie pudiera descubrirlo. Sacó con esfuerzo el boli del cabrestante y después apretó el botón. El montaplatos gruñó y se movió, subiendo lentamente, lentamente, a medida que llevaba a Brink la maleta con su tesoro encerrado en el interior.

44

Acababa de llegar al pie de la escalera cuando el crujido del parqué lo sorprendió. De repente la sala se llenó de una luz cegadora y Brink se encontró cara a cara con Jameson Sedge. El hombre miraba de Brink a la maleta de cuero y de vuelta a Brink, atónito. Jameson estaba acostumbrado a predecir todos los movimientos del juego y Brink lo había sorprendido.

—Bien hecho —reconoció Jameson—. Bien hecho.

Brink dio un paso atrás, evaluándolo. Si solo hubieran estado los dos, podría haber superado a Sedge en un segundo. Pero sabía que allí estaba la pistola PPK, oculta bajo su abrigo, y no podía enfrentarse a eso.

—Desde luego ha tenido una noche muy ocupada —comentó Jameson—. Estaba pensando en acompañarlo a tomar un café en el restaurante… la tarta de cereza tenía un aspecto delicioso… pero parecía tan enfrascado en lo que estaba leyendo que no consideré adecuado molestarlo.

—Gracias por el tacto —replicó Brink, intentando controlar su ira. Sabía que lo habían estado siguiendo… había sentido todo el tiempo la presencia de Sedge… y le había permitido que lo atrapase.

—No hay nada que agradecer, señor Brink —dijo Jameson, bajando la mirada hacia la maleta—. Ya ha hecho más que suficiente. No obstante, tengo una pregunta. ¿Dónde estaba?

Brink valoró sus alternativas. Había tres: podía salir de allí hablando, quedarse y luchar, o correr. Hablar era un buen inicio.

—En el ático. Me sorprende que no la encontrara.

—Ah, el ático —repitió, moviendo la cabeza—. Cuando me permitieron entrar de nuevo en la casa después de la investigación, recorrí todas las habitaciones, todos los armarios, todos los rincones de esta casa, incluido el ático. La maleta no estaba allí. Llegué a la conclusión de que ella la había destruido.

—Está claro que no era el caso —recalcó.

—Está claro que no —repitió Jameson, alargando la mano hacia la maleta.

Brink dio otro paso atrás, evitando a Jameson. Necesitaba salir de allí. Su ventana de oportunidad se estaba cerrando.

—¿Por qué no me dice qué le pasó realmente a Jess?

—Nadie conoce realmente lo que ocurrió esa noche. O qué le ocurrió a mi padre, por cierto. Pero ha llegado el momento de que lo sepamos.

Cuando Jameson se inclinó hacia la maleta, Brink lo empujó, se dio la vuelta y corrió a lo largo del pasillo, lanzándose escaleras abajo hacia el sótano. La puerta estaba abierta, ofreciéndole un camino libre hacia el césped. Corriendo al límite de sus fuerzas, la maleta acunada en los brazos como si fuera un balón de fútbol, con el eco lejano de animadoras, cánticos y pies golpeando la gradería en la mente, esprintó a través del césped iluminado por la luna en dirección a su camioneta.

Brink se había alejado media milla cuando el BMW de Anne-Marie apareció detrás de él. Apretando a la camioneta para que corriese todo lo que podía, mantuvo la delantera durante uno o dos minutos, pero su camioneta no era rival. Jameson lo alcanzó enseguida, corriendo a su lado hasta que, con un giro rápido, lo adelantó y le cortó el paso.

Dio un volantazo, apretó a fondo el freno y la camioneta volcó. Todo empezó a dar vueltas, con cada rotación se producía una explosión de vidrio y metal. Todo en conjunto no pudo durar más de uno o dos segundos, pero el tiempo pareció estirarse, alargándose en un torbellino de movimiento. Una sucesión de luces estalló detrás de sus ojos y vio, de pie al borde de su visión, una mujer hecha de luz. Estaba allí, justo al lado, mirando, un ser de energía pura, sus ojos ardientes, su cabello salvaje en llamas. Al estirar una mano hacia él, sintió un deseo apabullante de entregarse a ella, de caer en las llamas y quemarse con ella.

Cuando recuperó el conocimiento, estaba colgado boca abajo, sujeto por el cinturón de seguridad. Una gota de sangre caía de un corte encima del ojo hacia el techo de la cabina. Aunque su primera reacción fue desatarse, le resultaba imposible moverse. Estaba atrapado en su querida y vieja camioneta, la cabeza le latía dolorosamente. Aun sin ver toda la extensión del daño, supo que era un siniestro total, algo que no podría recuperar. Lo mismo valía para su situación. Aunque se pudiera arrastrar fuera de la camioneta, aunque no estuviera gravemente herido, no tenía ni la más mínima oportunidad de escapar. No había nada más que un bosque interminable por lo que podía ver. No había ningún sitio donde esconderse.

Las botas de Cam Putney aparecieron a través del vidrio resquebrajado del parabrisas y, más allá, aparcado detrás del BMW, se encontraba el Tesla negro. Brink alargó la mano hacia la maleta —había volado hasta el techo de la cabina— y la agarró, pero era inútil: Cam abrió la puerta y se la arrebató de la mano. Después, con un clic del cinturón de seguridad y un agarre fuerte de su camiseta, Putney sacó a Brink al aire frío de la noche.

Le dolía estar de pie. Se apoyó en la camioneta siniestrada, mareado. Tenía una sensación de quemazón por encima de la ceja izquierda y, cuando se tocó la mejilla, la sangre manchó sus dedos. Brink miró el parabrisas destrozado y sintió que algo se rompía en su interior, algún punto de equilibrio entre el hombre que había sido y el hombre en que se había convertido. Ahora ya no había vuelta atrás.

Justo en ese momento oyó un gimoteo familiar. Al otro lado de la carretera, Cam sacaba por la correa a Conundrum del maletero del Tesla, dejándola colgada por el cuello. Connie pataleaba y luchaba, con quejidos cada vez más desesperados mientras intentaba conseguir aire. Brink corrió hacia ella, insensible al dolor que había sentido unos segundos antes, pero justo cuando alargaba las manos hacia su perra, Cam lo apartó. La rabia explotó a través de Brink, haciéndole temblar. Cam le podía hacer lo que quisiera, pero iba a dejar tranquila a Connie.

Brink fue detrás de Cam, dispuesto a luchar, pero antes de que tuviera la oportunidad, Jameson chasqueó los dedos.

—Suelte al perro, señor Putney.

Cam se detuvo, soltó la correa y se apartó.

Brink alzó a Connie, sintiendo cómo temblaba en sus brazos.

—Nunca, nunca más vuelva a tocar a mi perra —amenazó.

—Estoy empezando a ver que no es tan fácil como creí que sería —reconoció Jameson, lanzando a Brink una mirada acerada—. Eso es un cumplido.

—Siempre resulta agradable que lo aprecien a uno —replicó Brink, limpiándose la sangre de los ojos—. Pero es usted un jodido loco.

—No discutamos, señor Brink —dijo Jameson—. No nos llevaría a nada productivo. Y hay mucho, mucho más que hacer. Venga. —Jameson puso una mano fría en su brazo—. Veamos qué hay dentro de esta maleta.

45

De vuelta en Sedge House, Cam escoltó a Brink a través de la mansión. Para entonces Connie había dejado de temblar, pero miraba a Cam con temor, evaluando cada uno de sus movimientos con sus grandes ojos marrones. Su destino era una sala octogonal llena de estanterías con libros, con un gran escritorio en el centro, una chimenea con azulejos vidriados de color verde y un sillón sobrecargado. La biblioteca era tal como la había descrito Jess. Incluso los libros que había admirado —cientos de libros encuadernados en cuero— estaban igual que hacía unos años.

Jameson entró en la habitación y se acercó al escritorio.

—Limpiaron la sala después de que retiraran el cuerpo, y la alfombra turca no se pudo salvar y la tiramos, pero todo lo demás está tal como lo dejó Jess Price.

Levantó la maleta y la depositó sobre la mesa.

—Durante la investigación, revolvieron toda la casa. Cada habitación fue empolvada en busca de huellas dactilares, desplazaron todas las sillas, levantaron todas las alfombras. Si Jess Price hubiera dejado la maleta a la vista o incluso en un escondite convencional, la habrían encontrado y confiscado. Todo se habría perdido.

Jameson deslizó un pulgar debajo de un cierre de latón y levantó una tira de cuero, desatándola.

—No le puedo decir la cantidad de veces que he intentado imaginar qué ocurrió aquí aquella noche. Me doy cuenta de que puede parecer rocambolesco, pero me he aferrado a la idea de que podría encontrar algo que la policía pasó por alto, un mensaje o una pista que me condujese hasta esta maleta. Estaba seguro de que la querida Violaine de mi tía estaba aquí en alguna parte. Al final, estaba totalmente en lo cierto. Siempre ha estado aquí.

Jameson abrió el segundo cierre, levantando una segunda correa de cuero y retirándola; entonces se detuvo y miró alrededor de la biblioteca.

—En esta habitación fue donde la señorita Price intentó escribir su siguiente obra maestra. La policía peinó la biblioteca durante la investigación. Confiscaron su ordenador portátil, sus libros y papeles, pero hay una cosa que pasaron por alto. —Le dio la vuelta al escritorio, abrió un cajón y sacó una pila de revistas—. Si hubieran ojeado esto con más atención, es posible que hace mucho tiempo que habrían querido hablar con usted. Adelante, señor Brink, échele un vistazo.

Vio una pila de revistas y diarios viejos y, aunque su primera impresión fue que no había nada especial, mientras los ojeaba, vio que estaban llenos de sus puzles. Había una copia de su primer libro de puzles, *Los rompecabezas de Brink*, una colección de crucigramas y puzles geométricos encuadernados con espiral, los puzles que había publicado en *The New York Times* y *The New Yorker* y, para su sorpresa, una monografía que había escrito en 2010 en el MIT. Se trataba del único escrito personal que había publicado: una monografía en *The Tech*, la revista de los estudiantes del MIT. En ella describía su lucha con el trauma cerebral, lo asustado que estuvo en los meses que siguieron a la lesión y cómo los patrones, los puzles, los acertijos y los juegos matemáticos lo habían salvado de una depresión grave. Leyó una frase que había escrito en la monografía: *Perderme en patrones y puzles me ofreció un camino para seguir adelante con mi vida y me liberó del temor y la incertidumbre de percepciones poco fiables sobre el mundo y las demás personas.*

Lo que no había dicho en ese ensayo y lo que nunca había articulado delante de nadie fue lo cerca que estuvo del suicidio antes de comprender su don. Conocer más sobre el síndrome del savant adquirido y saber que otros vivían vidas felices y significativas había sido el punto de inflexión. Tener un nombre para lo que estaba experimentando le ayudó a aceptar su nueva realidad. Y aunque los estados de ánimo oscuros lo podían asaltar en cualquier momento, los puzles lo mantenían centrado. Los necesitaba de la misma manera que algunas personas necesitan medicación. Y, como con la medicación, su tolerancia había crecido a lo largo de los años. Necesitaba problemas que representaran un reto mayor cada vez, puzles más duros, desafíos más difíciles e intrincados.

Levantó la vista y vio que Jameson lo estaba evaluando.

—¿Jess estaba coleccionando mis puzles? —preguntó, confuso.

—No pertenecen a Jess Price —respondió, metiendo la mano en el cajón del escritorio y sacando el puzle M, el mismo puzle numérico que Jess había reproducido para él en la prisión, el que contenía su clave criptográfica, y lo desplegó sobre el escritorio—. Son míos.

Brink se quedó mirando a Sedge, avergonzado cuando se dio cuenta de la verdad: Jess no había resuelto el puzle M. Lo había hecho Jameson.

—Tras la muerte de mi tía, utilicé de vez en cuando la biblioteca. La seguridad en Singularity es fuerte, pero nunca se sabe quién puede estar mirando. Sedge House nunca ha tenido servicio de internet, ni televisión por cable, ni líneas telefónicas. Estar aquí es un agujero negro para cualquier tipo de vigilancia digital. En especial del estilo en que se especializa Gary Sand. O su amigo Vivek Gupta, ya que estamos.

—¿Cómo se enteró de M? —preguntó Brink.

—Llevo en criptografía desde antes de que naciera —respondió Jameson—. Y tenía una buena pista. Gary Sand es de primera clase. A pesar de su lealtad a la NSA, lleva trabajando para mí desde hace mucho tiempo. Sus habilidades llamaron inmediatamente mi atención. De hecho, al principio tenía la esperanza de contratarlo. Podría haber sido un activo de gran valor para nosotros. Pero las cosas fueron en una dirección diferente. Obviamente.

Brink miró el puzle sobre el escritorio, reconociendo la estructura y la solución. Jess debió encontrar el fondo de información de Jameson sobre Brink, estudió su puzle M y, después de su encarcelamiento, decidió buscarle. Todo tenía sentido. Jameson Sedge era el hilo que lo conectaba todo.

Jameson se volvió hacia la maleta de cuero y la abrió. Dentro, envuelta en una tela, yacía una muñeca de porcelana con grandes ojos verdes y piel de alabastro. Brink la reconoció de inmediato como Violaine, la muñeca que había descrito Jess y sobre la que había leído en la carta de LaMoriette. Jameson le dio la vuelta a la muñeca, apartó su largo cabello castaño y abrió un compartimento en la parte trasera del cuello. Usando la punta de la uña, sacó un diminuto rollo de papel; sus manos temblaban de excitación, quizá de terror.

—Aquí está —anunció Jameson, su voz llena de maravilla y triunfo—. La clave de todo.

Jameson desplegó el rollo sobre la mesa. Brink vio un círculo elaborado, modelado según el sol, con lenguas de fuego rodeando la circunferencia; entre dichas llamas había números, del 1 al 72, dándole la apariencia de una ruleta de la fortuna esotérica. Vio las piezas del puzle que había recordado Jess Price: la posición de los números y los triángulos. Pero este puzle era mucho más complejo. La diferencia más notable, además de las letras hebreas, era un círculo de cuadraditos negros y blancos en el borde exterior, que inmediatamente le llamó la atención. Ahí había un patrón, lo podía sentir.

—Estas son las Variaciones de Abulafia del Nombre de Dios —anunció Jameson, interrumpiendo sus pensamientos.

Brink sintió la picazón de comprender el patrón de números y letras, su simetría extraña y hermosa. El círculo que había dibujado Jess era simplemente un marco. Había recordado los números alrededor del perímetro y unos pocos símbolos, pero su dibujo había sido en su mayor parte una pieza en blanco. Sin embargo, este círculo estaba completo. Su simetría era hermosa; los radios de números, elegantes y atractivos. Deseaba desesperadamente llevárselo de allí y estudiarlo, diseccionarlo, resolverlo.

Pero, por la apariencia, no iba a resultar fácil descifrarlo. Había sido diseñado para que lo resolviera alguien muy específico —alguien que supiera hebreo y tuviera un conocimiento sólido de matemáticas y de juegos numéricos— y quizá contuviera algún tipo de clave criptográfica antigua. Abrir la puerta de este puzle no iba a ser tan fácil como decir «ábrete, sésamo». Pero, por todo lo que había aprendido sobre el Puzle de Dios, se suponía que no debía ser fácil.

Mientras el rollo absorbía la atención de Jameson, Brink se volvió hacia la maleta. Jess había dicho que había escondido las páginas finales de la carta de LaMoriette junto con Violaine. Pero cuando revisó el interior del estuche, Brink no vio nada más dentro. Se inclinó hacia un lado de la maleta, después hacia el otro, buscando. Finalmente lo vio. Allí, asomando por el forro de seda, se veía la esquina de un papel. Lo habían ocultado bien, metido tan al fondo del forro que no lo habría visto si Jess no le hubiera dicho que estaba allí.

Jameson devolvió el rollo a la cavidad y se giró hacia la maleta en el preciso instante en que la habitación empezaba a temblar. Una vibración baja y constante agitó el vidrio de las ventanas, atrayendo a Jameson para que se alejase del escritorio y se acercase a mirar al exterior. Apartó las pesadas cortinas de damasco para revelar un gran insecto de metal que sobrevolaba el cielo nocturno. La vibración se convirtió en el zumbido rítmico de una cuchilla cuando aterrizó el Eurocopter. Anne-Marie saltó de la cabina de mando y caminó hacia la casa, con el cabello ondeando al viento.

—Como puede ver —comentó Jameson, abriendo la ventana y saludándola con la mano—, Anne-Marie tiene muchos talentos.

Pero lo mismo le pasaba a Mike Brink. Con la atención de Jameson distraída, deslizó la mano dentro de la maleta de cuero, abrió el forro de seda y sacó las páginas escondidas de la carta de LaMoriette.

46

Mike no era un tipo agresivo. En toda su vida había participado en un total de dos peleas, una de ellas en la escuela primaria. Como *quarterback* titular de su equipo, nunca se arriesgó a lastimarse el brazo lanzando un puñetazo, así que había aprendido a resolver los conflictos con humor. Pero cuando Cam Putney lo escoltó a través del césped, sintió una necesidad visceral de derribar al tipo.

Cuando se acercaron a Anne-Marie, Cam le dio un empujón final.

—Ya es suficiente, Cam —lo cortó ella, con una voz extrañamente dura, y Brink se percató de que ella creía que el corte encima del ojo era obra de Cam. No la sacó de su error, sino que le ofreció una media sonrisa mientras lo miraba, evaluando la extensión del daño. Su ceño se frunció de preocupación—. Lo siento tanto, Mike —se disculpó—. De verdad que no pensé que las cosas fueran a acabar de esta manera.

—Aún no es necesario que lo hagan —replicó, preguntándose cómo alguien como Anne-Marie, una estudiosa y profesora, podía estar tan unida a un hombre como Jameson Sedge. Obviamente, su impresión inicial había sido errónea. ¿Cuántos historiadores del arte sabían pilotar un helicóptero?—. No está obligada a formar parte de la locura de Jameson.

Ella lo miró y él creyó ver un destello de tristeza en sus ojos.

—Cuando le hablé de nuestro trabajo, pensé que comprendería la importancia de lo que estamos haciendo. Pensé que vería lo cerca que estamos, *así de cerca*, de un descubrimiento monumental. Era un riesgo, por supuesto. No podía saber si nos iba ayudar o no. Solo podía suponer que era el tipo de hombre que intercambiaría seguridad por conocimiento. Por la verdad. —La mirada de Anne-Marie flotó hasta la herida sobre su ojo y Brink se dio cuenta de que estaba tan machacado y agotado como se sentía—. Y tenía razón. Usted es ese tipo de hombre. Hemos descubierto algo que cambiará la naturaleza misma de la existencia. Ahora forma parte de ello. Pero necesito que confíe en nosotros.

Él se tocó el corte en la ceja, sintiendo el pinchazo. Un dolor de cabeza había empezado a florecer detrás de sus ojos, frondoso y siniestro.

—Perdóneme si me resulta difícil confiar en nadie en este momento.

Anne-Marie se acercó y puso una mano en su brazo.

—Es el sueño de todo estudioso descubrir el hilo que une el conocimiento del pasado con los descubrimientos del futuro. Ver que existe un nudo que lo une todo hace que uno sienta que estar aquí tiene un propósito. Lo que acaba de encontrar hace precisamente eso. Ese círculo puede ser el punto en el que una posibilidad teórica se convierte en real, el punto donde se unen el pasado y el futuro. Quizá no lo vea ahora, pero pronto lo hará: ahora que tenemos el Puzle de Dios, nada volverá a ser igual.

Brink se la quedó mirando, interiorizando lo que acababa de decir. Aunque una parte de él quería rechazar de plano a Anne-Marie, no podía negar que sentía curiosidad y que esa curiosidad hacía que quisiera saber más. Jameson le había dicho que estaba buscando la inmortalidad, pero Brink no podía imaginar que un trocito de papel escondido en una casa vieja pudiera superar los límites de la biología humana.

Jameson se acercó al helicóptero con la maleta en la mano.

—¿Has hecho la llamada?

—Nuestro guía nos está esperando —respondió Anne-Marie, subiendo al asiento del piloto—. Estará preparado cuando lleguemos.

—Maravilloso —exclamó Jameson, ofreciendo a Brink una sonrisa triunfal mientras subía al helicóptero y se ataba el cinturón—. Vamos a cambiar el mundo.

Brink se ajustó el cinturón y se colocó a Connie sobre el regazo. Cuando el Eurocopter se elevó en el aire, Connie apretó el hocico contra el vidrio, mirando mientras Anne-Marie maniobraba sobre el río Hudson, elevándose por encima de la copa de los árboles y hacia el cielo oscuro. Muy pronto el paisaje se abrió a sus pies, una extensión en sombras de bosques y carreteras rurales, con parejas de faros que de vez en cuando punteaban la penumbra.

Brink miraba de Cam a Jameson Sedge, intentando imaginar qué planeaban hacer. Se preguntaba si Jameson habría visto su juego de manos en la biblioteca. Era el tipo de hombre que podía saber lo que tramaba Brink, pero que esperaría el momento ideal para decirlo. Sin ir más lejos: Jameson sabía que estaba en el restaurante, probablemente había aparcado fuera y lo había visto leer la carta de LaMoriette, incluso sabía que había pedido tarta de cerezas, pero se había dado tiempo, esperando el momento oportuno. Brink suponía que ese era el poder real que desplegaba Jameson: la habilidad de dar a su presa justo la libertad suficiente para imaginar que era libre.

Pero no era libre. Comprendía el peligro que lo acechaba. Sabía que lo podían llevar a cualquier parte y que era impotente para detenerlos. Pero seguía teniendo una carta en la manga o, mejor, en el bolsillo. Deslizando la mano dentro de la americana, sintió el sobre. Tenía las páginas finales de la carta de LaMoriette.

Al recostarse contra el asiento, le cayó encima todo el agotamiento. Llevaba ya dos noches sin dormir. Le pesaban los músculos; los ojos le ardían de cansancio. Al cabo de unos minutos, el traqueteo suave del helicóptero lo acunó hasta dormirse.

Jess lo estaba esperando al otro lado de la conciencia. Lo tomó de la mano y lo condujo a lo largo de un pasillo oscuro y estrecho flanqueado por puertas.

—Tienes la llave —le dijo, y era cierto: se tocó el bolsillo y allí estaba, la llave antigua. Abrió la puerta y entró en una lóbrega habitación de hotel con muebles de madera pesados, una alfombra raída sobre baldosas de terracota y papel de pared *vintage* despegado que formaba rizos. Una puerta acristalada dominaba una ciudad europea por la noche. Nubes grises manchaban el cielo negro. En la distancia se vislumbraban tejados. Una vela ardía en la mesita de noche, lanzando luz y sombras sobre una cama grande.

Se desnudaron y cayeron el uno sobre el otro. Si él estaba hambriento de ella, ella estaba famélica. Él se tendió sobre la cama y apartó las sábanas, desesperado por los pocos momentos que tendría con ella. Sabía que estaba durmiendo, que podía despertar en cualquier instante y no tendría manera de encontrarla de nuevo. Los segundos fueron pasando, cada uno un filo que les cortaba.

Jess también lo debió sentir, la urgencia, la necesidad de estar juntos antes de que terminase el sueño. Ella ató sus manos, después sus pies, a los pilares de la cama, apretando tan fuerte sus miembros que quemaban. Aire frío se derramó a través de la ventana, helando la habitación, pero Jess estaba imposiblemente caliente cuando se deslizó sobre él, su roce ligero como aceite sobre su piel. Ella le besó los dedos de las manos, de los pies, el ombligo. Ella quedó absorta por su propio placer y eso hizo que él la deseara aún más.

Cuando lo desató, yacieron juntos, enredados en las sábanas. Con un dedo, él recorrió su cuello, sus hombros, sus pechos, perdiéndose en su belleza. Esto, fuera lo que fuere —una alucinación, una ilusión, un milagro—, era maravilloso, saturado de significado.

Jess salió de la cama, se cubrió con un kimono, y se sirvió una copa de vino de una botella y bebió.

—Escucha, tengo que explicarte lo que ocurrió realmente —le dijo, volviendo la mirada hacia la ventana y por encima de los tejados interminables—. No es lo que crees.

Él se incorporó en la cama y subió las sábanas. Sin ella, se sentía exangüe, frío como el mármol.

—¿Te refieres a Noah Cooke?

—Crees que soy responsable, pero no fue culpa mía. Fue un error. Es tan sencillo como eso. Todo el asunto fue un error enorme y estúpido.

Él la miró, intentando comprender. ¿Era eso una confesión? ¿Una disculpa? Si había matado a Noah Cooke, ¿tenía alguna importancia en el lugar en que se encontraban?

Jess se acercó a la cama y le ofreció una copa de vino. Él tomó un sorbo, paladeando moras y granadas, una traza de mineralidad. Cuando levantó la mirada, la habitación había desaparecido y estaban sentados en un balcón que dominaba un desierto enorme. El cielo era de un profundo azul marino, tan intenso que tuvo que apartar la mirada. A la distancia, en el mismo límite de su visión, una pirámide se cocía bajo el sol con diez puntos latiendo en los bordes.

—Tu turno —indicó Jess, haciendo un gesto a un tablero en la mesa entre los dos.

Cuadrados rojos y negros formaban un tablero. Intentó contar las filas de cuadrados, pero nada tenía sentido. Jess estaba ganando. Tenía una pila de las piezas que había cobrado y él no tenía ninguna. Conocía las reglas del juego —eran sencillas—, pero parecía totalmente imposible. No sabía cómo mover las piezas. No sabía cómo ganar. No podía ver el sentido.

—¿Hola? —lo llamó ella, mirándolo con impaciencia. Una nube de colibríes se había reunido a su alrededor, planeando—. ¿Estamos jugando o qué?

Cuando revisó el tablero, una sensación de alivio apabullante lo recorrió. El tablero era solo un tablero. No había ningún patrón tridimensional, ningún flujo de ecuaciones matemáticas, ni de pliegues geométricos. Los cuadrados eran solo sencillos campos de negro y rojo, nada más, nada menos. Por primera vez en años, su mente estaba libre de puzles, y Mike Brink era el hombre que solía ser.

47

Mike Brink se despertó cuando el helicóptero tocó tierra, dándole vueltas el residuo de su sueño. Se estiró, aún medio dormido, y miró por la ventanilla para descubrirse en un helipuerto que dominaba el East River de Manhattan. El sol había empezado a salir; lanzaba una luz pálida sobre los rascacielos, dejando la superficie del río teñida de naranja y amarillo. Su brillo era casi cegador. El gris duro de los edificios de Manhattan parecía más suave, más cálido con esa luz, y sintió una oleada de alivio de estar de regreso en la ciudad. Solo habían pasado dos días desde que se fue, pero le parecía que había vivido toda una vida. La ciudad le pareció diferente. Él se sentía diferente. Se había visto mezclado en algo mucho más profundo, más intenso, y, no podía dejar de admitir, más excitante que nada de lo que había experimentado antes.

Se tocó la americana, sintiendo el sobre para asegurarse de que Jameson no lo hubiera cacheado mientras estaba dormido. Lo sintió bajo la tela, plagado con la promesa de obtener respuestas, y tuvo que controlar su impulso de sacarlo y leerlo en aquel mismo instante.

Brink saltó del helicóptero con Connie lamiéndole los talones. El viento impulsado por las palas le pasaba a través de la chaqueta y un escalofrío de vértigo le asaltó cuando pisó la tierra firme. Lo impulsaba la rabia. Necesitaba agua. Necesitaba comida y dormir. Lo que quedase por delante requería concentración, y justo en ese momento, mientras atravesaba el muelle y contemplaba los colores brillantes del cielo, se sentía totalmente confuso.

Un Cadillac SUV negro esperaba al final del muelle. Cam subió al asiento del pasajero y le dio una dirección al conductor, mientras Jameson se sentaba detrás con Anne-Marie y Brink. Connie se encogió entre sus pies, descansando el hocico sobre sus zapatos. Aunque no pudiera hacer nada más, tenía que llevar a Connie de vuelta a casa, alimentarla y apartarla del peligro.

Al alejarse del muelle, Brink bajó la ventanilla. Las calles a primera hora de la mañana tenían un aroma claro y limpio, como fregadas por un aguacero. No había tráfico, ni un solo coche en Pearl Street. La tranquilidad era un bálsamo. Con los latidos en la cabeza y la ansiedad que sentía sobre a dónde lo podría llevar Sedge, disfrutó de las calles silenciosas de la ciudad, de su serenidad. Nunca se cansaba de la ciudad —ningún lugar de la Tierra se podía equiparar a la máquina de Rube Goldberg de su mente como Manhattan—, pero precisamente ahora necesitaba un momento para recuperarse.

Pasaron delante de edificios, bajo el Puente de Brooklyn, y penetraron en Bowery en cuestión de minutos. En un semáforo, vio un cartel de un iPhone con caracteres chinos y se dio cuenta de que estaba solo a unas manzanas de su apartamento.

—Si nos vamos a ver con alguien —dijo, señalando su camiseta, que estaba cubierta de sangre—, me tendré que parar en casa y ducharme. O, como mínimo, cambiarme de ropa.

Jameson miró a Brink, evidentemente suspicaz.

—Y será muchísimo más fácil si dejo allí a Connie —añadió.

Anne-Marie miró a Connie con desprecio y después a Sedge.

—Esa es una idea excelente —comentó.

Sedge le dijo al chofer que girase cerca de Canal y Bowery, confirmando que sabía mucho más sobre Mike Brink de lo que había dejado entrever desde un principio, incluido dónde vivía. Cuando pararon, Jameson le quitó la bandolera a Brink de las manos.

—Me quedaré con esto —anunció—. Y Cam lo acompañará.

Sintió una punzada de pánico al dejar la bandolera con Jameson, pero en ella no había nada que el hombre pudiera querer: ya tenía el diario de Jess. El sobre con la carta de LaMoriette era lo más importante y estaba seguro dentro del bolsillo de su chaqueta.

Brink subió las escaleras familiares de su edificio, siguiendo a Connie. Respiró hondo, dando la bienvenida al olor a matarratas y detergente de lavandería. Le gustaba su loft, le gustaba estar a cinco pisos del suelo, muy por encima de la calle. Le gustaba contemplar su rinconcito de Chinatown: los carteles luminosos en chino, las tiendas de especias y los puestos de *dim sum*. Pero, sobre todo, le gustaba su colección de puzles. No quería que Cam —ni nadie, de hecho— estuviera cerca de ella.

En la puerta, marcó un código en el teclado: su número de la seguridad social y la fecha de nacimiento en secuencia y reordenados en una serie de números ascendentes, un código más o menos imposible de romper. Rápidamente, antes de que lo pudiera seguir Cam, recogió a Connie, se deslizó en su apartamento y cerró la puerta de golpe. Le siguió una salva de golpes y gritos, que solo hizo que su vuelta a casa fuera más deliciosa. *Toma eso, capullo*, pensó, mientras depositaba a Connie en su cama de vellón y caminaba hasta el centro del apartamento. De pie en su loft, sintió que se liberaba la tensión de los últimos dos días. Allí, en aquel momento, estaba a salvo.

Miró su colección, la pila de libros de puzles, las cajas de puzle japonesas, y sintió la necesidad urgente de perderse en su abrazo reconfortante. Coleccionar puzles había sido una constante para Brink después de la lesión. Los rastreaba, los compraba sin reserva y nunca tiraba ninguno. Ahora tenía un par de miles, muchos de ellos raros y de coleccionista, incluido el primer libro de crucigramas publicado nunca: *The Cross Word Puzzle Book* de Simon & Schuster. También poseía un puzle Trick Donkey de Sam Lloyd de 1858, comprado en una subasta por una pequeña fortuna. Había libros de puzles: crucigramas, sudokus, sopas de letras y laberintos; unos pocos juegos del 15 *vintage*; mesas de juego cubiertas de Ravenburger Krypt de cinco mil piezas con infinitas tonalidades de colores; y una pared de cubos de Rubik, algunos viejos, otros nuevos, los colores perfectamente alineados. Unas cincuenta cajas de puzles japoneses lacadas —su gran pasión— acomodadas sobre varias superficies, brillantes y misteriosas.

Aunque su casa parecía caótica, su colección estaba dispuesta en un orden claro y definido. De hecho, las experiencias salvajes de los últimos días le permitían verlo todo con mayor claridad: era un hombre con una necesidad insaciable de dar orden al caos.

Llenó los cuencos de agua y comida de Connie y después abrió la ventana que daba a la escalera de incendios. Su vecino del piso de abajo —un anciano llamado Dennis, un solterón de toda la vida— amaba a Connie y la cuidaba cuando Brink estaba fuera. Durante la pandemia, Connie paseó muchas veces al día entre Dennis y Brink. Connie sabía bajar por la escalera de incendios; arañaba la ventana y Dennis la dejaba entrar. Brink se sintió aliviado porque sabía que cuidarían de Conundrum, sin importar lo que pasase.

Se quitó la ropa, se lavó la cara y se puso un par de tejanos negros limpios y una camiseta negra que decía I AM TRIMTAB, que había despistado de un acto que había protagonizado en el Buckminster Fuller Institute. Después se sentó al borde del alféizar de la ventana y sacó el sobre del bolsillo de la chaqueta.

Al abrir las páginas bajo la luz de primera hora de la mañana, reconoció la inclinación particularmente estrecha de la letra de LaMoriette, la tinta azul oscuro, el papel frágil. No había duda de que eran las páginas que faltaban de la carta de LaMoriette. No estaban ordenadas, así que las extendió en el suelo y las ordenó. Suponía que Jess había recogido las páginas con rapidez y, corriendo para esconderlas, las había introducido en el forro de la maleta. Sintió una oleada de excitación ante la perspectiva de leer las páginas finales de la comunicación de

LaMoriette a su hijo. Seguramente contendrían respuestas sobre el significado del ritual.

Pero justo cuando estaba a punto de empezar, sus ojos cayeron sobre cuatro palabras escritas al pie de la página final:

RITO DE MALDAD INFERNAL

Se quedó mirando las palabras, intentando comprender lo que significaban. Una cosa estaba clara: no las había escrito LaMoriette. La tinta era roja; las letras, grandes y cuadradas. No, las había escrito Jess Price. *Rito de maldad infernal.* ¿Por qué había apuntado estas cuatro palabras raras al pie de la carta de LaMoriette? ¿Sería una confesión de lo que había ocurrido en Sedge House? ¿Una explicación de cómo había muerto Noah? Resultaba extraño que le hubiera explicado dónde encontrar las páginas y no hubiera mencionado nada sobre el mensaje que había escrito. Pero todas las interacciones con ella contenían un puzle y esto no parecía que fuera diferente.

Tenía que examinarlo con mayor atención, pero no había tiempo. Cam golpeaba la puerta, gritando que tenían que irse.

—Para el carro, hermano —gritó, lo que solo consiguió que el tipo se enfadase más. No había mucho tiempo para leer las páginas finales de la carta de LaMoriette, pero eso no iba a ser un problema. Se reclinó en el marco de la ventana y, con Cam golpeando la puerta, Brink memorizó las palabras.

48

Pasé días recuperándome de lo que había presenciado esa noche en la sinagoga. Los días y las noches se fundieron en una pesadilla larga y terrible. El maestro Král, creyendo que había vuelto a caer enfermo y temiendo por mi salud, me liberó de todas mis obligaciones en el horno y me animó a descansar. Y así yací en la cama durante días, perdido en un sueño febril.

No podía olvidar la tempestad que recorrió el altillo, el relámpago que iluminó al golem cuando se movió por primera vez. Estaba mirando cuando movió la cabeza, lentamente, con cuidado, insegura de su capacidad de movimiento. Entonces, como un potrillo tambaleándose sobre patas endebles, dio un paso. Después otro. En ese momento, me abandonaron todas mis capacidades y perdí cualquier habilidad para expresarme, mucho menos para encontrar una explicación razonable a lo que estaba viendo. A lo largo de los años, he revivido muchas veces ese momento y, con la ayuda de la reflexión, le he dado nombre a las emociones que sentí en aquella sinagoga: sobrecogimiento, miedo, incredulidad y humildad. Me recorrió una oleada de terror unida al júbilo, porque esta criatura solo podía significar una cosa: el poder de la creación estaba en nuestras manos. Y yo había creado el recipiente en el que vivía.

En mi vida no había experimentado mayor maravilla ni mayor horror. Y mientras estaba de pie presenciando un poder increíble, vi que se trataba del más pernicioso de los triunfos. Porque había modelado al golem a imagen de mi hija, pero la criatura no era en absoluto mi Violaine. Su cabello era del color correcto, sus ojos de la misma esmeralda brillante; incluso las pecas que salpicaban sus mejillas eran iguales que las de mi hija. Pero el golem contenía un espíritu que era tan diferente del de mi preciosa Violaine que sentí una repugnancia instantánea. Su naturaleza vil llenó el aire, girando a nuestro alrededor con una violencia terrorífica, y supe que estaba en presencia de un alma enojada e inquieta.

Aparté los ojos, aterrorizado. El rabino llamó a Jakob y le ayudó a examinar la página que habíamos usado. Me habían pedido, como creador del recipiente, que escribiese las palabras. Había hecho lo que me habían solicitado, copiando el hebreo exactamente del manuscrito. Las había entregado al rabino y él las había pronunciado. Aunque no podía comprender sus palabras frenéticas, supe que debía haber cometido un error. Algo había ido mal, terriblemente mal.

Hacía un calor intenso, el hedor a carne quemada y la sensación del aire lleno de presión, como si hubiera un incendio. Y de hecho, cuando volví la mirada hacia ellos, vi a Jakob de pie en un torbellino de llamas, chillando y agitando los brazos, su cuerpo rodeado de unas lenguas de fuego azul anaranjado.

Salí corriendo de la sinagoga, atravesando las calles del Barrio Judío, y no me detuve hasta que llegué a Vltava. Fue allí, bajo el brillo mortecino de las luces de gas, cuando vi los cortes en mis brazos, extendiéndose como un panal sobre mi piel. Eran marcas que no se parecían a nada que hubiera visto nunca: el resultado no de una quemadura ni de un filo, sino de mi encuentro con el mal. Me había marcado un demonio.

Cuando al final me sentí lo suficientemente bien para abandonar la cama, decidí regresar a París lo antes posible. Estaba llenando mi baúl como preparativo para mi viaje cuando llegó a la tienda de muñecas un sobre dirigido a mí. No había remitente, pero supe quién lo había enviado cuando en su interior encontré una tarjeta con una sola frase garabateada en francés: *Viens, mon ami.*

Metí la tarjeta en el bolsillo y salí en ese mismo instante. Estaba aterrorizado de volver, pero sabía que no había otra manera: Jakob estaba vivo y yo debía comprender qué le había ocurrido. En media hora estuve en el Barrio Judío, llamando a la puerta de la casa del rabino. Dentro todo estaba en silencio. En las habitaciones no brillaba ninguna luz; no surgía el sonido de un violín en las habitaciones traseras ni el aroma a alimentos cocinados. Espiando a través de los huecos en los postigos, vi para mi sorpresa que no había muebles, ni imágenes en las paredes, ni alfombras en los suelos. La habitación estaba desnuda, como si la familia hubiera abandonado su hogar.

Corrí a la sinagoga y llamé furiosamente a la puerta. Era una tarde cálida, la plaza estaba llena de gente paseando al anochecer y, aunque sabía que estaba dando el espectáculo —un francés loco chillando delante de la puerta de la sinagoga—, no desistí. Me había abandonado todo sentido del decoro en las semanas pasadas desde que estuve por última vez en la sinagoga. De hecho, todo lo que en su momento me había consumido —mi trabajo y mis aspiraciones artísticas; la criatura de porcelana perfecta que había creado— era totalmente irrelevante. Lo único que podía ver era al rabino hablando bajo la luz mortecina de una vela, sus manos colocadas sobre el golem; lo único que sentía era la sensación terrorífica de que algo oscuro había entrado en el mundo, un espíritu, un demonio, una violenta fuerza del mal.

Jakob me podría explicar lo que había ocurrido, si abriese la puerta. Y aunque en ese momento creí que simplemente estaba ansioso por conocer la verdad, los bordes de mi cordura se estaban desmoronando. Desentrañarlo me llevaría casi veinte años y una y otra vez intenté reparar el daño, pero no tengo ninguna duda de que los acontecimientos que tuvieron lugar en aquella sinagoga son lo que me han traído hasta aquí, a este momento, a esta pistola a mi lado y al acto terrible que estoy a punto de cometer. Incluso esto, mi última comunicación contigo, es poco más que un intento por arreglar ese error terrible.

Finalmente, se abrió la puerta de la sinagoga. Un hombre que no había visto nunca estaba delante de mí. Le pedí ver al rabino en un checo entrecortado pero claro, de manera que el hombre entendió mi petición. Miré por encima de su hombro hacia la oscuridad cavernosa de la sinagoga, medio esperando ver cómo ardía el fuego del infierno.

—Por favor. Me está esperando.

—Pero yo soy el rabino de esta sinagoga —replicó el hombre, contemplándome con curiosidad—. Y no estoy esperando a nadie.

Luché por controlar mi impaciencia.

—El rabino Josefez me ha llamado.

—Me temo que eso no es posible.

—Me ha enviado esto —repliqué. Sacando el papel del bolsillo, se lo entregué al rabino.

El hombre me miró con atención y después la tarjeta.

—¿Es usted el fabricante de muñecas LaMoriette? —preguntó.

Cuando asentí, se apartó de manera que pudiera entrar en la sinagoga y cerró la puerta. Perplejo y más que un poco nervioso, seguí al rabino hasta el altillo. Cuando llegué, me encontré con una escena muy diferente de la que había dejado. Estaba vacío, limpio, el aire fresco. El armario de madera y las velas, de hecho, todo lo que en su momento había servido al golem había desaparecido. Lo único que quedaba era la maleta de cuero que había llevado a la sinagoga semanas antes, descansando sobre la mesa.

Me miró durante un rato largo antes de hablar.

—Durante cientos de años, HaShem permaneció oculto. Pero no siempre fue así. El nombre del Creador originalmente fue pronunciado cada día por todo el pueblo judío: en plegarias, como saludo, como bendición. Entonces, cuando fue destruido el segundo templo, se obligó a que el nombre verdadero del Creador pasase a la clandestinidad. Los rabinos sustituyeron el nombre verdadero por la palabra «Adonai». A lo largo del tiempo, incluso esa palabra se volvió demasiado sagrada para compartirla con los que estaban fuera de nuestras tradiciones, y la palabra «HaShem», o simplemente «el Nombre», se usaba en las conversaciones diarias. Pero usted —dijo, mirándome a los ojos—, usted ha oído la pronunciación secreta.

El rabino se acercó a la mesa. La gran maleta de cuero que contenía mi creación estaba esperando.

—El rabino Josefez se equivocó al traerlo aquí. Su golem ha causado gran daño.

—Esa no era mi intención —repliqué—. Si puedo ver al rabino y a su hijo, se lo explicaré.

—El rabino murió la semana pasada a causa de sus heridas.

Me apoyé en la mesa, temiendo caer.

—¿Y su hijo, Jakob?

—El *Bocher* ha padecido muchos sufrimientos.

—¿Pero está vivo?

El rabino asintió, afirmando que mi amigo vivía.

—Esto le pertenece. —Hizo un gesto hacia la maleta—. Se la tiene que llevar de aquí lo antes posible.

Abrí la maleta y encontré la muñeca en su interior, mi hermosa Violaine. Me sentí inmensamente aliviado: mi criatura estaba a salvo. Pero esa sensación fue seguida rápidamente por el temor. ¿Qué pasaría si regresaba el mal que la había poseído? Pasé un dedo por la fría mejilla de porcelana de Violaine, después cerré la maleta.

—Me gustaría hablar con Jakob —pedí.

Él hizo un gesto para que lo siguiera y no dudé. Bajé con rapidez las escaleras, ansioso por ver a Jakob.

En la planta baja de la sinagoga, el rabino abrió una habitación pequeña que daba a la sala principal y me dejó entrar. Un hedor de lo más espantoso llenó el aire, una podredumbre que hablaba de enfermedad e infección. Me iba a dar la vuelta, repugnado, cuando una visión terrible me detuvo en seco: una criatura, con la piel cubierta de costras, acurrucada en la cama, su cuerpo largo y delgado encorvado y retorcido por la enfermedad. Durante un momento simplemente me quedé mirando, estupefacto, procurando dar sentido a lo que estaba viendo.

Finalmente comprendí que era un hombre, pero un hombre tan deformado hasta parecer monstruoso. Me acerqué un paso a esa alma desdichada, lleno de piedad y terror. Estaba claro que le afectaba una variedad insidiosa de una enfermedad. Quizá la lepra. O una sífilis que se manifestaba con infecciones. Tenía un brazo doblado, y la piel arrugada supuraba y sangraba. En un rincón había un montón de vendas, teñidas de verde y marrón por el pus y la sangre. Era una visión terrible y no tuve estómago para seguir allí. Estaba a punto de dejar al hombre con su sufrimiento cuando el desdichado levantó la cabeza. Sus ojos se encontraron con los míos y, aunque las heridas lo habían transformado casi más allá de cualquier reconocimiento, vislumbré una claridad familiar ardiendo en su mirada. Era Jakob, terriblemente cambiado, pero Jakob a pesar de todo. Me acerqué a su lado y me quedé de pie, contemplando toda la extensión de sus heridas.

—Amigo mío —susurré, sintiendo un temblor de horror que me atravesaba—. ¿Qué te ha ocurrido para quedar en este estado?

—Tú estabas allí —respondió Jakob con una voz débil—. Lo viste tan bien como yo.

—Pero ¿cómo…? —Las preguntas me superaban. Quería saber cómo nuestras acciones habían provocado tanto daño. Quería saber cómo, de qué procedencia, con la ayuda de quién, había llegado semejante mal a la Tierra.

Jakob me agarró la mano y no la soltó.

—Fue un error. Hay que destruirlo, amigo mío. Por favor, escúchame. He cometido un grave error. Hay que quemar el golem. El círculo. El recipiente. Todo tiene que arder.

Lo que decía no tenía demasiado sentido y llegué a la conclusión de que su sufrimiento le había afectado la mente. Me volví hacia el rabino, que estaba al otro lado de la puerta.

—Necesita un médico inmediatamente.

—El médico ya ha estado aquí muchas veces —explicó el rabino—. Su padre murió de manera similar. Solo que con mayor rapidez, porque el espíritu era fuerte y vital.

—¿El espíritu? —pregunté, perplejo.

—Poseyó al rabino Josefez y después, cuando agotó el recipiente, visitó a su hijo.

El rabino se acercó a Jakob y levantó una venda de su pecho, revelando una piel marcada con cortes geométricos, como si la hubiera tallado un filo. Reconocí el patrón, porque yo tenía las mismas marcas.

—¿Qué demonios es esto? —pregunté, tan horrorizado por la visión que casi no podía hablar.

—La marca —respondió el rabino, su voz llena de horror—. La marca que nunca se borrará.

—Déjenos —exigió Jakob al rabino, en un susurro. Y cuando el rabino salió de la habitación, Jakob me acercó, haciendo un gesto para que sacase algo de debajo del colchón. Era el manuscrito que había visto aquel primer día en su casa y en la sinagoga, las páginas que contenían el círculo infernal, el libro que, según me había explicado Jakob, guardaba los secretos de toda creación.

Entonces, entregándome un fajo de páginas sueltas, me pidió que las aceptase.

—Rápido, antes de que lo vea el rabino. —Cuando me resistí, insistiendo en que no tenía derecho, se puso nervioso—. Es el lenguaje del portal —explicó—. La escalera por la que sube y cae la inteligencia. El espíritu solo se puede destruir con esto. Primero destruye al golem, después el círculo. —Susurró Jakob, los ojos muy abiertos por el miedo—. Destrúyelos antes de que vuelva a ocurrir.

Las lágrimas anegaron mis ojos, pero no discutí. Tomé el manuscrito y lo metí en la maleta, al lado de Violaine. Incapaz de controlar mis emociones, me despedí de él. Pero me hizo un gesto para que me acercase, de manera que mi oreja tocó sus labios. Lo que al principio creí que era un gesto de *adieu* se reveló como mucho más. En un estado de agonía, su voz tan baja que solo podía oír los sonidos, susurró el nombre sagrado, HaShem, pronunciándolo en mi oído, lenta, claramente, una vez, dos veces y después por tercera vez, de manera que lo escuchase y lo recordase. Y esa palabra, hijo mío, y el poder infinito que contiene, nunca se ha borrado de mi memoria.

Al día siguiente, viajé en tren hasta Viena y después hasta París. Me juré que apartaría los horrores de Praga, que los encerraría en el fondo de mi mente. Pero ¿cómo se puede olvidar un poder como ese, uno que alberga la semilla de la vida y de la muerte? ¿Cómo se puede dejar de ver cuando se ha mirado a Dios a los ojos y se han divisado Sus secretos?

No fue hasta que llevaba un mes en París y estaba a salvo en mi taller que examiné el libro que me había entregado Jakob. Estaba lleno de textos, pero lo que más me interesó, lo que me hipnotizó con su simetría seductora, fue el círculo. Lo había vislumbrado en Praga, pero no lo había visto por completo hasta ese momento. Lo estudié con intensidad, bajo una lupa, intentando descifrar las letras y los números, los símbolos extraños. Y de esa manera, quedé hipnotizado por esta antigua puerta hacia lo desconocido.

Jakob me había exigido que destruyese el círculo, pero no podía. Tampoco podía destruir el golem, como seguramente ya debes saber. En su lugar, los protegí. En todos los años después de mi estancia en Praga, no mostré el círculo a nadie.

Aunque yo no he destruido el golem, te animo, hijo mío, porque no sientes ningún amor por la criatura, porque no ves nada familiar en sus rasgos, a que lo hagas. No podía destruir a Violaine. Lo intenté, muchas veces lo intenté, pero nunca lo he podido hacer. Esto, hijo mío, te lo dejo a ti.

49

El SUV giró en Madison Avenue y la calle 36, y se detuvo delante de la Morgan Library. Brink recuperó su bandolera de Jameson y lo siguió al bajar del vehículo hasta una gran villa palladiana construida en mármol, una estructura anacrónica en un barrio abarrotado de arquitectura del siglo XX, con los rascacielos de Midtown recortándose hacia el norte.

—Este edificio siempre ha sido una anomalía —explicó Anne-Marie mientras los conducía hacia una entrada privada en la calle 36—. J. P. Morgan lo construyó como un retiro idílico de Wall Street y para albergar aquí sus colecciones de manuscritos y libros de valor incalculable. Cuando murió, su hijo convirtió la biblioteca en un museo.

Los libros raros y los manuscritos estaban muy bien, pero no eran ni las siete de la mañana. Seguramente el museo estaría cerrado a estas horas. Pero eso no detuvo a Anne-Marie. Subió un tramo de escalones hasta una enorme puerta de bronce, miró hacia la cámara de seguridad e hizo un gesto abrupto.

—El director es un amigo —le explicó a Brink—. Probablemente esté haciendo peligrar su trabajo por vernos, pero cuando le dije que habíamos encontrado la obra maestra de LaMoriette, estuvo más que dispuesto a correr el riesgo.

La puerta de bronce se abrió y apareció un hombre negro alto y delgado con unas gafas de carey y una camisa formal color lavanda. Les hizo un gesto para que entrasen y cerró las pesadas puertas a sus espaldas. Se encontraban en una rotonda, rodeada por pilares de mármol. Los frescos llenaban las paredes con imágenes de dioses y diosas romanos.

—Anne-Marie —saludó el hombre con tono ansioso—. Creía que llegaría hace una hora.

—Cullen, conoce a Jameson —replicó Anne-Marie—. Y este es Mike Brink, que nos está ayudando con parte de la investigación. Brink, le presento a Cullen Withers, director de la Morgan Library.

Cullen Withers le dio la mano a Brink, su mirada se detuvo el tiempo suficiente para darse cuenta del ojo hinchado de Brink.

—Soy un fan —explicó, con una sonrisa bovina—. El crucigrama de historia del arte en *The New York Magazine* del mes pasado era realmente brillante. —No esperó a que Brink respondiese, sino que se volvió hacia Anne-Marie—. Después de su llamada, no pude volver a dormir. Desde luego sabe cómo crear intriga. Estoy aquí desde las tres de la madrugada.

—¿No ha tenido problemas con la seguridad? —preguntó Jameson, mirando las cámaras montadas alrededor de la rotonda.

—Están acostumbrados a mis horarios extraños —respondió Cullen—. Estoy aquí a cualquier hora del día o de la noche, en especial cuando estamos instalando exposiciones. ¿Ha traído la muñeca LaMoriette?

—Por supuesto —respondió Anne-Marie, haciendo un gesto hacia la maleta de cuero en manos de Jameson.

—Estoy seguro de que es consciente de que ha existido una serie de falsificaciones a lo largo de los años —explicó Cullen—. Hace tres años se presentó una Violaine falsa excelente que salió al mercado. Debió oír de ella, Anne-Marie.

—Quién no —reconoció—. La venta de Bonham fue notable.

—La muñeca tenía la apariencia exacta de las fotos de 1909 de la Violaine auténtica, pero cuando el agente del comprador envió fibras del vestido a un laboratorio, descubrieron un material sintético que no existía en la década de 1890. Hay que tener tanto cuidado...

—Le aseguro que podrá verificar la autenticidad de esta muñeca —dijo Jameson.

Eso era lo único que Cullen necesitaba oír. Giró sobre los talones y los condujo a través de la rotonda, sus zapatos resonando en el suelo de piedra. Pasaron bajo un techo abovedado pintado con figuras de la mitología, dioses desnudos sosteniendo frutas y tesoros, y llegaron a una biblioteca magnífica, de tres pisos de altura, con estanterías desde el suelo hasta el techo que se alzaban en tres tramos. Los techos estaban pintados con murales de figuras mitológicas y una gran chimenea de piedra ocupaba la pared más lejana.

—Esta era la biblioteca privada del señor Morgan, destinada a albergar su increíble colección de libros raros y manuscritos. Originalmente estaba diseñada con solo un tramo de estanterías, pero su colección creció mientras estaban construyendo la biblioteca, y por eso su arquitecto, Charles McKim, cambió rápidamente sus planos y añadió más estanterías.

»Los papeles de Gaston LaMoriette ocupaban un lugar especial en esta biblioteca, así como su obra maestra. Belle da Costa Greene, la primera directora de la Pierpont Morgan Library y una figura legendaria por aquí, compró el taller de LaMoriette para el señor Morgan. Era especialista en manuscritos iluminados y fue la creadora de esta colección. Nació en una distinguida familia africano-americana, pero decidió vivir como una mujer blanca. Su ingenio agudo y su inteligencia la convirtieron en una gran favorita del señor Morgan y él le confió la dirección de casi todo lo que hay en esta biblioteca. Le legó el equivalente a 1,3 millones de dólares en su testamento, lo que hizo que algunas personas creyeran que habían tenido una relación, pero su vínculo fue realmente un encuentro de sus mentes. Su genio para las adquisiciones se encuentra detrás de la colección Morgan: era famosa por su capacidad para superar a los participantes en las subastas, pero también era muy buena conservando los archivos de sus compras. Lo que me lleva de vuelta al taller de LaMoriette. Su registro de la compra en 1910 de los papeles de Gaston LaMoriette es impecable.

Cullen fue hasta un rincón de la sala, tiró de un pomo de la estantería, y esta se abrió para revelar un espacio vacío detrás de la pared. Entró, subió por una escalera en espiral escondida tras la pared y al cabo de un momento se abrió una estantería en el segundo piso. Cullen recorrió un pasillo estrecho, se detuvo delante de una estantería, sacó algo del estante y volvió con un libro de notas pequeño.

—Esta biblioteca está llena de rincones ocultos, puertas secretas y códigos —explicó—. Y esto, el libro de notas personal de Belle, es la clave para decodificarlos. —Lo abrió en una página—. Dice que se adquirieron cuarenta y siete objetos en la compra de LaMoriette en 1910: una primera edición de *De Occulta Philosophia* de Cornelio Agripa, que sigue en nuestra colección, un ejemplar italiano de *La llave de Salomón*, que también sigue en la colección, y muchas más obras menores, que se vendieron de inmediato. Fue una compra tremendamente inusual, como dice en sus notas, en la que el señor Morgan estaba muy interesado.

Al ir pasando las páginas del pequeño libro de cuero, Brink vio renglones tras renglones de una escritura nivelada, puntuada con números.

—En la compra del taller de LaMoriette por parte de la Morgan Library se incluía una colección de papeles del período de Praga que contenía los esbozos y las notas de LaMoriette, así como otro manuscrito, mucho más antiguo, datado a finales del siglo XIII y que contenía diez círculos. Dicho manuscrito se guardó originalmente en la caja fuerte del señor Morgan, una sala de acero reforzado en su estudio privado.

—Debía creer que era importante —comentó Jameson.

—Desde luego, el señor Morgan guardaba allí sus manuscritos más valiosos. Las Biblias de Gutenberg, las tres copias, una en vitela, dos en pergamino, estaban allí; el manuscrito de los Evangelios de Lindau con gemas incrustadas estaba allí; su

Libro de Horas más querido, también allí. El manuscrito que contenía los círculos fue escrito por Abraham Abulafia, un místico judío, en 1278. El libro ejercía una fascinación extraña en el señor Morgan. Contrató expertos para que se lo leyeran y se rumoreaba que lo llevaba consigo en sus viajes. Si mira hacia allí —indicó, girándose hacia un tapiz enorme que colgaba encima de la chimenea—, verá lo profundamente que le afectó el libro.

Brink se dio la vuelta para ver un tapiz enorme que ocupaba una pared entera.

—Eso —explicó Cullen— es un tapiz del siglo XVI llamado *Triunfo de la avaricia*. Se tejieron siete tapices similares, uno por cada pecado capital, pero el señor Morgan solo compró este. Como pueden ver, ocupa un lugar de privilegio en su biblioteca. Ese hombre —dijo, levantando el dedo para señalar a una figura en el tapiz— es el rey Midas y creo que su historia era importante para el señor Morgan: el hombre que amaba tanto la riqueza que no podía tocar a otra persona sin convertirla en oro frío y sin vida. Era un *memento mori*, quizás un recordatorio de que en la vida hay algo más que el dinero, o como han sugerido algunos, la clave hacia el tesoro secreto del señor Morgan. ¿Ven hacia dónde señala Midas? —El ojo de Brink siguió el dedo del rey Midas subiendo por el tapiz hacia un mural pintado en la pared. Mostraba a una mujer taciturna reclinada en una pila de libros, con una máscara en la mano. Sobre ella habían pintado la palabra TRAGEDIA.

—La personificación de los elementos del drama no era inusual —explicó Cullen, haciendo un gesto hacia un mural en el lado opuesto del tapiz con otra mujer, mucho más contenta, con la palabra COMEDIA pintada por encima de ella—. Y, por supuesto, la vida de Midas fue una tragedia.

—El oro no significa nada sin el tiempo y la capacidad para disfrutarlo —precisó Jameson.

—Precisamente —reconoció Cullen—. Pero lo interesante en todo esto, y lo que hace que me pregunte hasta qué punto conocía el señor Morgan la historia secreta de LaMoriette, es el libro en la mano de la Tragedia.

Brink lo miró con atención, intentando ver el título o alguna marca distintiva.

—Se trata del libro de Abulafia, el mismo que han venido a ver —explicó Cullen—. Está guardado en nuestro archivo y la historia que cuenta es fascinante. Vengan conmigo y se lo mostraré.

50

Cullen Withers los condujo al anexo moderno de la biblioteca, una estructura de vidrio llena de la luz brillante de la mañana. Tomó una escalera hacia el nivel inferior, pasó a través de una puerta señalada como SOLO EMPLEADOS, y entró en un sótano.

—Durante las horas de visita, ciertos manuscritos se muestran dentro de urnas de cristal en la biblioteca. Pero cuando cierra al público, los libros raros viven debajo del Anexo Renzo Piano, en la bóveda acorazada subterránea. Los esbozos de LaMoriette y el correspondiente manuscrito atribuido a Abulafia se guardan aquí.

Cullen tecleó un código, una secuencia de números sencilla, no lo suficientemente compleja para ofrecer alguna seguridad real. Cualquiera que mirase por encima de su hombro la podía ver. A veces Brink acababa viendo un código sin tener totalmente la intención de hacerlo, y el código quedaba impreso en su memoria para siempre. Apartó los ojos cuando Cullen ingresó los dígitos finales.

Se oyó el clic de los pestillos de una cerradura y la puerta se abrió con un resorte, dejando escapar aire, como si hubiera estado sellada al vacío. La cámara era grande, iluminada con una luz mortecina, reforzada con acero y llena de estanterías con cajas de archivo. Se reunieron alrededor de una mesa en el centro del espacio. En el centro de la mesa había unos guantes de algodón blancos doblados dentro de una urna de vidrio, con un bloc de papel y una lupa colocados cerca. Todo estaba tan inmaculado y ordenado como una habitación de hospital.

Cullen cerró la puerta de la cámara, introdujo un código en un segundo teclado y los pestillos volvieron a cerrarse. Brink se dio cuenta de que estaban encerrados en el interior, a merced del código de Cullen y, después de todo, deseó no haber apartado la mirada del teclado.

—La mitad de mi trabajo consiste en la conservación. Los manuscritos están compuestos totalmente por materiales orgánicos y la luz del sol los degrada. Aunque no hay luz ultravioleta en ningún lugar de la biblioteca, rotamos la colección, poniendo los manuscritos en exposición durante unos tres meses antes de bajarlos aquí para darles un respiro. Libros, correspondencia, objetos efímeros relacionados con la colección, todos ellos se encuentran aquí en esta cámara.

Se puso un par de guantes de algodón blancos, se acercó a un estante y bajó una caja archivadora. De ella sacó un portafolio lleno de páginas sueltas.

—Este portafolio contiene páginas de un manuscrito de Abraham Abulafia —explicó, colocando las páginas sobre la superficie de la mesa. Brink había esperado un manuscrito, algo grande, pesado y voluminoso, un tomo de comentarios sesudos que pudiera explicar el misterio que rodeaba el círculo. Pero solo había unas pocas páginas sueltas y, en cada página, en su centro, un círculo similar al que le había mostrado Thessaly.

—Son de tinta sobre vitela y, aunque no soy un experto en su uso religioso, creo que se crearon para ayudar a la plegaria. Belle da Costa Greene dejó notas abundantes sobre la colección cuando la compró.

Cullen sacó con cuidado las delicadas hojas de vitela del portafolio, colocando diez sobre la mesa.

—Estas diez páginas de los círculos de plegaria de Abulafia se encontraron tal como las vemos ahora. Nunca estuvieron encuadernadas. Cualquier daño que puedan ver en la vitela ya estaba allí en el momento de su adquisición.

Brink analizó los diez círculos. Interiorizó los patrones y las secuencias, dándose cuenta de que cada círculo era una rima de los otros: construcciones circulares con letras hebreas, radios de llamas que partían del centro y setenta y dos números situados en los bordes.

—Son increíblemente hermosos —reconoció Anne-Marie, mirando los círculos—. Pero ¿qué significan?

—Me temo que no puedo responder a eso —respondió Cullen—. Mi campo de conocimientos acaba con el manuscrito en sí mismo. Le puedo hablar de la composición de la vitela, se trata de piel de oveja estirada a un cuarto de milímetro, y las propiedades químicas de la tinta: óxido de plomo suspendido en un agente amalgamante de base vegetal, muy probablemente rubia silvestre, lo que explica la tonalidad rojiza amarronada. Les puedo decir que estas páginas han sido autentificadas mediante carbono como escritas en el último cuarto del siglo XIII, y que pueden encontrar más sobre los círculos de Abulafia en una colección guardada en la British Library. Incluso les puedo decir que originalmente estas páginas estaban enrolladas juntas y aseguradas por un cordón de cuero, como pueden ver por las marcas de presión aquí, al borde de la vitela. Pero en cuanto a su importancia o a aspectos de su significado relativos a la historia religiosa, no puedo decir nada. Para eso necesitarán a un experto. Y conozco a la persona perfecta.

—¿Hay un experto en algo tan oscuro como los círculos de plegaria judíos del siglo XIII? —preguntó Jameson.

—Su nombre es Rachel Appel y ya he hablado con ella —respondió Cullen—. Dirige un Centro para el Estudio de la Cábala aquí en Manhattan. La he llamado a primera hora de esta mañana y he comentado todo esto con ella. También le he enviado un PDF de la carta de LaMoriette que me hizo llegar, Anne-Marie.

Brink miró a Anne-Marie. Él había robado el original de la carta de LaMoriette de su casa, pero por supuesto ella debía tener copias escaneadas.

Cullen prosiguió:

—Había oído hablar de la leyenda de LaMoriette y ofreció inmediatamente sus servicios, lo que es un golpe de suerte increíble: no hay ningún otro académico en el mundo con su grado de conocimientos. Ha estudiado la extensa colección de los manuscritos de Abulafia en la British Library, incluidos sus círculos de plegaria. Le gustaría verles, y el círculo que han encontrado, lo antes posible.

—Eso no va a ocurrir —replicó Jameson—. Ya hay demasiadas personas que saben de esto.

—Jameson —intervino Anne-Marie. Brink pudo sentir la tensión entre Jameson y Anne-Marie, y sospechó que subyacía un desacuerdo—. No podemos seguir adelante sin comprender qué son estos círculos. Lo hemos intentado por nosotros mismos. Necesitamos ayuda.

—Meter a alguien más en esto está fuera de cuestión.

—Rachel es discreta —señaló Cullen—. Y sus credenciales profesionales son impecables. Creo que podría ser un activo enorme para identificar exactamente qué son y por qué eran lo suficientemente importantes para que un hombre como John Pierpont Morgan los protegiera.

Cullen fue hasta la puerta y tecleó el código. Entraron dos guardias de seguridad.

—La única exigencia que tiene Rachel es que se la permita ver el manuscrito original de Abulafia, así como la copia que han descubierto en la muñeca de LaMoriette. —Reunió las páginas de vitela, las deslizó en el portafolio y cerró con firmeza la caja archivadora—. Acepté llevárselo. Estoy ansioso por ver a Violaine y no puedo perder de vista este manuscrito, así que les acompañaré. Tenemos tres horas antes de que abra la biblioteca... tiempo suficiente si nos damos prisa.

51

Siguieron al vehículo blindado de seguridad por Madison, atravesaron Central Park y pronto se detuvieron delante de un edificio de ladrillo señorial en el Upper West Side. Brink bajó del SUV y se encontró con una mañana luminosa. Eran poco más de las ocho, pero era un sábado por la mañana, y la ciudad estaba en silencio, casi desierta. Se estiró y miró a su alrededor, viendo un parque al otro lado de la calle, con una terminal del Citi Bike extendiéndose a un lado. Más allá, el río Hudson crecía con el agua del mar. Cuando Brink respiró, casi pudo saborear la salmuera en el aire.

Cullen bajó del vehículo —el tipo de tanque que normalmente transporta dinero de banco a banco— e inmediatamente lo flanquearon dos guardias de seguridad armados. Brink miró a Cam Putney, empequeñecido por el nivel de seguridad que Cullen había traído en aquella situación. Imaginó la plétora de inseguridades que asaltaban a Putney justo en ese momento: que no era lo suficientemente fuerte, lo suficientemente rápido, lo suficientemente listo. Aunque le desagradaba el tipo, sintió una simpatía repentina por Cam. A pesar del metro ochenta y cinco, Brink siempre había sido pequeño en el terreno de juego. Nunca había sido sencillo sentirte superado por tanto músculo.

Brink siguió a Cullen, Sedge y Anne-Marie por un tramo de escalones que conducían a la puerta principal del edificio, donde habían colgado en la fachada de piedra una placa de latón grabada con las palabras CENTRO PARA EL ESTUDIO DE LA CÁBALA.

Un segundo después de llamar Cullen se abrió la puerta. Un hombre joven con tejanos y un jersey saludó a Cullen por su nombre —«Señor Withers, sígame por aquí»— y los introdujo en un vestíbulo amplio lleno de flores, antes de subir por unas escaleras hasta una sala de lectura con mesas de roble y lámparas cubiertas con cúpulas de vidrio.

—Le diré a la señora Appel que han llegado —anunció el hombre y desapareció por el pasillo.

Brink gravitó hacia las estanterías de libros. Había un grueso diccionario hebreo-inglés sobre un atril en el centro de la sala y supo que, si tenía unas horas para estudiarlo, podría deducir los elementos básicos del idioma. Era un don, su habilidad con los idiomas, que surgía de la misma fuente que su talento para resolver puzles. Después de su lesión había ganado fluidez en francés, castellano, italiano, latín, japonés, chino y griego clásico, todos ellos aprendidos a partir de la lectura de manuales de gramática. Aprender idiomas era como descifrar un código, y veía las lenguas extranjeras como puzles. La solución era la capacidad de comunicarse con otra persona.

Una mujer con el cabello largo y oscuro entró en la sala, sacando a Brink de sus pensamientos. Era alta, delgada, con pómulos pronunciados y grandes ojos azules, y vestía unos pantalones bombachos sueltos de color vino y una camiseta sin tirantes de seda. Saludó cálidamente a Cullen, haciéndole un gesto para que dejase la caja archivadora sobre una mesa, y entonces se volvió hacia los demás, presentándose como Rachel Appel, directora del centro.

—Un placer conocerlo —saludó, ofreciéndole la mano a Brink—. Pero para ser honesta, después de leer el artículo en *Vanity Fair* y romperme la cabeza con sus crucigramas cada semana, siento como si ya nos conociéramos. —Se quedó mirando sus heridas—. Ya veo que esto también lo ha sacado de la cama temprano. ¿O debería decir que lo han arrastrado?

Él se tocó el corte sobre el ojo. La hinchazón no había bajado.

—Esa es la mejor manera de decirlo —respondió.

—Me temo que ninguno de nosotros ha dormido demasiado —intervino Anne-Marie.

Rachel se situó al lado de Cullen mientras abría la caja archivadora y, poniéndose los guantes, dejaba las páginas del manuscrito de Abulafia sobre la mesa. Rachel se movió alrededor de la mesa para mirar de cerca cada círculo.

—Abraham Abulafia y sus círculos místicos bien valen una noche sin dormir. No es frecuente que se tenga la oportunidad de examinar un trozo de historia.

—Tenemos la palabra del señor Withers de que será discreta —dijo Jameson—. Confío en que tuviera razón en ese aspecto.

Rachel rio y le lanzó una mirada de complicidad.

—*Discreta* es una palabra demasiado suave para describirme, señor Sedge. Una vez que se hayan ido, ni siquiera recordaré que han estado aquí.

Eso pareció calmar a Jameson. Sonrió ligeramente y no presionó más.

Rachel se apoyó en la mesa.

—Después de leer la carta de LaMoriette a su hijo estaba tan alterada que vine directamente al centro para investigar en nuestra colección. Descubrí en nuestro archivo genealógico que efectivamente existió un rabino Ezekiel Josefez que vivió en Praga durante los años en que LaMoriette estuvo allí, y que era el rabino de la Sinagoga Vieja-Nueva. Tenía un hijo llamado Jakob. Padre e hijo murieron, como escribió LaMoriette, en 1891, y los dos hombres están enterrados en el Viejo Cementerio Judío de Praga, en una tumba no demasiado lejos de la del rabino Loew.

—Así que es verdad —intervino Cullen—. Se puede verificar la historia de LaMoriette.

—Parte de ella se puede, y aunque bajo la mayoría de las circunstancias me sentiría tentada a desdeñar este tipo de historias como producto de una imaginación calenturienta, porque las historias del golem, como las de fantasmas y vampiros, parecen inspirar las fantasías más delirantes, descubrí que la de

LaMoriette era bastante creíble. Contenía ideas religiosas muy particulares que normalmente quedan fuera de la mitología habitual. Las historias más sensacionales contienen detalles de la historia del golem de Praga, la criatura que cobró vida a manos del rabino Loew en el siglo XVI. Escribió las letras EMET, que significan *verdad*, en la frente del golem y cobró vida. Cuando se quitaba la E, la palabra se convertía en MET, *muerte*, y el golem moría o se desactivaba. LaMoriette no escribió que hubiera visto la palabra EMET ni describió el borrador de una palabra. Y, por supuesto, mencionaba el elemento más secreto: el Nombre, o HaShem.

Rachel se acercó a una estantería y sacó un libro.

—Para comprender lo que pretendía el rabino Josefez, tenemos que entender qué es realmente un golem. La palabra *golem* aparece por primera vez en el Talmud —explicó, abriendo el libro y deteniéndose en un pasaje—. Sanedrín 38b describe la creación de Adán por Dios, refiriéndose a su cuerpo recién formado como un golem, un *recipiente sin forma*. En el hebreo antiguo, *golem* se tradujo como *masa sin forma*. El golem era considerado un modelo en arcilla, una especie de prototipo. El cuerpo de Adán, antes de que el Creador le insuflara su aliento, era un golem, una criatura imperfecta, un cuerpo sin alma. Aunque la historia de la creación judeocristiana se ha interpretado metafóricamente, muchos creen que es una verdad literal y sirve de modelo a toda creación, desde las partículas más pequeñas de la materia hasta todo el universo.

—Supongo que no se está refiriendo al *big bang* —intervino Jameson, con una sonrisita.

—En realidad se sorprendería de lo cerca que está la historia de la creación judeocristiana del *big bang* —replicó Rachel, sonriendo ligeramente—. En la concepción cabalística del universo, el mundo material cobró existencia en un estallido de lo divino, elementos positivos y negativos, manifestaciones masculinas y femeninas de Dios que se combinaron para formar los bloques del universo material. La investigación científica ha demostrado que los primeros compuestos estaban formados por un protón, con su carga positiva, y un electrón, con su carga negativa, y que esos elementos se combinaron para crear formas más complejas hasta que, muchos miles de millones de años después, formaron el universo que conocemos.

Rachel Appel cerró el libro, se acercó a un estante y sacó otro.

—La creación, ya sea desde una perspectiva religiosa o desde una perspectiva científica, gira alrededor del momento en que lo invisible se volvió visible, cuando nada se convirtió en algo. En mi tradición, el texto más antiguo y más importante relacionado con ese proceso es el *Sepher Yetzirah*, traducido como *El Libro de la Formación*.

Rachel abrió el libro en una página cubierta de una red de círculos conectados mediante sendas. En cada círculo, y en cada senda, había letras hebreas. Con el dedo trazó un camino desde el círculo superior, zigzagueando por los senderos.

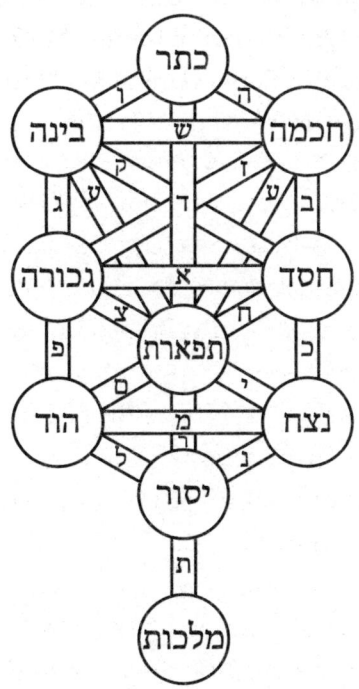

307

—Esta configuración se llama «el Árbol de la Vida», o el Eitz Haim, y está compuesto por las Sefirot. Representa el movimiento del divino infinito a medida que se revela en el mundo material. El círculo superior, Keter, la corona, es el reino de la energía pura, y el círculo inferior, Malkhut, el reino, es el mundo material que conocemos. Los cabalistas creen que el movimiento desde la energía pura hasta el plano material tiene lugar a través de las palabras. Las palabras tienen un poder inmenso, mágico, en la Cábala. Pronunciar la palabra correcta de la manera correcta en el entorno correcto es la forma de manifestar su poder. Y dicha materialización tiene lugar a través de portales, o ventanas, desde una dimensión, el reino etéreo e inmaterial de Dios, hacia otro reino, la Tierra.

»El rabino Josefez y su hijo, Jakob, dominaron este poder para crear vida. Conocían los secretos de HaShem y con ello los secretos de toda creación. —Se giró y miró a Brink a los ojos, sonriéndole, y él tuvo la sensación de que le estaba hablando específicamente—. Pero para comprender cómo lo hicieron, hay que entender las Sefirot, el canal directo desde el infinito, Dios, hacia el finito, la Tierra. Requiere fuerza de imaginación, pero no creo que eso sea un problema para usted. Si se acerca y se ubica a mi lado, se lo mostraré.

52

—Los círculos de Abulafia se diseñaron como Shem HaMephorash, representaciones simbólicas del nombre oculto de Dios. Está compuesto por setenta y dos variaciones del tetragramatón, las cuatro letras del nombre YHWH. Abulafia creó cientos de ellos, pero estos diez círculos tenían un propósito específico —explicó Rachel, haciendo un gesto hacia las páginas sueltas que habían traído desde la Morgan Library—. Se dibujaron para que correspondiesen a los diez círculos de las Sefirot.

Rachel tomó una de las páginas del manuscrito de Abulafia y lo colocó a un lado de la mesa, señalando el círculo más alto de las Sefirot.

—Pero ¿por qué? —preguntó Brink, estudiando las Sefirot y memorizando las letras hebreas. Ya se había formado un sistema y era capaz de comprender el patrón de las letras, pero seguía luchando para ver el significado global.

—Para ponerse en contacto con los reinos inmateriales, por supuesto —respondió, como si resultara obvio, como si contactar con los espíritus fuera algo cotidiano—. Las palabras en estos círculos se cantaban, interpretaban, promulgaban y repetían interminablemente, con el objetivo de invocar las inteligencias asociadas con cada reino.

Tomó otro círculo y lo ubicó encima del segundo círculo de las Sefirot.

—El poder inherente en el nombre de Dios, o HaShem, era el vehículo definitivo para traer el mundo espiritual al mundo material. Abulafia creía que podía, de una manera bastante literal, invocar a los espíritus con estas plegarias. Su punto de vista era totalmente heterodoxo. Creía que se podía canalizar a Dios directamente a través de prácticas rituales que abrían la mente a visiones y profecías. *Las puertas de la percepción* de Aldous Huxley o, más tarde, Jim Morrison y los Doors, exploraron la idea de que se puede derribar la mente racional para «atravesarla hacia el otro lado», pero Abulafia estableció estas prácticas seis siglos antes. Estos círculos son la cristalización de dicha filosofía.

—Aun así —intervino Brink, bajando la mirada hacia los círculos de Abulafia—, son extremadamente literales, con patrones precisos, como ecuaciones con una sola solución.

—Exactamente —reconoció Rachel, mirándolo a los ojos—. Abulafia creía que las letras del alfabeto hebreo eran un código mágico. Diseñó permutaciones ingeniosas de dicho código, creando encantamientos circulares, algunos de ellos increíblemente intrincados, que parecen, como se ha dado cuenta, laberintos o puzles. Se suponía que dichos puzles debían ser interpretados de manera que se podía entrar en un círculo y quedar espacial y sensualmente conectado con Dios a través de la repetición y la visualización. Eran portales. Abulafia afirmaba que podía transportar espíritus desde el cielo a la Tierra, y, al revés, podía llevar a seres terrestres a experimentar el cielo a través de estos círculos. Esa es la razón de que el rabino Josefez creyera que daría vida a su golem.

Superpuso un tercer, un cuarto y un quinto círculo. Después el sexto, el séptimo y el octavo.

—Son magníficos —reconoció Anne-Marie, inclinándose sobre los círculos.

—Aunque es hermoso contemplarlos, no son objetos estéticos: están destinados a que se les interprete, probablemente mientras se ayuna, y preferiblemente una y otra vez, hasta que el actuante cae en trance. Y llegan los espíritus.

—Los sufíes rezan de esa manera —explicó Anne-Marie—. Dan vueltas en círculos hasta que alcanzan un estado de conciencia superior.

—Por supuesto, estas ideas no se limitan a los cabalistas. El deseo humano de alterar la realidad y de alinear el ser con el poder de la creación se encuentra en el centro de muchas prácticas espirituales: la plegaria cristiana, los conceptos budistas del Nirvana, el sufismo, la meditación trascendental, incluso comer setas en Burning Man.[9] Toda la llamada Nueva Era habla de manifestaciones y otras cosas por el estilo, la idea de que uno crea la realidad deseada a través de la intención y las palabras, bueno, la fuente original de ese concepto es la Cábala, que enseña cómo se puede tener una comunicación directa con lo divino a través de ciertas formas de ritual que crean conexiones con la abundancia de Dios, o shefa.

»Pero los círculos de Abulafia no trataban de crear riqueza y poder, o ni siquiera pretendían conseguir un estado de conciencia superior. Cuando se realiza correctamente un círculo de plegaria, cuando se abre, por decirlo de otra manera, se establece un camino entre dimensiones. Cuando se llama a cierto espíritu, este se mueve a través del círculo y penetra en un recipiente. En el caso de LaMoriette, el recipiente fue la muñeca Violaine. Ese espíritu puede ser bueno. Puede ser malo. Pero sean cuales fueren sus intenciones, es increíblemente poderoso.

»Y peligroso. Fue necesario esconder el Nombre de la misma manera en que es necesario proteger los ojos cuando se mira al sol. Sin dicha protección, sería demasiado poderoso, demasiado destructivo. Por esa razón, y a causa de la persecución que ha sufrido mi pueblo a lo largo de la historia, nuestros textos más

---

9. Literalmente: Hombre en llamas; es un evento anual de siete días de duración que se celebra en la «población» temporal de Black Rock (Nevada, EE.UU.), que solo existe durante la semana del evento, el cual se inicia el día 1 de septiembre. Este festival se centra en el ritual de quemar una figura gigantesca en madera y tuvo su origen en los movimientos contraculturales de la década de 1960. (N. del T.)

sagrados y secretos están encriptados. El nombre verdadero es el criptograma más sagrado, pero hay muchos que creen que los significados más profundos de la Biblia también están encriptados. Por ejemplo, el nombre de Moisés en hebreo, cuando se cambian las letras, se deletrea HaShem, una señal de que es el conducto y el recipiente del nombre verdadero. Hay ejemplos interminables de significados ocultos en nuestros textos sagrados. Palíndromos, codificaciones moviendo una letra, incluso un aparato griego de criptografía llamado «escítala», sirvieron para ocultar la naturaleza verdadera del ser sagrado de Dios.

—Conozco a un montón de creadores de puzles —intervino Brink—. Ninguno crearía un sistema que no se pudiera resolver. La gracia consiste en conectarse, a través del tiempo y del espacio, con alguien que lo resuelva. La conexión lo es todo. Seguramente Abulafia creó estos círculos para alguien.

—Es cierto —asintió Rachel—. Pero Abulafia habría dicho que él no creó estos círculos en absoluto, sino que le fueron enviados desde el cielo. El Nombre se origina y conduce de vuelta al Creador. Se trata de un puzle circular. La pregunta y la respuesta es Dios. Él es el creador del puzle y la solución en uno solo. Pero, hablando desde el punto de vista práctico, a estos círculos los construyó un rabino para otros rabinos. Se trataba de un grupo exclusivo. Todos conocían las reglas.

Con eso, Rachel colocó el noveno círculo sobre la mesa, después el décimo. Con los diez círculos en la posición que les correspondía, las Sefirot estaban completas.

Brink miró los círculos, desvelando su impresionante complejidad. De repente algo encajó y sintió una especie de simetría satisfactoria, la misma sensación de alivio que percibía cuando encajaban los lados coloreados del cubo de Rubik: había un patrón. Los círculos tenían una estructura esencial que reconocía. Era como el momento en el ajedrez cuando se veía cómo se extendía delante de uno toda la partida como una sucesión de movimientos. Algo hizo saltar una chispa, las letras y los números se iluminaron en su mente y lo vio: los círculos se configuraban, desconfiguraban y reconfiguraban. Vio consistencias e inconsistencias. Un patrón. Cuando levantó la mirada, Rachel lo estaba estudiando.

Volviéndose hacia Cullen, Jameson y Anne-Marie, dijo:

—Han venido en busca de respuestas y me gustaría dárselas. Si me permitieran unos momentos a solas —hizo un gesto hacia la maleta de cuero—, me gustaría examinar la copia del Shem HaMephorash que han encontrado.

El lenguaje corporal de Jameson denotaba tensión y Brink vio que estaba a punto de oponerse, pero Rachel añadió:

—Si quieren que les ayude a comprender la información que contienen estos círculos y cómo se puede usar dicha información, tengo que ver el círculo que han hallado y el recipiente que lo contenía.

—Creo que es una petición razonable —reconoció Anne-Marie, retirando la maleta de los dedos de Jameson y poniéndola sobre la mesa, al lado de la configuración de círculos.

—Muchas gracias —dijo Rachel—. Denme media hora y tendré algunas respuestas para ustedes.

—Quince minutos —replicó Jameson—. Estaré al otro lado de esa puerta, esperando.

Mientras Brink seguía a los demás fuera de la habitación, sintió la mano de Rachel sobre el brazo.

—Usted se queda —ordenó—. Necesito su ayuda.

53

Cuando la sala quedó vacía, Rachel cerró la puerta con llave y se reunió con Mike Brink alrededor de la mesa.

—Usted ha visto algo —dijo, mirándolo directamente—. Lo sé por la forma en que miraba los círculos.

—Usted también lo verá —replicó, abriendo la maleta de cuero y empujándola hacia ella—. Cuando abra esto.

Ella desenvolvió la muñeca y la situó bajo la luz, de manera que relucieran sus brillantes ojos verdes. Después la colocó boca abajo sobre la mesa y abrió la cavidad en la nuca. Pinzando el rollo de papel con la punta de los dedos, lo sacó y lo estiró sobre la mesa.

—Se trata sin ninguna duda de una copia del Shem HaMephorash de Abulafia, pero no veo nada inusual. —Miró a Brink—. Pero usted sí.

—Después de mi lesión —le explicó—, pasé todas las pruebas imaginables. Pero no fue hasta que fui a visitar a un neurólogo y me hicieron la primera prueba de sinestesia que empecé a comprender la naturaleza de lo que me había ocurrido. Una de las pruebas a la que me sometieron se parecía a esto… —Brink sacó su libreta de papel cuadriculado y dibujó un diagrama lleno con los números 5 y 2—. Échele un vistazo. —Empujó el diagrama hacia Rachel.

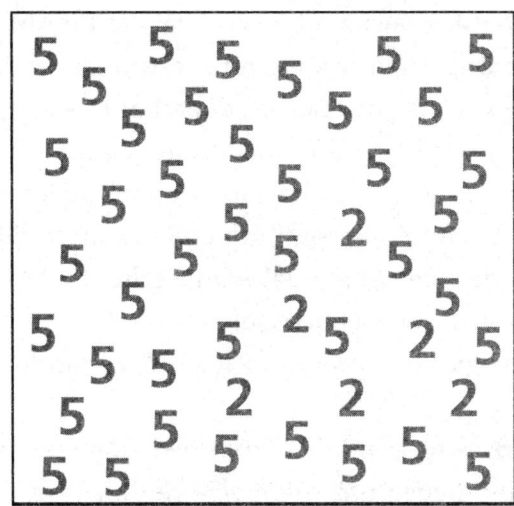

—Si le pido que marque todas las apariciones del 2 en este diagrama, será capaz de hacerlo, pero le llevará tiempo. Sin embargo, las personas con sinestesia, como yo, vemos el número 2 al instante, en una fracción de segundo.

—¿Cómo? —preguntó ella.

—Así —respondió Brink, sombreando los 2 con un trazo más oscuro—. Los cables de mis sentidos se han cruzado. Cada número tiene un color y dicho color distingue los 2 al instante. Mire —le indicó—. Así es como veo el diagrama.

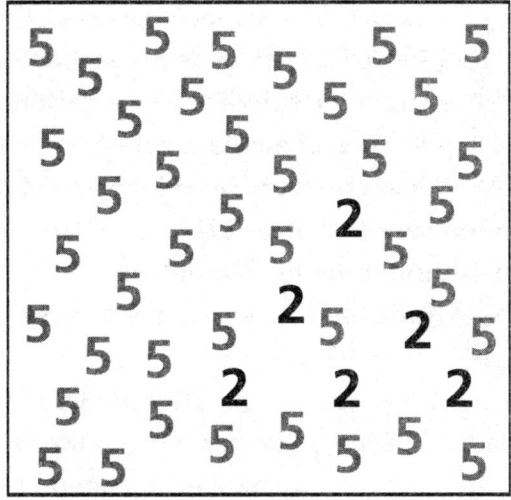

—¿Y esto está relacionado con el círculo de Abulafia? —preguntó, levantando una ceja mientras estudiaba el diagrama.

—Puedo ver los patrones de inmediato —respondió—. Por eso me ha sorprendido esta inconsistencia... —Brink tomó la copia del círculo y la colocó al lado de uno de los originales de Abulafia—. El círculo encontrado en la muñeca de LaMoriette fue copiado de este círculo del manuscrito, el décimo. Los dos círculos deberían ser idénticos. No lo son.

—¿Está seguro? —preguntó Rachel, mirando de cerca los dos círculos.

—Positivo —respondió—. Vi inmediatamente que eran casi idénticos, pero tienen una diferencia significativa.

—¿Cuál? —preguntó Rachel, con la mirada pasando de un círculo a otro, intentando captar la discrepancia.

—Como ha señalado antes, las mismas palabras y el orden en que se pronuncian constituyen una especie de código. La precisión, al pie de la letra, es esencial. De manera que lo que al principio aparece como una diferencia diminuta es en realidad una divergencia enorme. Al comparar los dos, está claro que el círculo se copió incorrectamente.

—¿Cómo lo sabe?

—¿Ve estas letras de aquí? Brink señaló las letras hebreas מיַּח.

—Sí, esa palabra es *haim* —explicó Rachel—. Que se traduce como *vivo*. Es la raíz de *l'chaim*, un deseo de vida, una frase que se usa con frecuencia como brindis de celebración: Por la vida.

—Bueno, la palabra está escrita de una manera en el círculo original y está alterada o invertida en la copia. Mire. —Le mostró el círculo con las letras invertidas.

Rachel lo estudió durante un momento.

—Así que lo que está diciendo es que *haim* se escribió al revés en la copia.

—Exactamente —asintió Brink. Recordó las últimas páginas de la carta de LaMoriette. ¿Qué había dicho Jakob? *Fue un error. Hay que destruirlo*—. Se produjo un error cuando lo copiaron.

Descendió un silencio tenso mientras Rachel examinaba el círculo, su mirada pasando del original en el manuscrito hacia la copia más pequeña.

—Tiene razón —reconoció al final—. *Haim* está invertido en la copia. Estoy intentando comprender cómo pudo ocurrir. El rabino tenía el manuscrito de Abulafia. Conocía cómo se deletreaba correctamente. No pudo ser un error.

—Pero el rabino no lo copió —explicó Brink, sacando las páginas finales de la carta de LaMoriette y mostrándoselas a Rachel. *Había hecho lo que me habían pedido, copiando el hebreo exactamente del manuscrito—*. El hebreo le debió resultar confuso y...

—Por supuesto —reconoció Rachel—. El original de Abulafia estaba compuesto en bustrofedón, una práctica de escribir el texto invertido o como si estuviera en un espejo, muy común en el mundo antiguo. El rabino Josefez habría sabido cómo escribirlo y leerlo correctamente. Pero LaMoriette, no. Lo copió tal como aparecía en la página, generando el error.

—Uno que dejó claramente una huella, porque utilizó semejante artificio mucho después —explicó Brink.

—¿Dónde? —preguntó, revisando la carta.

—Usted ha leído la primera página de la carta de LaMoriette a su hijo. ¿Se dio cuenta del palíndromo?

Rachel negó con la cabeza.

—¿Palíndromo?

—Una secuencia de letras o números que es idéntica en ambas direcciones, escrita de tal manera que se pueda leer exactamente igual del derecho y del revés.

—Sé lo que es un palíndromo —replicó, haciendo girar los ojos—. Pero no recuerdo haber visto ninguno en la carta de LaMoriette. ¿Dónde estaba?

Brink tomó su libreta y apuntó la frase en latín de la primera página de la carta de LaMoriette. Puso en mayúscula la última letra, para destacar el efecto: *In girum imus nocte et consumimur ignI.*

Rachel leyó la frase latina en voz alta, traduciéndola al mismo tiempo.

—«En círculos nos movemos por la noche y nos consume el fuego».

—Es un acertijo —dijo Brink, sintiendo una punzada de placer por la elegancia de la construcción, tanto por el significado de la frase como por la perfección del palíndromo.

—¿Qué da vueltas a una llama en la oscuridad hasta que se quema? —preguntó Rachel.

—Una polilla —respondió Brink.

—Sí —asintió Rachel—. Pero también Ícaro, que voló tan cerca del Sol que se le quemaron las alas y cayó al suelo. Y Prometeo, que fue castigado por robar el fuego a los dioses. El rabino Josefez también se acercó demasiado a HaShem y murió.

—Y el propio LaMoriette —añadió Brink—. Su carta es, en esencia, una larga nota de suicidio.

—La carta era una nota de suicidio, sí, pero, sobre todo, LaMoriette quería advertir a su hijo sobre la seducción de dicho poder. Cuando escribió: «En círculos nos movemos por la noche y nos consume el fuego», describió el poder increíble de la pronunciación del nombre verdadero de Dios.

—También explica la urgencia de su carta —señaló Brink—. LaMoriette sentía que estaba en peligro. Es posible que esa fuera la razón de que LaMoriette se suicidara. El hombre estaba aterrorizado.

—El círculo de Abulafia estaba diseñado para crear ese terror —explicó Rachel—. La experiencia de dicho miedo y sobrecogimiento de Dios, el terror verdadero que se siente en la comunicación a través de la plegaria, un estado de comunión con lo divino, es el objetivo de todo ello. El círculo es la puerta, pero el estado mental, el trance que provocan las palabras, es la llave de esa puerta.

—¿Está diciendo que el estado mental provocó lo que le ocurrió al rabino y a su hijo?

—Se trata de una parte de ello —respondió—. Pero las palabras y los números reales en el círculo son otro elemento, igual de importante. Cuando se alteró la palabra *haim*, el resultado cambió. Eso explica lo que les ocurrió al rabino y a su hijo, y también los acontecimientos terribles en Sedge House. Aunque los cambios que ha descubierto en la copia del círculo de Abulafia puedan parecer menores, tienen el poder de provocar consecuencias terribles. Y cuando el rabino Josefez utilizó este círculo, el resultado fue totalmente catastrófico.

Brink recordó la horrible descripción de Jakob en la carta de LaMoriette y las fotos que había visto de Frankie Sedge y Noah Cooke, y supo que Rachel tenía razón. También supo que unas pocas alteraciones menores en un código podían provocar el caos en sistemas complejos. A veces el error más pequeño podía ser el más dañino. Los defectos más serios surgen a partir de mutaciones minúsculas en un solo gen. Un error ínfimo en un código informático podía bloquear todo el sistema. Brink comprendía cómo dichos errores podían alterar un sistema: el Dr. Gupta los habría llamado «gusanos» o «virus».

—De acuerdo, pero ¿qué sistema alteró aquí?

—El sistema definitivo —respondió Rachel—. El sistema de la vida. Como el Dr. Frankenstein canalizando la electricidad en su criatura, usaron los círculos de plegaria de Abulafia como un camino directo de la energía desde Dios, para insuflar vida en un golem. Y, desde todos los puntos de vista, tuvieron éxito. Realizaron correctamente el ritual. Pero el resultado no fue el que esperaban.

Ella llamó la atención de Brink de vuelta al Árbol de la Vida desplegado sobre la mesa.

—Antes empecé a explicar las Sefirot y la posición de los diez círculos en el Árbol de la Vida, pero hay otro aspecto de todo esto que no planteé. Sencillamente es demasiado esotérico para la mayoría de las personas. Pero usted no es la mayoría de la gente. Creo que lo comprenderá.

Señaló el círculo superior, Keter, y dibujó una línea a través de cada círculo, deteniéndose en el círculo final, Malkhut.

—En la Cábala, cada uno de estos círculos es una esfera con un aspecto y una función únicos en la creación del mundo. Básicamente, son como estaciones eléctricas que conectan lo divino y las cosas materiales con cables vivos tendidos entre ellos. Los círculos, o estaciones, son donde se recoge, transforma y se distribuye la energía. Como tales, estas esferas están guardadas por asistentes igualmente poderosos: las inteligencias divinas, conocidas más comúnmente como ángeles.

Brink se sintió inmediatamente escéptico.

—¿Ángeles?

—Escúcheme hasta el final —le pidió—. Como he mencionado antes, la base de la creación en la Cábala es la unión de los opuestos: positivo y negativo, masculino y femenino. Por eso, en la Cábala, existe una fuerza inversa en el universo llamada Klipot. Se trata de la fuerza de la oscuridad o mal, lo opuesto al Árbol de la Vida. Con frecuencia se caracteriza al Klipot como el ser producto de cascarones rotos, o recipientes vacíos que se han roto. La historia dice que cuando Dios intentó crear el universo por primera vez, Su emanación fue tan poderosa que rompió los recipientes que la debían contener. Lo intentó de nuevo y creó el mundo que conocemos. Pero el universo roto anterior no desapareció. Permanece, en oposición al universo que habitamos.

Brink recordó las palabras de Anne-Marie sobre agrietarse: la presión extrema que provoca una explosión. Eso tenía como resultado un patrón imperfecto.

—Esta dualidad se plasma en el Árbol del Bien y del Mal. Si recuerda, ese fue el árbol prohibido que tentó a Adán y a Eva. Cuando comieron el fruto de este, aprendiendo la dualidad, o la existencia del bien y del mal, fueron expulsados de la inocencia, o del Paraíso, hacia el reino del conocimiento. Las esferas del Árbol de la Vida están protegidas por ángeles; las esferas del Klipot están protegidas por demonios. En el Árbol de la Vida, el décimo círculo, Malkhut, el círculo que el rabino usó en la creación del golem, está protegido por el ángel Sandalfón; en el Klipot, el décimo círculo es donde vive el demonio Lilith.

—Espere —dijo Brink. Las palabras de Rachel habían despertado algo en su memoria. Vio las palabras *Lilith vive* aparecer en su mente—. Algo de lo que acaba de decir… —Tomó la carta de LaMoriette y le mostró a Rachel las palabras que Jess había escrito al pie: *rito de maldad infernal*—. Jess Price escribió esto después de la muerte de Noah Cooke.

Rachel estudió las palabras, claramente confundida.

—¿Qué demonios?

—He estado intentando comprender qué había querido decir Jess. Solo tuvo unos pocos minutos para comunicar algo antes de esconder todo esto y, aunque podría haber escrito cualquier cosa, eligió esas cuatro palabras. *Rito de maldad infernal*. Al principio pensé que esas palabras estaban destinadas a describir lo que había ocurrido aquella noche. Pero Jess ama el lenguaje, en especial los juegos de palabras y los puzles. Nunca escribiría algo tan simple. Pero cuando ha dicho *Lilith vive*, algo ha hecho clic. Se trata de un anagrama.

Brink vio instantáneamente el orden de las letras en su mente, pero para mostrárselo a Rachel, tomó el cuaderno y anotó las palabras *rito de maldad infernal*. Después intercambió las letras hasta que deletreó la frase *Lilith vive aquí*.[10]

—Lilith vive aquí —dijo Brink, mirando a Raquel a los ojos—. Jess Price identificó a Lilith como la presencia en Sedge House la noche en que murió Noah Cooke.

Rachel se quedó mirando las palabras sobre el papel; después miró a Brink, sus ojos llenos de estupor.

—Si eso es cierto —dijo—, Jess está en un peligro terrible.

---

10. Juego de palabras en inglés entre *Lilith lives here* [Lilith vive aquí] y *hellish evil rite* [rito de maldad infernal]. *(N. del T.)*

54

Peligro terrible. Esa frase se hacía eco de lo que Jess le había estado diciendo desde el mismo instante en que la conoció. Desde su primer encuentro le había advertido de que los vigilaban, que alguien había asesinado al Dr. Raythe, que alguien iría detrás de él. La amenaza era real, pero él no había comprendido el origen. Había asumido que era Sedge, pero ahora no estaba seguro.

—¿De qué tipo de peligro estamos hablando?

—Por la descripción de LaMoriette de cómo usó el rabino el círculo de Abulafia —respondió Rachel— y por lo que ha descubierto sobre la copia invertida que utilizaron Jess Price y Noah Cooke en Sedge House, y ahora con este anagrama que anotó Jess, parece que el círculo se convirtió en un portal para el demonio Lilith.

Brink no estaba seguro de cómo responder a esa afirmación. Rachel era una persona razonable, una estudiosa brillante y respetada. Pero, aun así, lo que estaba diciendo parecía totalmente imposible. Traspasaba los límites de su comprensión y, más aún, iba contra todo aquello en lo que creía. Veía el mundo como un puzle grande, interconectado y maravilloso, que se podía resolver con lógica y habilidad. No creía en nada que transgrediese las fronteras de esos límites. Su mundo estaba formado por elementos concretos, hechos duros, datos sólidos que su mente pudiera analizar. Y la explicación de Rachel para todo esto era… ¿qué? Un concepto abstracto que no se podía ver ni tocar, solo creer por un acto de pura fe.

Viendo su consternación, Rachel lo devolvió al manuscrito de Abulafia.

—Mire aquí —indicó, señalando de nuevo el décimo círculo de Abulafia.

»Abulafia creó este Shem HaMephorash para la décima posición de las Sefirot, Malkhut, que está gobernada por Sandalfón, el arcángel que recoge y entrega las plegarias humanas a Dios. El rabino usó este círculo en su ritual para llamar a Sandalfón.

—¿Llamar? —preguntó Brink. Podía oír el desafío en su voz—. ¿Quiere decir como teletransportar a Sandalfón a la Tierra?

—No es como en *Star Trek* —explicó ella, lanzándole una mirada indulgente—. Pero, sí, me parece que intentaban comunicarse con un ser que no era estrictamente de esta dimensión. Le ahorraré la teología, pero los poderes de las inteligencias de lo divino como mensajeros representan un sistema elaborado de la creación, una especie de lenguaje o código. El rabino utilizó este círculo y funcionó. Pero como estaba invertido, no abrió un portal para Sandalfón, como pretendía. En su lugar, convocó a Lilith, su némesis.

Brink miró el círculo, intentando asumir lo que había dicho Rachel.

—Pero ¿cómo lo puede demostrar?

—Las pruebas son circunstanciales, obviamente —respondió—. Les ocurrió al rabino y a su hijo, y después a Noah Cooke. No seguí el caso con atención, pero de lo que recuerdo, Jess Price quedó conmocionada, ¿no es cierto?

—Está algo más que conmocionada —contestó Brink—. Su vida ha quedado totalmente destruida.

—Esa es la especialidad de Lilith: ocupar y destruir.

—¿Me está diciendo que Jess ha sido poseída por esa mujer...?

—Demonio.

—¿ ... por ese demonio desde la muerte de Noah Cooke?

—Si pudiera acercarme a Jess Price, lo podría decir con mayor certeza. Pero por lo que me ha explicado, y por lo que acabo de ver en estos círculos, estoy segura de que Lilith es responsable de lo que le ha ocurrido.

Brink se sintió mareado. Retiró una silla y se sentó. De golpe le cayó encima el peso de todo lo que le había dicho Rachel. Era apabullante. Su conexión con Jess, la naturaleza confusa del Puzle de Dios, el peligro de Jameson Sedge... todo ello presionaba sobre él. Estaba implicado en algo tan complejo, tan peligroso, que lo dejaba totalmente trastocado. Sentía un ansia profunda de salir por la puerta, tomar el metro y regresar a la seguridad y la rutina de su vida real. El estrés le afectaba con mayor intensidad que a la mayoría de la gente. No podía soportar la adrenalina, la tensión, la falta de comidas regulares. Necesitaba su carrera por la tarde, su meditación diaria, su paseo con Connie al final del día para seguir equilibrado. Quería volver a ser el hombre que era antes de Jess Price.

—Sé que esto es perturbador, por decirlo de manera suave. —Rachel retiró una silla y se unió a él. Parecía tan inquieta como Brink—. Nunca imaginé ni en mis sueños más salvajes que podría estar hablando de esto de cualquier manera que no fuera totalmente teórica. Aunque he estudiado las jerarquías de la demonología durante toda mi carrera y puedo describir en detalle los atributos angélicos y demoníacos, no estoy demasiado segura de cómo afrontar esto desde la perspectiva de la Cábala práctica. —Apoyó la cabeza en las manos y él supo que estaba luchando con esto tanto como él.

Su vulnerabilidad le permitió sentir la fuerza de su deseo de comprender lo que le había ocurrido a Jess. Estaba tan cerca de revelar su misterio. Ahora no se podía rendir.

—Explíqueme lo que sabe de Lilith.

—Dicho de manera sencilla, Lilith es uno de los espíritus femeninos más poderosos en la tradición judeocristiana. Los ocultistas saludan a Lilith como la Reina de los Demonios, pero no empezó de esa manera. En los textos hebreos, Lilith fue la primera mujer, la esposa original de Adán, mucho antes de que apareciera Eva. Fue creada con Adán, no de su costilla como Eva, sino de la misma arcilla. Lilith era hermosa, excepcionalmente fuerte, brillante e innovadora. Por eso exigió que se la tratase como la igual de Adán. Los textos antiguos informan que no se quería someter a su esposo y esto se ha interpretado como que significaba que no quería tenderse de espaldas durante la cópula. En su lugar, insistía en que él se sometiera a ella. Adán se quejó al Creador, que sustituyó a Lilith por Eva.

»Lilith fue exiliada, pero encontró a un compañero a su altura en un ángel poderoso llamado Samael, o Ángel de la Muerte, como se le conoce a veces. El estudioso Gershom Scholem ha demostrado que Satán es el nombre popular de Samael, lo que convierte a Lilith en la Novia de Satán, supongo. El rabino Luria describió a Samael y a Lilith como una pareja de poder demoníaco, con Samael gobernando a los demonios masculinos y Lilith a los femeninos. Sin importar cómo se llamen, gobiernan juntos el Klipot, controlando las sombras, las inteligencias oscuras, los demonios y todo lo malvado en la Tierra. La reputación de Lilith como la Madre del Mal no ha hecho más que crecer a lo largo de los siglos. Está asociada con la brujería y es conocida por robar niños por las noches. Pero por encima de todo, es sexualmente voraz, una súcubo, un demonio provocativo que visita a los hombres por la noche, los seduce y utiliza su semen para crear más demonios.

Brink dio un respingo ante la mención de las visitas nocturnas de Lilith. Estaba perturbadoramente cerca de los sueños que había experimentado desde que conoció a Jess Price. Sabía que le debía hablar a Rachel de sus sueños, pero no pudo.

—¿Y usted cree en todo eso?

—Lo creo —respondió—. Pero también soy una estudiosa. No creo ciegamente. Mi fe se basa en la documentación histórica y en la interpretación. Si retira las capas de lo que se sabe sobre Lilith, desde la primera mención en los Manuscritos del

Mar Muerto hasta el Zohar, está claro que es un ejemplo primario de la lucha de la humanidad con las mujeres poderosas. Cuando una mujer exige igualdad, es rechazada, exiliada y denigrada. Todas las mujeres poderosas de la historia, desde Cleopatra a Juana de Arco o Isabel I, han experimentado las mismas contradicciones a las que se enfrentó Lilith: solo puede ser poderosa si no muestra su fuerza. Incluso ahora, las mujeres viven en un mundo lleno de estas hipocresías. A una parte de mí le gusta imaginar la igualdad que representa Lilith. En su momento todos fuimos iguales, antes de la caída. Pero, en realidad, Lilith es extremadamente peligrosa.

Brink lo asumió todo. No comprendía a Lilith de la misma manera que Rachel, y no tenía su fe para apoyarse en ella, pero podía ver que la interpretación de Rachel ofrecía una explicación consistente de lo que le había ocurrido a Jess Price.

—Sea lo que fuere lo que esté pasando —dijo—, algo sé con seguridad: Jess necesita ayuda.

Rachel le lanzó una mirada larga y analítica.

—Realmente le importa lo que le ocurra, ¿no es así?

—La conozco desde hace muy poco, pero me siento conectado con ella. Es bastante raro que me sienta así. —Sus sentimientos eran mucho más profundos que eso, pero casi no sabía cómo explicárselo a sí mismo y mucho menos a Rachel. Los sueños alucinatorios, la atracción intensa, la sensación de urgencia... todo lo apabullaba—. Quiero ayudarle. Necesito ayudarle.

—Entonces es posible que haya algo que podamos hacer —reflexionó—. Pero correremos un riesgo increíble.

Brink sintió un rayo de optimismo, pequeño pero definitivo.

—¿Qué tipo de riesgo?

Ella se puso en pie y contempló los círculos colocados sobre la mesa.

—No puedo prometer nada, pero hay una posibilidad de que, si lo hacemos perfectamente, podamos usar el círculo original de Abulafia para contener a Lilith.

—¿Contener? —Brink intentó imaginar cómo sería posible; parecía como atrapar a un genio en una lámpara—. ¿Qué, cree que está aquí afuera, flotando en alguna parte?

—Cuando Noah Cooke y Jess Price pronunciaron las palabras de este círculo, abrieron un portal que liberó a Lilith en el mundo. Dieron vida a Lilith en esta dimensión. *Haim.* Esa conexión es extremadamente fuerte, como la conexión entre madre e hijo.

—Más como el monstruo de Frankenstein con su creador —puntualizó Brink.

—Exactamente eso. Como en el caso del rabino y su hijo, Lilith se unió en primer lugar a Noah. Cuando expiró, se trasladó dentro de Jess Price. Y mientras Jess viva, Lilith seguirá con ella, en nuestra dimensión.

—Quizá por eso se suicidó LaMoriette —comentó Brink, recordando la primera página de la carta. *He sufrido, pero se trata del sufrimiento de un hombre que ha creado su propia cámara de tortura*—. No podía vivir con dicha conexión.

—Es terrible, eso es seguro —reconoció Rachel—. Mi suposición es que Lilith usa el cuerpo de Jess, toma lo que necesita y después la abandona. Jess es una fuente de energía. Lilith se alimenta de ella como un parásito.

Él pensó en Jess Price, en el aspecto anémico de su piel, como se había deteriorado su salud mental y física.

—Si ese es el caso, Jess no mató a Noah —dedujo Brink—. Lo hizo ese demonio.

Recordaba el informe de la autopsia, la descripción de los traumatismos en los órganos de Noah Cooke, la hemorragia interna, las marcas extrañas en la piel. LaMoriette tenía marcas similares. Al igual que Jess. Anne-Marie había descrito las marcas como agrietamientos, la prueba externa de una presión interna extrema. A pesar de sus dudas, todo parecía extrañamente coherente. Tenías miles de preguntas más que plantear, pero una salva de golpes empezó a sonar en la puerta, seguida de la voz de Jameson. Se había acabado el tiempo. Jameson quería la maleta.

—Debemos tomar una decisión —planteó Rachel, mirando hacia la puerta.

—Dígame lo que tenemos que hacer —pidió él, poniéndose en pie y tomando su bandolera—. Estoy dispuesto a intentar cualquier cosa.

—Tenemos que ver a Jess para que esto funcione, lo que significa ir a la prisión.

—Mi acceso a Jess fue cancelado. Si aparezco en la prisión los guardias me detendrán por orden del gobernador de Nueva York.

—¿Hay otra manera? —preguntó Rachel, su voz llena de urgencia.

—Mi único contacto en la prisión se encuentra actualmente en el hospital.

—Pero necesitamos a Jess Price —insistió—. No hay otro modo de hacerlo.

Recordaba los gruesos muros de ladrillo, los rollos de alambre de espino, las millas interminables de bosques perennes que rodeaban la prisión. Recordaba que Thessaly le había dicho que iban a trasladar a Jess.

—No va a ser fácil —anunció.

—Nada de esto va a ser fácil —subrayó ella—. Incluso si conseguimos ver a Jess, yo soy experta en historia del misticismo judío. Esto es Cábala práctica. Nunca he hecho nada que se le parezca. Tendré que ser extremadamente cuidadosa. Estos rituales, como sabe muy bien, pueden tener repercusiones terribles. Hay muchas posibilidades de que fracasemos, o algo peor. ¿Está preparado para esa posibilidad?

Brink pensó en Jess, y recordó la palabra que había anotado durante su primer encuentro: *Confianza*. Ella confiaba en que él la ayudase. Ahora no podía desentenderse.

—Totalmente —respondió—. Vamos.

Con Jameson aporreando la puerta, Rachel empaquetó la maleta y puso dentro la muñeca de porcelana y las páginas del manuscrito de Abulafia.

—Rápido, sígame —ordenó Rachel, mientras abría una ventana y salía a la escalera de incendios. Con las amenazas de Jameson resonando en sus oídos, Brink salió por la ventana y fue tras Rachel Appel, hacia la brillante luz del sol matinal.

55

A media manzana, Rachel Appel entró en un garaje y saludó con la cabeza al responsable del aparcamiento; al cabo de unos minutos reapareció con un Jeep Wrangler blanco. Brink subió al asiento del pasajero y colocó la maleta con mucho cuidado en la parte trasera, depositándola con delicadeza detrás del asiento de Rachel, consciente de la fragilidad del contenido. No habían pasado ni cinco minutos desde que habían bajado de la sala de estar y ya se había detenido un coche de policía delante del centro, con las luces parpadeantes. Brink vislumbró a Cullen hablando con los agentes, evidentemente frenético. Se habían llevado uno de los manuscritos más preciados de la Morgan Library y harían responsable a Cullen Withers. Mucho más preocupante era que el SUV de Jameson no se veía en toda la calle. Como no era el tipo de persona que esperase a la policía, Jameson ya habían tomado el asunto en sus manos.

Brink se ajustó el cinturón de seguridad y contempló con miedo y asombro cómo Rachel corría a través del tráfico urbano con velocidad y precisión, moviéndose como si fuera una carrera de obstáculos. Giró hacia una calle de dirección única, tomó un atajo a través de un aparcamiento y después, en un movimiento que le hizo lanzar un silbido de admiración, giró hacia una rampa que los depositó en la Henry Hudson Parkway.

—Ahora sabemos —comentó Rachel, con una sonrisita de placer cuando se incorporó al tráfico— que no nos están siguiendo.

Eran poco más de las 10:00 de la mañana según el reloj digital del salpicadero, pero aun así el sol brillaba más reluciente, más cálido, con mucha más intensidad que en los días anteriores, como si algo en la ciudad —las interminables torres de vidrio y las profundidades de hormigón— magnificara su poder. Él contempló el río que bordeaba la autovía. Rielaba y fluía bajo la luz del sol, reluciente como una tira de metal refinado. Aunque el tráfico de entrada a la ciudad era denso, en su dirección circulaba con rapidez. Cuando cruzaron el Puente George Washington y desembocaron en la Palisades Parkway, él se empezó a relajar.

Pero justo cuando Brink bajó la guardia, Rachel jadeó. Él se giró para descubrir a Cam Putney inclinándose hacia delante desde el asiento trasero, con la maleta en una mano y un arma en la otra. Apretaba una pistola contra la sien de Rachel.

—Detente —ordenó con una voz suave, como si los estuviera invitando a sentarse a tomar café. Brink lo miró a los ojos y el tipo guiñó, un gesto enloquecidamente juguetón, casi un desafío. *Si lo quieres, ven aquí y tómalo.* Brink miró a Rachel y vio que estaba aterrorizada. No tenían más alternativa que hacer lo que quería Putney.

Rachel detuvo el Jeep en el arcén de la carretera y Cam salió con la maleta en la mano. Ella no esperó a ver lo que iba a hacer a continuación, sino que aceleró incluso antes de que Cam hubiera cerrado la puerta. Brink se estiró hacia el asiento trasero y cerró de golpe la puerta, justo en el momento en que se detenía el SUV de Sedge para recoger a Cam.

Brink tenía el corazón desbocado. Respiró hondo, intentando analizar lo que había ocurrido. ¿Cómo no habían visto a Cam escondido en la parte trasera? ¿Cómo habían estado tan cerca de escapar con la maleta, solo para perderla?

Rachel respiró hondo.

—Ya he tenido suficiente —anunció—. Podemos dar la vuelta y volver a la ciudad. —Su voz era tensa y, aunque no parecía ni la mitad de nerviosa de como se sentía Brink, tenía los nudillos blancos mientras se aferraba al volante.

—Pero ahora no podemos dar la vuelta —replicó. Era como rendirse en medio de un laberinto de setos. Si se daban la vuelta se perderían.

—Sin el manuscrito, no podemos reproducir la vocalización —explicó—. No tiene sentido.

—Espere un segundo —pidió Brink, sacando el cuaderno y el bolígrafo de la chaqueta. Números y letras llenaron su mente a medida que el círculo cobraba forma. Abrió el cuaderno y reprodujo el círculo exactamente como lo había visto en el manuscrito de Abulafia—. No podemos reproducir el recipiente —reconoció—. Pero lo podemos usar con Jess.

Rachel examinó el círculo, moviendo la cabeza con admiración.

—Se trata de un dibujo complicado. Hay cientos, quizá miles de permutaciones posibles. ¿Está seguro de que este es el correcto?

—Al cien por cien —respondió. Sacó el móvil, tomó una foto del círculo y se lo envió a Vivek Gupta a través de un mensaje encriptado. Quería ver la versión completa y le daría la oportunidad de que conociera la localización actual de Brink. Normalmente odiaba la idea de que lo vigilasen, pero Brink se sentía más seguro sabiendo que su mentor lo podía seguir.

—Sé que probablemente lo hace todo el tiempo, pero esto es… *ufff*.

—Sí, lo hago a menudo —reconoció, sonriendo—. Pero sigue siendo agradable que me lo digan. Y lo será aún más cuando lo resolvamos.

—Entonces vamos allá. —Rachel trasteó con su teléfono antes de entregárselo—. Podemos estar en la prisión dentro de cinco horas si no encontramos tráfico.

Mientras Rachel conducía, Brink miró por la ventanilla, contemplando el río más allá de las empalizadas.

—¿Quién es su contacto en la prisión? —preguntó Rachel—. ¿El que está en el hospital?

—La Dra. Thessaly Moses —respondió Brink. Le explicó lo que sabía del ataque contra Thessaly: que había ocurrido la noche antes en su casa y que estaba hospitalizada.

—Está claro que es con ella con quien tenemos que hablar —dijo—. No solo sabrá cómo podemos ver a Jess, sino que es posible que nos pueda decir algo sobre el ataque.

Él no sabía cuál era la situación de Thessaly, o si podía recibir visitas, pero se dio cuenta de que no había ninguna opción mejor. Buscó la dirección del hospital, la introdujo en el GPS y devolvió el teléfono a Rachel, que lo colocó en el salpicadero.

Mientras Rachel conducía, Brink se quedó sentado en silencio, obligado a la inactividad. Había un cable de iPhone, así que conectó su móvil, contento de tener la oportunidad de cargarlo. Tenía que relajarse, pero no sabía cómo. Tamborileó con los dedos contra el asiento, un ritmo pulsante que le atravesó. Se sentía como una bola del millón empujada a través de una serie de volteretas salvajes y giros inesperados, los parachoques lanzándolo hacia un lado, las luces parpadeantes tirándolo hacia otro. Pero ahora, en la paz del coche de Rachel, se dio un momento para dejar que todo se asentara.

Contemplando el panorama general, comprendió que estaba en juego un patrón mucho más grande. Las piezas fragmentadas se iban uniendo: había descubierto el error en la copia del círculo, el error en el programa que había provocado tantos problemas. Y tenía un plan para corregirlo. Pero, como sabe todo experto en puzles, tener las piezas no sirve de mucho si no dominas la lógica del conjunto. Y Rachel, con sus conocimientos profundos de la historia detrás de los círculos, podía proporcionarla.

Mirando a Rachel, analizó su perfil: su cabello largo y oscuro, y su porte regio. Su fe absoluta lo fascinaba.

—Siento curiosidad —dijo él— por lo que la llevó a su trabajo. ¿Siempre ha tenido una fe tan fuerte?

—En realidad, no —respondió, ofreciéndole una sonrisa—. Durante mucho tiempo, no sabía en qué creía. Era espiritual, pero vivía muy lejos de las tradiciones de mi fe. Entonces conocí a alguien que cambió mi vida. Isaac estaba de visita en Nueva York procedente de Israel y nos presentó un amigo común. Era un estudioso serio, con ideas progresistas sobre la fe, y estaba estudiando para convertirse en rabino. Me pidió que nos viéramos para tomar un café y mientras hablábamos me di cuenta de que no era como nadie que hubiera conocido antes. Cuando le dije que no estaba segura de la existencia de Dios, me preguntó si creía en la ciencia. Por supuesto que dije que sí y empecé a hablar del *big bang*, de física y de otras cosas. Dijo que su concepto de Dios era idéntico al concepto de realidad científica que yo había descrito. Dios, me dijo, era luz. No metafóricamente. No de manera abstracta. Sino que literalmente todos los atributos que asociamos con los fotones de la luz, una presencia ubicua que se mueve libremente a través del espacio y del tiempo, una energía con capacidades creativas para generar vida a nivel molecular, son las cualidades del poder creativo que conocemos como Dios. Sus ideas eran mucho más complicadas que eso, obviamente, pero la base de su fe resonó en mí. Dios era luz. El mundo material era lo divino. Esa es la base de la Cábala y de todo aquello en lo que creo. Supongo que se podría decir que Isaac me convirtió.

—Suena como si fueran espíritus hermanos —comentó.

—Sí, lo éramos —reconoció, bajando la voz.

—¿Éramos?

—Mi esposo murió de cáncer de pulmón hace tres años —respondió—. Tenía treinta y cinco años.

—Lo siento —se disculpó Brink—. No tenía ni idea.

—No había manera de que lo supiera —lo tranquilizó—. Se me rompió el corazón cuando se puso enfermo y con frecuencia estaba enfadada, pero mi esposo no se amargó. Aceptó su muerte con la misma sensación de propósito con la que vivió su vida. Creía que nuestra misión aquí consiste en aprender a ver, a ver realmente, la belleza de la creación, y en comprender que el propósito central de la existencia no son los logros o la comodidad o ni siquiera las relaciones humanas, sino abrirnos camino de regreso a la fuente de todo: ese punto de luz infinito que es Dios. Me enseñó que siempre debemos luchar por lo que creemos. Y eso —prosiguió, mirándolo— es la razón de que le quiera ayudar. Usted está luchando para ayudar a esa mujer, a pesar del peligro. Ha adoptado una postura firme y está dispuesto a defenderla.

Lo que estaba diciendo Rachel era cierto, pero los motivos de Brink no eran tan simples. Sí, quería ayudar a Jess, pero lo había atrapado algo más, una necesidad profunda que lo llenaba con un estimulante químico, tan adictivo que no podía huir de él. Cuando cerraba los ojos, el paisaje de su mente quedaba arrinconado por el círculo de Abulafia. El torbellino de letras y la configuración de símbolos lo había atrapado, dejándolo impotente para resistirse. Su necesidad de resolver el puzle era algo primario y nada lo podría detener.

56

El único hospital de Ray Brooke, como su única cárcel, se encontraba a las afueras del pueblo, rodeado por una extensión de bosque. Después de la emboscada por parte de Cam Putney, el resto del viaje había sido casi pacífico. Brink analizó todas las permutaciones posibles de lo que le podía haber ocurrido a Thessaly Moses. El artículo que le había enviado Vivek Gupta era vago y no tenía mucho más de lo que tirar. No conocía la gravedad de sus heridas, dónde estaba Jess Price en ese momento, o si la policía había detenido al atacante. Ni siquiera conocía la extensión de sus heridas y la ausencia de detalles hizo que se imaginara lo peor.

Llegaron a media tarde. En el aparcamiento del hospital, Brink intentó llamar a Thessaly. No descolgó, pero al cabo de diez segundos apareció un mensaje de texto desde su número. *No puedo hablar. ¿Dónde está?*

Le explicó que estaban en el hospital y que tenían que verla. Ella escribió: *La policía ha estado aquí esta mañana, lo que pone nerviosa a la gente. Solo se permite la familia más cercana. Si pregunta alguien, diga que es mi hermano. Estoy en la habitación 207.*

Brink respondió: *Okey, hermana, aunque probablemente no se lo crean, considerando que soy blanco.*

A lo que Thessaly respondió con el emoji del pulgar de piel oscura hacia arriba: *Entonces, hermanastro.*

En la segunda planta los detuvo de inmediato una enfermera, que les preguntó. Cuando Brink le dijo que estaban buscando la habitación 207, la enfermera los miró con atención, pero después señaló a lo largo del pasillo. Brink caminó con rapidez, pasando al lado de una silla de ruedas, un gotero intravenoso abandonado y una bandeja de la comida delante de una puerta: puré de patatas, brócoli y algo que parecía lasaña. Le recorrió un escalofrío. El olor del hospital siempre le recordaba la época en que su padre había estado enfermo. Ahora, casi trece años después, mediante la confluencia del pitido de los monitores cardíacos y el hedor a mala comida, sintió que la experiencia regresaba y titilaba delante de él, pero volvió a desaparecer, el espejismo de una época invocada por sus sentidos.

Ante la habitación 207, Rachel le hizo un gesto con la cabeza a Brink para que entrase sin ella. Él dudó —Rachel Appel formaba ahora parte de esto y Thessaly debía saberlo—, pero se imaginó que habría un momento más oportuno para las presentaciones. Thessaly estaba sentada en la cama. Una venda le cubría el lado izquierdo de la cara. Él entró en la habitación, pero ella no lo vio hasta que no se colocó casi directamente delante de la cama.

—Señor Brink —lo saludó con una sonrisa ladeada bajo el vendaje.

—¿Qué demonios le ha pasado, Dra. Moses? —preguntó, manteniendo la voz baja, como si el volumen pudiera empeorar sus heridas.

—Veintidós puntos —respondió, dibujando una línea sobre la mejilla—. He tenido suerte de no perder el ojo.

El verdadero horror de lo que había pasado empezó a calar en él. La habían atacado brutalmente. El dolor debía ser intenso y seguramente conservaría una cicatriz que le atravesaba la cara. Le volvió a caer encima el peso de la responsabilidad. Él debería haber estado allí. Si no se hubiera ido de Ray Brook, no la habrían herido.

Acercó una silla y se sentó al lado de la cama, con la esperanza de que pudiera encontrar una manera de aliviar su incomodidad. Al hacerlo, vio *The New York Times* del fin de semana encima de una gran pila en la mesilla de noche. La revista dominical del *Times* estaba abierta por los puzles y uno de ellos —el Triangulum que le había causado tantos problemas el día que se vio implicado en todo esto— llenaba la página.

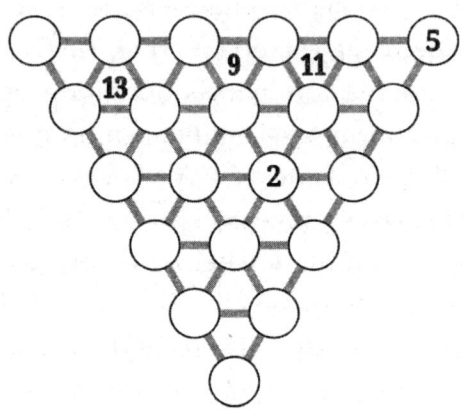

Era un puzle sólido y la elegancia de la construcción lo llenó de orgullo. Le gustaban los puzles de números: Str8ts, puzles 24, sudokus, figuras cruzadas. Su premisa era clara, sin espacio para ambigüedades. Te daban unos pocos números, tenías que introducir el resto, y todo tenía que sumar. Revisando el Triangulum, advirtió que era uno de los puzles más complejos que había construido. Thessaly solo había completado dos de las respuestas.

—Ese es divertido —comentó, haciendo un gesto con la cabeza hacia su puzle.

—Cierto —reconoció ella con voz inexpresiva—. He estado trabajando toda la mañana en eso, Brink. ¿No podría hacer algo un poco más accesible para la gente normal como yo?

—Yo no la llamaría exactamente «normal» —respondió—. Fue tremendamente sorprendente que consiguiera que Jess Price grabase ese mensaje para mí. Si no lo hubiera hecho, no habría podido llegar ni de lejos adonde estoy ahora.

Ella le dedicó una mirada larga y dura.

—¿Dónde es eso?

Él miró hacia el pasillo y después los monitores a su lado. Nunca había sido un paranoico, pero era muy consciente que podían seguir sus movimientos, grabar su voz.

—Se lo explicaré todo en cuanto pueda —respondió—. Pero primero, díganme quién le ha hecho esto.

Ella negó con la cabeza.

—No lo sé —reconoció—. Llegué a casa para enviarle el archivo de audio y estaba sentada a la mesa del comedor cuando ocurrió. Está claro que me debí enfrentar al intruso, porque me golpeó en la cara con mi portátil, pero no lo puedo recordar. Mi médico dice que las posibilidades están al cincuenta-cincuenta de que recupere la memoria.

Brink sintió un momento de empatía. Comprendía lo que se sentía al perder el control después de una lesión.

—Mientras tanto, el amigo que le mencioné, John Williams, el jefe de seguridad de la prisión, se ha embarcado en una misión para descubrir quién me lo ha hecho. Cree que tiene algo que ver con la intromisión que me expulsó del sistema.

—¿Cree que ha sido alguien de la prisión?

Thessaly se encogió de hombros.

—No lo sabe, pero es posible. Ha revisado en detalle todos los datos de seguridad, con la esperanza de encontrar algo raro: una persona sin autorización que entrase o saliese, una presa recientemente liberada que pudiera tener una cuenta que saldar, cualquier cosa. Hay mucho que revisar porque, como pudo ver en nuestra excursión al sótano, la instalación tiene algunos puntos débiles estructurales. Por el momento, John no ha encontrado nada.

—¿Ha investigado el paradero de Cam Putney?

La mención de Cam Putney la sorprendió.

—¿Cómo es que lo conoce?

—Está trabajando para Jameson Sedge.

Thessaly asumió la información.

—¿Quiere decir que Cam Putney está trabajando para el tipo en el Tesla del que me advirtió mi amigo?

—Exactamente —respondió Brink—. Está detrás de todo esto.

La expresión de Thessaly pasó por una serie de emociones: sorpresa, indignación, después rabia.

—John se pondrá totalmente furioso. Querrá saberlo todo. ¿Le importa si comparto esta información con él?

—A mí también me gustaría hablar con él —replicó—. Me gustaría preguntarle si me podría ayudar con una cosa.

—¿Qué tipo de cosa?

Él respiró hondo, sabiendo que su siguiente petición iba a caer como un jarro de agua fría.

—Tengo que ver de nuevo a Jess Price.

Thessaly se lo quedó mirando, como si estuviera intentando comprender lo que acababa de oír.

—¿Perdón?

—Me dijo que la iban a trasladar —comentó—. ¿Lo han hecho?

Ella negó con la cabeza.

—Después del ataque, John Williams retrasó el traslado.

—Tengo que hablar con ella —insistió Brink—. No importa dónde. La biblioteca. Su despacho. Cualquier sitio será bueno. Solo la tengo que ver.

—Sabe que eso no es posible.

—Me doy cuenta de que tiene muchas preguntas —prosiguió él—. Pero es importante. Su amigo estaría dispuesto a ayudarme si supiera lo crucial que es.

Thessaly alzó una ceja.

—Permítame ser clara. ¿Quiere que el jefe de seguridad de prisiones de una instalación penitenciaria del estado de Nueva York permita que un hombre que ha sido calificado como un riesgo de seguridad y cuyo acceso a la prisión ha sido rescindido pase tiempo con una presa?

Sabía que era una petición estrafalaria.

—Solo pido diez minutos.

—Se ha vuelto loco, Mike Brink.

Brink se calló. Había pensado lo mismo muchas veces, pero había algo satisfactorio en oír a alguien decirlo en voz alta.

—Escuche, hay mucho más en juego de lo que ninguno de nosotros es consciente. Jess Price tiene miedo de hablar sobre lo que le ocurrió porque la han estado vigilando. Cam Putney estaba vigilando a Jess e informando a Jameson Sedge. Pero es posible que Jess sepa más de todo esto de lo que le ha explicado a nadie. Se empezó a abrir conmigo. Si John Williams me permite entrar para verla, sé que me lo dirá todo. Incluido quién la atacó.

Thessaly lo consideró y justo en el momento en que Brink creyó que estaba a punto de pedirle que se fuera, levantó el móvil del regazo.

—Deme unos minutos —le dijo—. Veré lo que puedo hacer.

La paciencia no era una de las grandes cualidades de Mike Brink y esperar a saber si conseguía el acceso a Jess Price fue una tortura. Recorrió el pasillo delante de la habitación de Thessaly, compró unas tazas de café amargo para Rachel y para él en una máquina expendedora e intentó no volverse loco. Encontró otro ejemplar de la revista dominical del *Times* en la sala de espera y ayudó a Rachel a resolver el Triangulum.

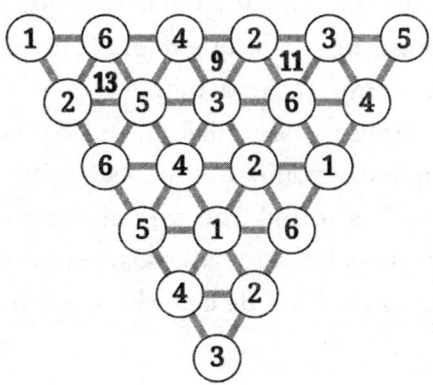

Había algo tranquilizador, algo elementalmente satisfactorio en completar el patrón de números. Se unían de una manera clara, lógica y definitiva. No había ambigüedad. Las respuestas eran las respuestas, sin ninguna duda. Sonrió cuando mostró a Rachel las letras que había plantado, la clave alfanumérica de su nombre en los números 13, 9, 11, 5, 2. *Mike B.*

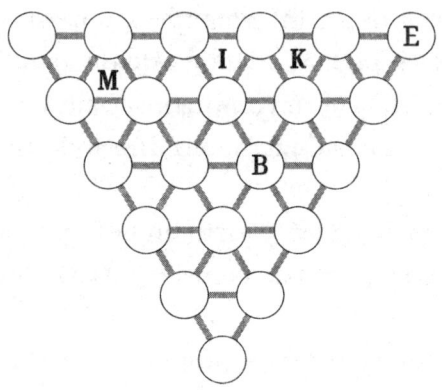

Finalmente, oyó la voz de Thessaly Moses al teléfono. Se acercó a la puerta, donde escuchó como informaba a John Williams del resumen de lo que él la había explicado. Decía que Brink tenía pruebas sólidas de que Cam estaba trabajando para Jameson Sedge y que había realizado una vigilancia en la prisión. Le explicó que Brink había desarrollado una relación con Jess, que se había ganado su confianza y que si alguien podía conseguir información de lo que había ocurrido realmente, era él. Quizá como último recurso, dijo:

—Escucha, quiero saber quién me atacó y no voy a volver al trabajo hasta que lo sepamos. —Con esto John se rindió.

—Lo hará —le informó Thessaly al ver a Brink en el pasillo—. Tiene que arreglar algunas cosas, pero me ha dicho que lo llamará con la información de cuándo podrá ir a la prisión.

57

Esperar en el hospital los hacía vulnerables, así que decidieron conducir por ahí hasta que llamase John Williams. Subieron al Jeep y penetraron en las Adirondacks, pasando curvas a través de bosques espesos, atravesando pueblos pequeños donde ondeaban banderas americanas y brillaban 4x4 nuevos alineados delante de bares de carretera. Desde lo alto de una carretera de montaña, Brink vislumbró la prisión, arropada en un trozo de terreno a una cota inferior. Se dio cuenta de que habían estado dando vueltas, girando como una polilla alrededor de una llama, atraídos por el misterio de Jess Price.

Thessaly había prometido que los llamaría John Williams, pero llevaban conduciendo desde hacía más de una hora sin recibir noticias. Finalmente, Rachel se detuvo en una gasolinera Mobil para repostar. Brink llenó el Jeep con sin plomo normal, después entró y compró unos bocadillos de atún, bolsas de patatas y botellas de agua. Aunque a él le habría ido bien comer en el Jeep, Rachel sugirió que siguieran unas señales hasta una zona de pícnic ubicada al pie de un camino de senderismo. Las mesas y una barbacoa sugerían que el lugar no estaba tan aislado como habían esperado: seguramente Jameson los estaría buscando. Pero Rachel recalcó que la zona de pícnic estaba situada en un ángulo que les permitía ver a millas de distancia.

—Nadie nos puede sorprender aquí —insistió Rachel, dejando los bocadillos sobre una mesa de madera.

Para entonces eran cerca de las seis y Brink estaba hambriento. El bocadillo no le iba a ser suficiente —debería haber sabido que necesitaba algo más sustancial que atún—, pero agradeció encontrarse sobre terreno sólido, haciendo algo tan simple como tener un pícnic en el frío y refrescante aire de la montaña.

Pero, aun así, a pesar de la tranquilidad del momento, Brink estaba tenso. Mientras desenvolvía el bocadillo y comía, no pudo dejar de tener la sensación de que el bosque se le echaba encima. No podía sacarse a Jess de la cabeza. Tenía que verla, necesitaba que John Williams llamase, tenía que mirarla a los ojos y verificar que todo lo que sentía era real. Miró su móvil. Había un mensaje de texto de Thessaly. Iban a trasladar a Jess desde Ray Brook a una prisión de seguridad media en Connecticut a la mañana siguiente. Aunque sabía que iba a ocurrir, era un golpe para el que no estaba preparado. Esta era su última oportunidad. Si no la veía esta noche, si no conseguía entrar ahora en la prisión con la ayuda de John Williams, probablemente no la volvería a ver nunca más.

Se acercó hasta el borde de la carretera, intentando disipar la energía nerviosa que le recorría. El sol se estaba empezando a poner y una luz de un púrpura grisáceo empezó a descender sobre el bosque, dándole un aspecto triste e inquietante. Esa belleza tan vasta lo debería haber calmado, pero la adrenalina era a la sinestesia lo que los estimulantes al cerebro normal: elevaba sus emociones, aumentaba las imágenes y generaba una oleada de colores y números. Miró hacia las curvas de la autovía y vio una marea de patrones geométricos sobre el pavimento negro y liso. Respiró hondo. Volvió a respirar. Los patrones no lo iban a distraer. Los podía controlar. Solo necesitaba un momento para recuperarse.

—Mike, siéntese un minuto —lo llamó Rachel, haciéndole un gesto para que se sentase a la mesa—. John Williams llamará. Solo debemos tener paciencia.

—Parece bastante segura —replicó, apartándose de la carretera y sentándose en el banco a su lado.

—Estoy segura —reconoció—. Lo hará por nosotros.

Él la miró, analizando su confianza. Era verdad. Estaba segura.

—¿Cómo puede confiar tanto en un tipo que no ha visto nunca?

—No lo sé, pero lo puedo sentir —respondió—. Estos momentos… cuando todo queda en suspenso, cuando algo está a punto de ocurrir… son los momentos en los que deposito mi confianza en mi fe.

—Si me pudiera prestar un poco de esa fe durante una hora poco más o menos, le estaría muy agradecido —replicó.

—Oh, creo que usted tiene su propia manera de creer —dijo, estudiándolo a su vez—. No quiero incomodarlo, por eso no lo he mencionado antes, pero el artículo de *Vanity Fair* realmente me conmovió. Solo puedo imaginar las dificultades por las que ha pasado. Lo que le ocurrió debió ser tan aterrador.

—Terrorífico —reconoció—. Me desperté siendo una persona diferente. —Como Rachel había sido tan sincera con él sobre su pérdida, se sintió capaz de hablar libremente con ella—. Después de la lesión, el tipo que creía que era había desaparecido por completo. El viejo Mike Brink había muerto y tenía que descubrir quién era esa persona nueva.

—¿Se ha preguntado dónde estaría ahora si no se hubiera lesionado aquella noche?

—¿Quiere decir si hubiera marcado el *touchdown* y ganado el campeonato y me hubiera convertido en un *quarterback* estrella? —preguntó—. No lo sé. Me resulta duro pensar en ello. Todo lo que quería me fue arrebatado en un segundo. Todo ese trabajo desapareció. Tenía talento, desde luego, pero trabajé duro para desarrollarlo. Años de prácticas y entrenamientos a las seis de la mañana, años de perderme fiestas, chicas, bebidas. Todo ello para ser bueno en una sola cosa. Y entonces, con un solo golpe, todo lo que quería simplemente había… desaparecido.

—Suena como si echase en falta a la persona que podría haber sido.

—Supongo que sí —reconoció, moviéndose incómodo en el banco duro—. Pero si no hubiera desaparecido, entonces no sería la persona que está aquí sentada. Nunca habría comprendido que existe toda esta parte de mí mismo. Supongo que le debo estar agradecido a la lesión, aunque ha hecho que todo fuera tan difícil.

—No resulta fácil estar agradecido por la lucha —recalcó—. A veces me doy cuenta de que estoy furiosa por haber perdido a Isaac. Me pregunto cómo alguien tan bueno como era él, tan dedicado a mejorar nuestro mundo, pudo morir tan joven. Pero la lucha tiene el poder de purificar las cosas. Nos hace ver quiénes somos realmente. Es lo mismo que ocurre con sus puzles, supongo.

Tenía razón. Para Brink, la dificultad creciente de sus puzles, la agonía cuando no podía encontrar una respuesta y la excitación de llegar a una solución, le daba sentido a su vida. Recordaba lo que le gustaba decir al Dr. Gupta: *Las personas extraordinarias atraen acontecimientos extraordinarios, tanto buenos como malos.*

—Tiene razón. Quizás una parte de mí necesite la lucha. Podría vivir muy bien trabajando para Google, o para una agencia gubernamental, o enseñando en el MIT —reconoció—. Pero crear puzles es lo que me hace seguir adelante.

—¿Le ha pasado por la cabeza que su necesidad de ayudar a Jess Price podría estar conectada con esa parte de usted?

—Desde luego forma parte de ello. Pero también siento que la puedo ayudar. Tengo que saber que lo que me ocurrió a mí no va solo de mí… que este don, o lo que sea, tiene un propósito más grande. Jess me da eso.

Cayó la noche y John Williams seguía sin llamar. Brink no podía seguir sentado ni un minuto más. Necesitaba moverse. Decidieron ir a la prisión y esperar allí las noticias de John Williams.

—¿Le importa si conduzco? —preguntó Brink, tomando las llaves de la mesa de pícnic. Desde hacía años no conducía nada más que su vieja camioneta y se sentiría mejor si hacía algo con su energía nerviosa.

Mientras subían al Jeep y bajaban de la montaña, sus pensamientos volvieron a la conversación con Rachel. Ella tenía razón, por supuesto. La lucha lo había forjado. El dolor y la pérdida habían creado las condiciones para su talento. Consideró la idea de que sin dolor, sin el fuego destructivo de su lesión y la aniquilación total de su yo anterior, habría sido la mitad de la persona en la que se había convertido.

Brink estaba trazando una curva cuando el Jeep empezó a temblar. Comenzó como una vibración suave en el volante y después aumentó de repente como un cambio forzado de las marchas. Los faros parpadearon, el salpicadero quedó a oscuras y los frenos se bloquearon. Solo había sentido algo así una vez, durante una tormenta de hielo en Ohio: pasó por encima de un charco helado, perdió el control y se deslizó fuera de la carretera hacia una zanja. Pero no había hielo en la carretera. Era una cálida noche de junio, sin una nube de lluvia en el cielo, y no se estaba deslizando. La sensación de estar flotando lo elevó, momento en que se dio cuenta de que corrían el peligro de precipitarse contra la ladera rocosa de la montaña.

Estaba valorando si debían saltar cuando el Jeep se detuvo. Antes de que tuviera ni un segundo para analizar lo que había ocurrido, una limusina aparcó detrás de ellos. Bajó un hombre grande con un traje de verano y un fedora. Vivek Gupta los había encontrado.

Brink saltó del Jeep, sin estar seguro de si debía abrazar o dar un puñetazo a Vivek Gupta. Su mentor tomó la decisión por él: lo tomó de los brazos y lo abrazó. El Dr. Gupta era suave como un cojín y olía a la colonia Acqua di Parma, su aroma característico. Soltó a Brink y se acercó a Rachel, que tenía los ojos abiertos como platos de puro terror.

—Señora Appel, soy el Dr. Vivek Gupta, y aunque no me conozca, me he tomado la libertad de familiarizarme con usted.

—¿Perdone? —preguntó Rachel, mirando al Dr. Gupta totalmente sorprendida.

—Cuando el señor Brink me envió el círculo, pude localizar y seguir su vehículo vía satélite. Con el número de matrícula de su Jeep Wrangler de 2015, encontré sus archivos DMV y descubrí su nombre, su número de la seguridad social y su fecha de nacimiento. Por cierto, así fue como el matón de Jameson Sedge encontró el Jeep en el garaje, solo que al revés: él disponía de su nombre y de su información profesional y los utilizó para localizar el número de matrícula de su vehículo. Todo está conectado, y con un solo dato de información, todo queda comprometido. Por ejemplo, con una búsqueda rápida, descubrí el saldo de su cuenta corriente y la tasa de interés de su hipoteca, que es bastante buena, por cierto. Sus galardones profesionales. Incluso su historial dental. Tiene unos dientes excelentes, señora Appel. Bravo.

Se calló para lanzar a Brink una sonrisa traviesa.

—Perdóname por ese control abrupto de tu vehículo —se disculpó el Dr. Gupta—. Pero no quería perderos. La señal de tu móvil no es tan fuerte aquí arriba como se podría esperar.

—¿Has hecho eso? —preguntó Brink, sorprendido—. ¿Cómo?

—Un ataque de día cero en el sistema operativo del Jeep —contestó—. Bastante útil para los que sabemos cómo explotarlo.

—¿Ataque de día cero? —preguntó Rachel, claramente perpleja.

—Se trata de un virus informático —explicó Brink, sonriendo a pesar de no querer hacerlo. Vivek Gupta le había explicado una vez este virus en particular, pero no había prestado atención. Estaba empezando a lamentar la frecuencia con la que se solía desconectar en clase.

—En este caso, se trata de una vulnerabilidad de la puerta trasera en el sistema operativo que permite que alguien con las habilitades requeridas, en realidad cualquier hacker experimentado, pueda acceder al sistema electrónico que controla el vehículo. Es un problema bien conocido y, aunque el fabricante afirma que ha tapado el agujero, resulta obvio que sigue ahí. —Miró hacia la carretera y después por encima de su hombro—. Y si yo soy capaz de entrar en el sistema electrónico de tu Jeep, querido, desde luego Jameson también puede. Ahora, vamos, antes de que nos vean.

Vivek Gupta los empujó hacia la parte trasera de la limusina. El espacio estaba ocupado por asientos de terciopelo y un gran monitor de ordenador. Abrió una pequeña caja de metal forrada de papel de aluminio: una caja Faraday. Brink la reconoció de sus visitas a Cape Cod. El Dr. Gupta había encerrado con llave sus móviles dentro de la caja durante todo el fin de semana. Ahora hizo lo mismo con los de ellos.

—Aunque el señor Brink tiene una habilidad incomparable para resolver puzles en su cabeza, yo tengo que confiar en la ayuda infatigable de mi ordenador.

El Dr. Gupta apretó un botón en una consola y se retiró una puerta, revelando un mueble bar.

—Señor Brink, si le apetece.

Brink no perdió el tiempo. Sirvió whisky de centeno, vermut y bitter en una coctelera y mezcló tres Manhattan, el cóctel favorito del Dr. Gupta. Dejó caer cerezas Luxardo en las copas y después le pasó una a Rachel, una al Dr. Gupta y, con un choque de cristal, tomó un sorbo y se recostó en el asiento.

El Dr. Gupta colocó un teclado sobre su regazo, tecleó una orden y el monitor se llenó de círculos luminosos: las Variaciones de Abulafia sobre el Nombre de Dios.

—Ahora, acomódense, disfruten de la bebida y escuchen con atención. Esto les va a impresionar.

58

—Cuando el señor Brink me envió esta configuración increíble, estaba bastante perdido. Sé muy poco sobre la historia de la religión y, como budista, no estoy demasiado informado de la iconografía judeocristiana —explicó el Dr. Gupta—. Pero este círculo es, desde una perspectiva matemática, bastante intrigante y muy complejo. Lo encuentro extraordinario, considerando que el hombre que lo hizo vivió en una época sin ninguno de los desarrollos matemáticos en los que ustedes y yo nos apoyamos para comprender el mundo. De hecho, vivía en un tiempo en el que las velas de cera eran un lujo.

Vivek Gupta, se recolocó el teclado en el regazo, tecleó otra orden y el círculo se amplió. Mike Brink solo lo había visto unas pocas veces, pero existía en su mente cuando cerraba los ojos. Usando un bolígrafo láser, Vivek Gupta llamó su atención hacia el anillo de números alrededor de los radios, y después hacia la Estrella de David en el centro de la imagen.

—Yo soy un pagano y la señora Appel puede explicar el significado religioso de esta imagen mucho mejor que yo. Pero lo que veo aquí es una especie de enigma matemático. Un *puzle*, amigos míos. Son estas cosas las que me han agarrado bien fuerte y me han arrastrado a lo largo de una carrera como mago de los códigos, matemático, artista y amante de lo inefable. Como mi héroe, el matemático indio Srinivasa Ramanujan, yo creo en esto: *Una ecuación no significa nada para mí al menos que exprese el pensamiento de Dios.* Este puzle es una de esas ecuaciones.

Vivek Gupta se volvió hacia la pantalla.

—Lo primero que me interesó en este círculo fue que tiene un patrón distintivo. ¿Lo ve, señor Brink?

—Sí, los cuadrados negros y blancos alrededor del borde —respondió Brink—. Son binarios. Fue una de las primeras cosas que vi.

—Un código binario —reconoció el Dr. Gupta—. Un elemento inusual en dibujos similares, según tengo entendido.

—Hay una historia sobre el uso de códigos para comunicar información sobre el Creador —intervino Rachel—. Abulafia los llevó a un nivel totalmente nuevo, eso está claro, pero no era una práctica única.

—¿De verdad? —se sorprendió el Dr. Gupta—. Bueno, es posible que el pueblo judío usara códigos binarios, pero no era un sistema que les fuera único. —Vivek Gupta apretó un botón y aparecieron imágenes de gruesas líneas negras apiladas en grupos de seis.

—No había ninguna posibilidad de que Abraham Abulafia conociera esto, porque no tuvo contacto con los chinos, pero cuatro mil años antes de su época, un filósofo chino llamado Fu Xi recibió un conjunto similar de mensajes binarios procedentes del cielo: el poder binario secreto de lo femenino y lo masculino, conocido como *yin* y *yang*. Como Abulafia, creó un sistema de notación, no variaciones del nombre de Dios, sino hexagramas: *yin* y *yang*, una serie de líneas gruesas y sólidas, apiladas en grupos de seis. Más adelante, estos hexagramas fueron sistematizados en sesenta y cuatro agrupamientos, que forman la base del *I Ching*, o *Libro de las Mutaciones*. Se usaron para la adivinación. De hecho, se cree que contienen todos los secretos del mundo.

El Dr. Gupta apretó un botón y en la pantalla apareció la fotografía de un vórtice. Estaba lleno de secciones separadas; encima de cada una de ellas había anotadas ecuaciones.

—El sistema binario de Fu Xi llamó la atención del matemático alemán Gottfried Leibniz, que trabajaba incansablemente para crear un sistema sin el uso de decimales. Ansiaba una matemática pura, una que expresara completamente la diferencia entre cero y uno. El problema del cero, o la inexistencia, obsesionaba a Leibniz. ¿Cómo podía el cero, potencial puro, transformarse en uno, un objeto material total y completo? La transición entre nada y algo es la cuestión central de… bueno, de todo. Todos nuestros sistemas espirituales e intelectuales, religión y ciencia, pero también las preguntas existenciales: ¿cómo surgió la vida? ¿Qué ocurre después de la muerte del cuerpo? ¿Y cuál es la naturaleza de la inexistencia?

Brink miró a Rachel, preguntándose si habría podido seguir las curvas abruptas del pensamiento del Dr. Gupta. Él estaba acostumbrado a estos sofisticados vuelos intelectuales. Los había vivido durante las clases del Dr. Gupta en el MIT, donde era famoso por retener a los estudiantes hasta tarde mientras explicaba las variaciones de un puzle matemático. Pero no se tendría que haber preocupado. Rachel estaba en trance. Miraba al Dr. Gupta bebiendo cada una de sus palabras.

—Las preguntas de Leibniz —intervino Rachel— se encuentran en las raíces más profundas del pensamiento cabalístico.

—¡Desde luego! —exclamó el Dr. Gupta, encantado—. Leibniz estaba profundamente interesado en la Cábala, como correspondía a su obsesión con los misterios de la creación. Planteó que las acciones más profundas del universo se podían explicar a través de un sistema de ceros y unos. El tiempo ha demostrado que su intuición era correcta. El sistema binario se ha convertido en la manera primaria de la humanidad para calcular y expresar el mundo material. Como probablemente sabrá, dependemos totalmente de los códigos binarios que manejan todas las comunicaciones basadas en la informática. Transportes, internet, la seguridad nacional... todo lo gestionan códigos binarios. Casi cualquier experiencia cultural, desde la música grabada a las películas y la televisión, pasando por los audiolibros y los libros digitales, está creada y distribuida a través de un código binario. Resulta que este círculo también contiene un código binario.

Rachel se acercó a la pantalla.

—No sé por qué no lo había visto antes —se preguntó.

—No resulta exactamente obvio —replicó el Dr. Gupta—. Pero cuando se estudia la secuencia, queda claro que los cuadrados negros y blancos en el borde del círculo no están dispuestos al azar. Lo vi bastante pronto y supuse que debía existir una solución de primer nivel para la secuencia, pero sospeché que había algo más. Así que la introduje en diversos programas informáticos y, para mi sorpresa, descubrí que la secuencia creaba resultados muy sorprendentes.

—¿Qué tipo de resultados? —preguntó Rachel, aún concentrada en la pantalla del ordenador.

—La secuencia binaria, cuando se manipulaba en sus setenta y dos variaciones, que era el objetivo original de este círculo de plegaria, ¿o no?, creaba una línea de código informático.

—¿Un código informático? —preguntó Rachel, sorprendida—. Esto fue dibujado hace casi mil años.

—Sorprendente, lo sé, aún más porque no se trata solo de un código informático antiguo. —El Dr. Gupta apretó varias teclas y en la pantalla apareció la imagen de una ecuación—. ¿Ha oído hablar del cúbit?

—La unidad de código usada en informática cuántica —respondió Brink, estudiando la ecuación. Nunca había visto nada igual, con sus pilas de ceros y unos, pero su simetría le atraía.

—Precisamente —asintió el Dr. Gupta—. Un cúbit es la unidad más simple de información cuántica. Mientras que los ordenadores actuales usan bits, o elementos binarios, para codificar la información, los ordenadores del futuro utilizarán cúbits, o códigos que dominan la complejidad y, francamente, las leyes alucinantes de la mecánica cuántica. Los cúbits no son binarios. Procesan información de una manera multilocalizada. La forma más sencilla de explicarlo es que mientras los bits encierran la información en un estado, ya sea cero o uno, inexistencia o existencia, los cúbits permiten que la información esté en ambos estados a la vez. La información puede estar aquí y allí, blanca y negra, masculina y femenina, al mismo tiempo. Ese estado del ser en posiciones múltiples a la vez se llama «superposición». El futuro de todos los sistemas de información será el de las superposiciones.

El Dr. Gupta se detuvo, mirando a Mike y a Rachel.

—¿Me siguen?

—Está diciendo que la información se comportará como una partícula cuántica —aclaró Rachel—. De la misma manera que un fotón puede estar en dos lugares a la vez en un test *double-slit* —dijo Rachel.

—Precisamente —asintió el Dr. Gupta—. Los ordenadores cuánticos serán miles de veces más potentes que nuestros ordenadores más rápidos. Dicha potencia alimentará las superposiciones y la teleportación cuántica de la información. Nos darán una capacidad increíble para resolver problemas que parecen irresolubles: las enfermedades, el hambre. Incluso la muerte.

—Comprendo el poder de semejante máquina —reconoció Rachel—. ¿Pero por qué está tan interesado Jameson Sedge?

—Debe haber sospechado que Abulafia codificó la información que está buscando. Quizá sea posible que conozca el código cuántico que he descubierto. Desde luego tiene la habilidad para extraerlo, como he hecho yo. Pero la cuestión de fondo es si Jameson ha desarrollado los medios para usarlo. Para eso necesitaría un ordenador cuántico y una red para manejarlo. Si ese fuera el caso, y tuviera la tecnología para desplegarlo…

— … tendría el código para la inmortalidad —intervino Brink, terminando la frase. Se quedó mirando el código en la pantalla, intentando desplegar su mente a su alrededor. Una secuencia antigua creada por un místico en el siglo XIII contenía los bloques esenciales de un código cuántico que podía, si se lo usaba correctamente, cambiar el futuro de la raza humana—. Resulta extraordinariamente impactante.

—Solíamos fantasear sobre él cuando éramos jóvenes —explicó el Dr. Gupta—. Soñábamos con la posibilidad de crear nuevos sistemas para la conciencia además del estrictamente biológico. Bromeábamos sobre descubrir un envoltorio mejor para el alma, uno que no necesitase alimentos o dormir. Uno que nunca se desgastase. Piense en ello, señor Brink: ayer, cuando hablamos vía vídeo, ¿habría detectado la diferencia si hubiera sido la reconstrucción de mi yo biológico en la pantalla o la reconstrucción de mi conciencia a través de los píxeles? ¿Quién soy realmente yo o una imagen de mí? Nunca sabrías la diferencia.

Vivek Gupta dio un último sorbo a su Manhattan y dejó el vaso en el suelo.

—Siempre pensé en la inmortalidad como algo teórico, el tipo de ideas que alimentan la ciencia ficción. Pero nunca creí que los cúbits, la mecánica cuántica y la teleportación de datos pudieran ser realmente posibles. Ahora ya no es una fantasía. La conciencia se puede codificar, preservar, teleportar. La mente de Sedge podría existir en una superposición del presente y del futuro. Disponemos de los modelos matemáticos para probarlo.

—Pero todo esto sigue siendo teórico —intervino Brink—. Aún no existe la tecnología.

—Correcto —reconoció Vivek Gupta—. Pero la teoría es el primer paso hacia la realidad. En mi humilde opinión, estamos a mucha distancia de este tipo de alteración masiva de la existencia humana. Pero Jameson está decidido. Sus ideas siempre han sido más grandes que el momento presente. Y este código, aunque solo sea teórico, es casi un milagro. Abulafia dio a la humanidad una herramienta muy poderosa.

—Quizá —intervino Rachel, aunque parecía dudosa—. Pero Abulafia no podía saber nada de todo esto. Diseñó el círculo como un acto de plegaria. Tenía como objetivo que se pronunciase, cantase, experimentase. Pretendía ser una vía de comunicación con lo divino.

—Es posible que haya sido así —reconoció Vivek Gupta—. Pero como matemático, le puedo decir que este círculo contiene un tesoro destacable, uno demasiado preciso y demasiado perfecto para ser accidental.

—Quizá no había nada accidental en él —recalcó Rachel. Lo miró a los ojos y pudo ver lo que estaba pensando: el Puzle de Dios no fue un hecho azaroso, ni un error, ni siquiera un accidente afortunado, sino un regalo de Dios a la humanidad.

59

Durante más de una década, Cam Putney había cumplido órdenes. Había viajado por el mundo, reuniendo discos duros llenos de Dios sabe qué información preciosa; se había entrenado sin descanso, empujándose física y mentalmente hasta los límites de sus capacidades; se había mudado a cinco horas al norte de la ciudad para trabajar como guardia de prisiones, dejando atrás a su hija. Había matado a un hombre. Había atacado a una mujer. Siempre había cumplido las peticiones de Sedge sin preguntar, sin expresar nunca ni una palabra de duda, nunca planteando preguntas. Había ejecutado las órdenes siguiendo el método en el que le habían entrenado: con rapidez, concienzudamente, con honor y silencio. Ese era el camino de un samurái de Singularity. Para él no había nada más importante que la misión.

Excepto su hija. Jasmine tenía trece años, saludables y felices, una niña equilibrada que no tenía ni idea de a qué se dedicaba su padre para ganarse la vida. Le había escondido la verdad, esperando que tuviera una infancia normal, y había funcionado. El fondo educativo del señor Sedge la había enviado a las mejores escuelas privadas de Manhattan, donde tenía amigos que la invitaban a lujosas fiestas de cumpleaños en los Hamptons y a vacaciones de invierno en las playas de las Bahamas. Le gustaban los musicales —la había llevado cuatro veces a ver *Matilda*— y TikTok y el K-pop. Le gustaban los animales. La última vez que la vio —hacía meses, durante sus vacaciones de primavera— le dijo que cuando creciese quería ser veterinaria. *Veterinaria*. Nunca se habría imaginado una profesión así para él cuando tenía trece años. Estaba orgulloso de haberla protegido de las duras realidades del mundo y de la verdad de lo que había hecho. Pero aun así era vulnerable, tan fácil de herir. Se preguntó si tendría la voluntad de ayudarla a crecer fuerte, de permitirle que sufriera. Era la única manera de que aprendiese lo que él sabía: que la seguridad derivaba de enfrentarse cara a cara con el dolor.

A lo largo de los años Cam se había enfrentado una y otra vez al peligro, hasta que formó parte de él. Ume-Sensei le había enseñado que su cuerpo recordaba todas esas experiencias, todo el dolor y el placer, los fracasos y las victorias. Pero nunca lo había acabado de creer hasta el momento en que atacó a la Dra. Moses.

Estaba preparado. Sabía que tenía un disparo, y solo un disparo. El truco consistía en darle sin dañar el ordenador. El archivo que había movido del móvil al portátil era importante. El señor Sedge querría el ordenador y también el móvil, así que Cam debía tener cuidado, colocar la bala en un ángulo que la tirase hacia atrás, que impulsara el cuerpo lejos de la mesa. No era un disparo fácil, considerando que se encontraba detrás de ella, pero tampoco era imposible.

Se movió lentamente, dando cada paso como si estuviera atravesando una cuerda floja. Un movimiento en falso y perturbaría el delicado equilibrio que necesitaba para alcanzar su objetivo. A medio camino de la habitación, se dio cuenta de su error: una sombra se deslizó sobre la pantalla del portátil, revelando su presencia a la Dra. Moses. Ocurrió en cuestión de segundos: ella lo vio a sus espaldas, cerró de golpe el portátil y se dio la vuelta para hacerle frente. La ferocidad de su respuesta lo dejó helado; no se podía mover y simplemente se quedó mirando mientras lanzaba el portátil hacia él. Un golpe rápido en la muñeca envió la Glock al otro lado de la habitación.

En los segundos que siguieron, dejó de pensar y sus años de entrenamiento tomaron el mando. Su visión se desenfocó, su conciencia se retiró y golpeó. Cuando volvió al presente estaba de pie sobre Thessaly Moses. Ella yacía en el suelo de parqué del comedor, la sangre manaba de un corte a lo largo del lado izquierdo de su cara. Miró hacia abajo y vio que el borde estrecho del portátil estaba cubierto de sangre. No recordaba habérselo arrebatado, pero lo había usado como un cuchillo.

De repente, el suelo tembló y le asaltó una oleada de pánico. Se estaba mareando. Le empezaron a temblar las piernas y le temblaban las manos. Nunca había matado a una mujer y mucho menos con las manos. No se lo podía creer. Ume-Sensei le había enseñado que los actos de fuerza requerían un momento de recogimiento. Tenía que apartarse del pánico y respirar. Forzó el aire hacia su vientre, lo retuvo durante cuatro, tres, dos, un segundo y entonces lo soltó. La habitación se fue estabilizando, así como sus manos.

Cam no había tomado una copa en más de diez años, pero nunca había flaqueado durante un trabajo y ahora necesitaba una con urgencia. Descorchó la botella de vino, se sirvió una copa y se la bebió de golpe. ¿En qué se había convertido? Volvió la vista hacia Thessaly Moses, el charco de sangre extendiéndose por el suelo, y vio la cara de su hija. Toda la vida y la inteligencia de Jasmine podían ser aplastadas con esa misma facilidad, con un golpe brutal en la cabeza.

Algo se rompió en lo más profundo de Cam y los cimientos de su identidad como guerrero de Sedge comenzaron a derrumbarse. No era un animal sin conciencia. No era un monstruo. Todo lo que le había enseñado Ume-Sensei era prueba de ello. Su hija era prueba de ello. Y entonces, como un mensaje de otro mundo, Thessaly Moses gruñó. Se giró para ver como sus ojos se abrían entre parpadeos. Le invadió una oleada de alivio. No estaba muerta. Tomó su móvil y marcó 911. Colocó el teléfono cerca de ella, de manera que el sonido de la voz del operador la espabilase. Cam se fue, sabiendo que la ayuda llegaría pronto.

La Dra. Moses iba a vivir. Pero, aun así, lo que le había hecho le perseguía. Cuando el señor Sedge le dijo que había llegado el momento de completar su misión, la sensación de pánico regresó y lo único que podía ver Cam era a Jasmine. Sabía que se estaba acercando. Todo su entrenamiento había conducido a esto, a un gran acto de lealtad. Cada habilidad que había aprendido, cada trozo de información que había reunido, las horas y horas de vigilar a la prisionera: esas tareas solo eran pasos en el sendero del plan definitivo del señor Sedge.

Sin embargo, ¿qué le haría eso a su hija? ¿Qué le haría a él? Había cambiado a lo largo de los años. La disciplina y la educación habían hecho que hubiera cambiado desde que firmó su contrato. Si aceptaba lo que el señor le pedía y cumplía con su deber, si sacrificaba su vida de esta manera, significaría el final de su capacidad para ser padre, al menos en cualquier sentido normal. No tenía miedo del acto en sí mismo o de la violencia que implicaba. Pero si el plan funcionaba, si las teorías del señor Sedge resultaban correctas, entonces la vida de Cam cambiaría para siempre.

Después de que Cam sacase la maleta del Jeep, el señor Sedge le informó que había llegado el momento.

—Todo por lo que hemos trabajado está aquí —anunció—. El futuro ha llegado.

Cam consideró lo que quedaba por delante, las obligaciones que había prometido cumplir, los sacrificios que serían necesarios, y entró en pánico. Le dijo al señor Sedge que no podía hacer lo que él necesitaba que hiciese. Dimitió de su puesto y estaba dispuesto a enfrentarse a las consecuencias.

Pero el señor Sedge no estaba furioso. Condujeron hasta el Lower Manhattan donde Anne-Marie los estaba esperando en el helicóptero. Pasaron todo el vuelo de regreso al complejo en silencio. Cuando llegaron, Sedge puso una mano sobre el hombro de Cam, lo miró a los ojos y le dijo que comprendía su reacción.

—El futuro da miedo —dijo—. Pero no tiene nada que temer. Le guiaré durante todo el camino.

Bajaron por el interior de la casa hasta el búnker de Sedge lleno de equipos informáticos. Había un gran generador alimentado por energía geotermal, que mantenía todo el lugar fuera de la red eléctrica, y una bodega llena de suministros de emergencia: agua, alimentos, pastillas de yodo, alimentos enlatados, sacos de alubias y arroz para un mes. No le debería haber sorprendido. El señor Sedge creía en la autosuficiencia en el sentido más literal. Nada de abogados, nada de bancos, nada de exposición a los medios, ninguna cantidad desconocida de nada se acercaba a él, nunca.

Cam estaba seguro de que ni siquiera Anne-Marie conocía la verdad de la obra de Sedge. Se preguntaba cómo una dama inteligente y hermosa como ella podía aceptar toda la mierda rara que hacía ese hombre. Suponía que el dinero servía en gran medida para suavizar las excentricidades del señor Sedge, pero se preguntaba si ella, como Cam, había llegado a pensar que el dinero era irrelevante frente al trabajo. Si veía, en el mismo borde de la obsesión del señor Sedge, la promesa de algo hermoso. Quizá también ella hubiera quedado seducida por el futuro sublime que estaba construyendo el señor Sedge.

El señor Sedge se sentó bajo las luces fluorescentes en el búnker, le sirvió una copa de su escocés de primera clase y le planteó preguntas: ¿qué quería? ¿De qué tenía miedo? ¿Por qué se iba a pasar tantos años entrenando para abandonar en el momento crucial? Cam le dijo que no podía permitir que su hija sufriera las consecuencias de sus acciones.

—Al contrario, se beneficiará —replicó Jameson Sedge—. Sus acciones le convertirán en un héroe, amigo mío. Se celebrará su papel como guía de la humanidad en el Gran Reinicio.

—Ya sabe cómo va eso —dijo Cam—. Mi nombre saldrá por todas partes: televisión, internet. La madre de Jasmine lo descubrirá. Sus amigos…

—Su hija no se sentirá avergonzada. Estará orgullosa. Usted está alcanzando el potencial de toda la humanidad: superar a los dioses. Hacerlos irrelevantes. Vivir para siempre.

—Pero si funciona —insistió—, es posible que no la vuelva a ver nunca más.

—Si funciona dispondrá de una eternidad con ella.

El señor Sedge atravesó el búnker, la luz de los monitores de los ordenadores le confirió un halo verde.

—Venga, le mostraré el nivel de confianza del que le estoy hablando.

El ordenador no se parecía a ninguna otra maquinaria que hubiera visto antes, una pared de chips brillantes que parpadeaban detrás de una lámina de vidrio. El señor Sedge se sentó delante de un teclado y un monitor, y abrió un archivo. Era su última voluntad y testamento, firmado, como lo había sido el contrato de Cam, como un contrato ricardiano. Al lado del nombre de Cam había una cantidad astronómica de dinero, más del que podría gastar.

—Anne-Marie se ocupará de esto y hay otros legados que he realizado. Pero una proporción significativa de mis propiedades irán a usted, Cam. Piénselo. Incluso si me estoy equivocando, aunque todo lo que he planeado fracase miserablemente, Jasmine saldrá beneficiada. Considere lo que significará para ella tener esta seguridad.

El señor Sedge conectó un disco duro portátil al ordenador y en la pantalla se abrió una oleada de archivos.

—Esta es la obra de mi vida —explicó, con los ojos llenos de orgullo—. Sé que existe una gran posibilidad de fracaso. Pero tengo que saber que me ayudará a completar los pasos finales. ¿Lo hará, señor Putney? ¿Me demostrará que es el hombre que creía que era?

Al final, se echó atrás. Cam Putney se aseguraría de que el Gran Reinicio de Jameson Sedge empezase correctamente.

—Sí, señor Sedge —asintió, con la voz temblorosa—. Soy ese hombre.

Con eso, sacaron el dibujo circular de la maleta, lo escanearon y pusieron en marcha el programa.

—Solo queda un paso más —anunció el señor Sedge, aliviado—. Y para eso necesitamos a Jess Price.

60

John Williams llamó justo cuando el Dr. Gupta había acabado su presentación. Liberó su control del sistema informático del Jeep con unos golpes en el teclado y el motor recobró la vida. Brink cedió el asiento del conductor a Rachel, sintiéndose aliviado de ser el pasajero. Odiaba perder el control y la experiencia de sentir que el Jeep se deslizaba por voluntad propia le había sacado de quicio. Aunque Vivek Gupta prometió que no volvería a interferir, Brink no lo acababa de creer. Al Dr. Gupta le gustaban mucho las bromas prácticas, en especial cuando tenían a Brink como víctima.

No se podían permitir otro retraso. John Williams le dio unas instrucciones específicas. Debían aparcar a media milla de la prisión, en un bosquecillo de árboles marcados con una señal de NO CAZAR. Allí encontrarían una bolsa con un uniforme de guardia de prisión nuevo, una tarjeta de identificación y una placa con el nombre.

Brink se ocultó entre los árboles, se quitó la ropa y se puso el uniforme, sintiendo el poliéster tieso sobre la piel. Le iba bien, más o menos, pero se dio cuenta de que sus Converse rojas de borde bajo no encajaban exactamente con el perfil de un guardia de seguridad en una prisión del estado de Nueva York. Pero no había alternativa. Tendrían que valer.

Metió su ropa en el Jeep, se despidió de Rachel con un gesto con la cabeza y caminó hasta la prisión. La noche era cálida, sin nubes, las estrellas punteaban la cúpula inmensa y negra del cielo. La cárcel estaba allí, justo delante. Vio el grueso muro de ladrillos, las volutas de alambre de espino, los focos. Le asaltó una oleada repentina de miedo por la simple idea de traspasar esa barrera. Sabía a lo que se enfrentaba si lo atrapaban. Hacerse pasar por un guardia de prisiones y entrar en una prisión estatal bajo una identidad falsa no era un puzle que pudiera resolver para librarse. En cuanto cruzase el umbral no habría vuelta atrás.

John Williams le había dicho que estuviera en la puerta exactamente a las 10:00 de la noche, cuando cambiaba el turno. Él escoltaría a Brink a través de los diversos puestos de seguridad y lo presentaría como una nueva incorporación. El uniforme reluciente y el hecho de que nadie lo hubiera visto antes corroborarían esa historia. Aunque Brink había estado antes en la prisión, fue durante el día y el equipo nocturno de seguridad no lo reconocería. Si todo iba como estaba planeado, entraría y saldría con rapidez, sin complicaciones.

Brink llegó al primer control de seguridad. El guardia vio su uniforme, miró su identificación y había empezado a interrogarlo cuando llegó una voz desde atrás.

—Es un chico nuevo, Chuck —anunció John Williams—. Tengo el papeleo en mi oficina, por si necesitas una copia.

El guardia miró a Brink, revisando de nuevo su identificación de seguridad, y a continuación le hizo un gesto para que pase. John Williams indicó a Brink que le siguiera. Caminaron hacia la prisión en silencio, el resplandor blanco de los focos recorría un patio vacío.

Finalmente, John Williams dijo:

—Se quedará conmigo, Brink —ordenó—. Nada de tonterías en el ala antigua. Vamos a entrar y salir, sin rodeos.

—Está bien —asintió Brink, advirtiendo que las cámaras de vigilancia habían captado todos sus movimientos. Williams debió verlo subir hasta la tercera planta del sanatorio para leer el diario de Jess. Cam Putney no lo había encontrado por casualidad—. Usted ve todo lo que pasa aquí.

—Obviamente no lo suficiente.

—Si Jess Price sabe lo que le ocurrió a Thessaly, me lo dirá.

—Escuche, colega, Thessaly cree que es la leche, pero a mí no me impresionan tan fácilmente. Si consigue algo de Price, hágamelo saber, pero no creo que ocurra. Lo más probable es que se cierre en banda. Ese es su juego, ¿no?

Él sintió una necesidad repentina de proteger a Jess.

—Está equivocado —replicó—. No se trata de un juego en absoluto.

John se detuvo y se volvió hacia Brink.

—¿Entonces de qué se trata, señor Tipo Listo?

Él vio el círculo de Abulafia, sus letras y números. Recordaba todo lo que le había dicho Vivek Gupta. Las piezas estaban allí. Solo tenía que unirlas.

—Se trata de un puzle. Y sin Jess Price no lo podemos resolver.

—Bueno —dijo—, quiero dejarle algo tan claro como el cristal, amigo mío. Sea lo que fuere en lo que esté metido, me estoy jugando el culo. Si no fuera por Thessaly, no pondría ni un pie en mi prisión.

Llegaron a la entrada principal y pasaron a través del detector de metales.

—Chico nuevo —le murmuró John al guardia de servicio, que lo dejó pasar sin quitarle el móvil, lo que fue de gran alivio. En cuanto estuviera con Jess, llamaría a Rachel y ella le indicaría qué tenía que hacer. Le diría dónde se debía situar y dónde situaría a Jess; le diría qué decir y qué debía decir Jess. Le ayudaría a vocalizar las sílabas del HaShem.

¿Y entonces qué? Aunque había aceptado seguir con el plan, estaba seguro al noventa y nueve por ciento de que el ritual no iba a funcionar. Consideraba que el ritual era una manera de provocar una respuesta en Jess. El círculo generaría un efecto placebo, devolviéndola a la noche de la muerte de Noah Cooke. Si podía recrear las emociones que experimentó Jess durante el ritual, recordaría lo que ocurrió realmente. Todas las leyendas que rodeaban el HaShem eran solo eso: leyendas. Pero aun así no podía dejar de sentir el peso del uno por ciento de posibilidades de que hubiera algo detrás de todo esto. Había visto las fotografías de Noah Cooke y Frankie Sedge. Había leído el relato de LaMoriette sobre las heridas del rabino y de Jakob. Estaban jugando con fuego.

John Williams y Brink doblaron una esquina y avanzaron por un pasillo largo y fuertemente iluminado hasta una sala vacía. Estaba preparada para una terapia en grupo, con un círculo de sillas plegables en el centro.

—Estaré justo aquí, al otro lado de la puerta, sin perderlo de vista. —Señaló una cámara en el pasillo—. Las cámaras de este cuadrante estarán inactivas durante diez minutos. No puedo permitir que nadie vea que he bajado a una presa para una charla a altas horas de la noche. No es una broma. Lo digo en serio. —John abrió la puerta para Brink y a continuación miró el reloj—. Tiene unos ocho minutos. Será mejor que los aproveche.

La sala no tenía ventanas y estaba a oscuras con la única luz procedente de una señal roja de SALIDA cerca de la puerta. Jess Price estaba sentada en una silla plegable en el centro de la habitación, su piel brillando roja bajo la luz reflejada, el cabello colgando liso sobre sus hombros. No lo saludó, ni siquiera lo miró mientras se acercaba, sino que miraba fijamente a la oscuridad. Pero, aun así, él sintió una oleada salvaje de emociones en su presencia. La presión de los últimos tres días había comprimido sus sentimientos, cristalizándolos. Quería acercarse a ella, tocarla. Quería asegurarse de que estaba allí en cuerpo y que no era una proyección de su mente.

Pero al acercase, le sorprendió lo que vio. Ella temblaba violentamente, sus labios cuarteados hasta el punto de sangrar y su piel estaban tan pálida que parecía fantasmal. Sus ojos brillaban de fiebre. Estaba al borde del colapso. Él quería correr hacia ella, ayudarla de alguna manera, pero se contuvo. No quería asustarla. La mujer en el sueño se parecía a Jess, pero eso no significaba que sintiera lo mismo que él.

Mientras consideraba todo esto, Jess se puso en pie, atravesó la sala y lo abrazó. Él sintió, en la intimidad del gesto —la manera en que se apretó contra él, sus brazos deslizándose alrededor de su cintura— que no estaba solo en sus sentimientos. Ella también había estado allí. Ella lo había experimentado todo.

—Creía que no te volvería a ver —dijo ella, apretando la mejilla contra su pecho.

—No iba a permitir que eso ocurriera —replicó él, abrazándola. Ella estaba fría, casi helada.

—¿Encontraste la maleta? —le preguntó, apartándose, la voz tensa.

—No habría llegado tan lejos sin ella.

—Entonces sabes lo que le ocurrió a LaMoriette —dijo—. Sabes que no fue culpa mía.

—Lo que sé es que te has visto implicada en algo que está totalmente fuera de tu control.

Ella se dio la vuelta para ocultar su respuesta, pero él vio que tenía los ojos húmedos de lágrimas.

—No sabes cuánto tiempo he esperado para oír eso —dijo—. Lo puedo soportar casi todo mientras me creas.

—Te creo —subrayó él—. Nada de todo esto tiene sentido, pero te creo. Y te voy a ayudar. Sé que parece imposible, pero necesito que intentes regresar a lo que ocurrió aquella noche en Sedge House.

Una energía frenética llenó la expresión de Jess y el tono de su voz pareció diferente del de hacía solo un segundo antes.

—¿Sabes lo que están haciendo, verdad?

Él dio un paso atrás totalmente consciente de ello, su cuerpo sintió el peligro antes de que quedase recogido en sus pensamientos.

—¿Quién es el que está haciendo algo?

Ella lo atrapó en sus ojos.

—Mi primer año en este lugar encontré una mariposa en el terreno de la prisión. Una monarca grande y hermosa. Estaba herida. Un nido de hormigas rojas la había atrapado, cientos de ellas. Se removía y luchaba, moviendo sus alas naranjas y negras contra ellas, pero no la soltaban. La estaban descuartizando metódicamente, parte a parte. —Sus ojos se llenaron de más lágrimas—. Así es como los débiles destruyen al fuerte. Así es como me van a destruir. Pieza a pieza.

Brink intentó comprender lo que le decía, confundido por su vehemencia. Había venido a ayudarla, pero al mismo tiempo él necesitaba su ayuda, sin más adivinanzas. Antes de poderle preguntar, sintió el móvil vibrar en el bolsillo.

Era Rachel.

—¿Dónde está? —le preguntó, frenética, y cuando le respondió que estaba con Jess, le dijo—: Tiene que salir de ahí. Ahora. Jameson Sedge está en la prisión.

—¿Aquí? —preguntó Brink, desanimado—. ¿Cómo?

—No sé cómo sabe que está ahí, pero lo sabe. Tiene que pedirle a John Williams que lo acompañe fuera.

—Pero no puedo dejar aquí a Jess —replicó.

—No tiene alternativa —recalcó.

Si Jameson Sedge había acudido a la prisión, Rachel tenía razón: tenía que salir. Pero no iba a dejar atrás a Jess. Se metió el móvil en el bolsillo y tomó a Jess del brazo. Acercándose cautelosamente a la puerta, espió el pasillo largo y fuertemente iluminado. Algo no iba bien. El corredor estaba vacío. John Williams no había querido darle ningún margen. Se había quedado de guardia delante de la puerta y planeaba escoltar personalmente a Brink a la salida. Pero ahora había dejado a Brink —y, lo que era más sorprendente, a una interna— sin vigilancia.

—Ven conmigo —le indicó Brink a Jess—. Vamos a salir de aquí.

61

Mientras conducía a Jess hasta el final del pasillo, ante él se abrió un mapa de la prisión. Vio la red de corredores, la cafetería al sur, las salas de terapia al oeste, la entrada de la prisión mirando hacia el norte. En el extremo más alejado del ala este, en la parte más antigua de la cárcel, se encontraba la puerta de metal hacia el sanatorio, la misma puerta que había abierto Thessaly para llegar a los almacenes en el sótano. El ala antigua era la única zona de la prisión sin legiones de guardias de seguridad. Si conseguía llegar allí, estarían a salvo, al menos durante unos minutos.

—Por aquí —indicó, apretando la mano de Jess y conduciéndola hacia el final del pasillo. Al girar la esquina, Brink se detuvo en seco. En la entrada estaban Jameson Sedge, su guardaespaldas Cam Putney y John Williams. Sedge estaba intentando entrar en la prisión y Williams le había bloqueado el paso. Putney le respaldaba, dispuesto a proteger a Sedge, pero aun así Sedge no tenía ni la más mínima oportunidad: casi una docena de guardias de prisión se habían reunido detrás de John Williams. Y aunque a Brink le hubiera gustado quedarse para ver cómo le daban a Cam y a Jameson, esta era su oportunidad de salir de allí. Mientras los guardias estaban distraídos, Jess y él se podrían escabullir sin que los viesen.

Brink sabía exactamente a dónde ir: la ruta aparecía clara en su mente, pero Jameson Sedge vio a Jess y la llamó.

—Señorita Price, usted es precisamente la persona a la que he venido a ver.

Jameson Sedge podía ver claramente a Jess y sin duda también la veía el grupo de guardias de seguridad, pero Brink había retrocedido hacia el pasillo, lenta y cuidadosamente. Tenía que permanecer oculto. No podía fastidiarlo todo si lo reconocían.

—Debería darle las gracias —continuó Sedge—. Sin usted no habríamos encontrado el código.

Brink echó una ojeada alrededor de la esquina y vio a Sedge bajo la luz brillante de la entrada de la prisión. Sostenía un iPad con una imagen escaneada del rollo que había estado dentro de la muñeca. El círculo completo de Abulafia se había ampliado e incluso Brink lo podía ver con claridad, aunque se encontraba a unos seis metros de distancia.

—¿Fue esto lo que descubrieron Noah Cooke y usted?

Los ojos de Jess se abrieron como platos cuando lo reconoció, pero no dijo nada.

—Lo escondió bien —reconoció Sedge—. Nunca lo habría descubierto solo. Pero ahora necesito que confirme que este es realmente el círculo que usó aquella noche. Estoy haciendo una apuesta peligrosa y tengo que saber la verdad. ¿Este es el Puzle de Dios? Sí o no —exigió Sedge.

Jess no dijo nada.

—Quizás ayude si verifico que lo que ocurrió en Sedge House no fue culpa suya. Nadie hubiera podido detener lo que sucedió aquella noche. Usted no mató a Noah Cooke. Su muerte fue un efecto colateral indeseado de algo mucho más grande que usted.

Jess no dijo nada.

Sedge hizo un gesto con la cabeza a Cam Putney, que reaccionó al instante, sus acciones rápidas y precisas. Pasó al lado de John Williams y flanqueó a los guardias de seguridad, agarrando a Jess. Los guardias reaccionaron de inmediato, empuñando sus armas, pero Cam sacó la Walther PPK —la misma arma que llevaba Jameson en la casa de Anne-Marie— del cinturón y apuntó a la cabeza de Jess. John Williams levantó un brazo, señalando a los guardias que se contuvieran. La situación había escalado dramáticamente. No podían hacer nada mientras Cam arrastraba a Jess al lado de Sedge.

—Usted no mató a Noah Cooke, pero estaba allí, señorita Price —explicó Jameson—. Vio el círculo. Puede verificar que lo usó. —Cam quitó el seguro del arma—. No tiene muchas alternativas, querida. Échele un buen vistazo y dígamelo: ¿este es el mismo círculo?

—Sí —respondió, su voz fuerte—. Lo es.

—Muchas gracias —se lo agradeció Jameson, su voz siniestramente tranquila—. Eso es todo lo que necesitaba saber. Cam, suéltala. Ha llegado el momento. Hazlo ahora.

Cam Putney soltó a Jess, levantó lentamente la Walther y apuntó a la cabeza de Jameson Sedge. El aire estaba electrificado por la tensión. Brink estaba mirando, incapaz de creer lo que estaba viendo. Era impensable, pero Sedge le estaba diciendo a su guardaespaldas que le disparase. No tenía sentido. Pero eso era exactamente lo que le había dicho. *Hazlo ahora.*

La mano de Cam Putney tembló, pero su dedo, colocado encima del gatillo, no se movió.

—Señor Putney —lo llamó Sedge, con la voz agitada—. Tenemos un trato.

Brink no se estaba equivocando. Sedge había ordenado a su guardaespaldas que le disparase. Pero la mirada de Putney se había vuelto vidriosa y seguía quieto, helado, incapaz de apretar el gatillo. Brink vio una serie de emociones pasando por el rostro de Sedge: sorpresa, ira, determinación. Finalmente, Sedge dejó caer el iPad, le arrebató el arma a Putney, puso el cañón sobre su sien y apretó el gatillo.

El espacio resonó con la descarga ensordecedora. En el horroroso momento de silencio que siguió, Brink continuó mirando, horrorizado. Vio como Jameson Sedge caía al suelo. Vio como los guardias atrapaban a Cam. Vio como Jess corría hacia él y le agarraba la mano. Podría haber seguido allí, conmocionado, pero el contacto con Jess lo puso en acción. Ella lo tomó de la mano y corrieron.

Apartándolo todo de su mente, se concentró en su meta: la puerta de metal reforzado del sanatorio. Cuando llegaron allí, temblaba tanto que casi no podía respirar. Tranquilizándose apoyado en el marco, se concentró en el teclado, con su reconfortante cuadrícula de números. Una oleada de color inundó su visión. Sin detenerse a pensar, tecleó un patrón, atrapando un juego de colores sobre el teclado, una sonata brillante, hasta que ingresó por completo los cuarenta y tres dígitos del código de barras Code 39. Con el número final, la puerta se abrió con un clic. Estaban dentro.

Estaba totalmente a oscuras, la escalera era un hueco sin ventanas. Él empezó a subir los escalones, agarrado al pasamano para no caer, pero Jess lo tiró hacia atrás, lo empujó contra la pared y lo besó. Enseguida estuvieron enredados el uno en la otra, fundidos en un abrazo eléctrico que lo oscurecía todo: el espantoso suicidio de Sedge, los guardias de prisión buscándolos. Solo estaban ellos dos, Mike y Jess, solos en una oscuridad inmensa.

Por mucho que quisiera quedarse, no se podían arriesgar a ello. Tomando la mano de Jess, la condujo escaleras arriba, a través de la oscuridad, hasta que llegaron a la puerta de la azotea. Estaba controlada por una alarma. Por la caja de metal sobre el cuadro de luces y el tirador de barra de la vieja escuela, supo que se trataba de un sistema anticuado, instalado probablemente a mediados del siglo XX. Había muchas probabilidades de que la cosa no funcionase en absoluto. Puede que pasara lo mismo que con el resto de esta ala: abandonada para que se deteriorase hasta que algún burócrata aprobase su demolición. Quizá podían salir por ahí y probar suerte en la azotea.

Sin embargo, si sonaba la alarma, no habría dónde esconderse. Todos los guardias de la prisión conocerían su localización. De momento, contaban con el beneficio de la oscuridad.

Tenían la ventaja de encontrarse en un lugar seguro, escondidos, con poco tiempo para planear una huida. Aunque resultaba tentador correr hacia la noche y probar suerte, prefirió esperar. Siempre que quedaba atrapado en un punto difícil, se detenía para analizar a fondo el problema, estudiar las probabilidades, poner en práctica un plan sólido.

Pero mientras consideraba sus opciones, Jess abrió la puerta de una patada y corrió hacia la azotea. Él la siguió hacia la noche estival, esquivando un viento fuerte. Las alarmas sonaron por toda la prisión y levantaron ecos por toda la instalación. Los focos recorrieron los edificios, buscando. Ahora no había tiempo de planificar la huida. Todas las opciones que tenían hacía solo unos segundos se habían reducido a una: tenían que salir de la azotea. Su camino se había transformado de un puzle a un juego de azar. Estaban a merced de la suerte.

Jess no dudó, sino que corrió directamente hacia el extremo más alejado de la azotea, sorteando una pista de obstáculos de aires acondicionados industriales conectados mediante tubos de aluminio, como si esperase encontrar una vía de salida. Brink contemplaba sorprendido el cambio que se había producido en ella. La perspectiva de escapar la había transformado por completo. Habían desaparecido los temblores, la presa aterrorizada, y en su lugar había una mujer que ansiaba la libertad.

—¡Michael! —Le gritó, haciendo un gesto para que se reuniera con ella al borde de la azotea—. ¡Sígueme!

Su corazón se detuvo por el sonido de su voz, tan cercana a la voz de su sueño. Todo —el eco de las alarmas, los focos, la red de los guardias de seguridad que se iba cerrando— desapareció y estaban juntos en un bosque en otro mundo. *Sígueme*. Él la seguiría a través de laberintos, bosques y mazmorras, habitaciones de hotel y prisiones. La seguiría a través del tiempo y del espacio hasta los límites más extremos de la cordura. Fuera donde fuere que lo condujese, él la seguiría.

Pero cuando llegó a su lado al borde del precipicio de la azotea, supo que no había escapatoria. Era una caída pronunciada, seis pisos hasta el suelo de hormigón. Aunque, por algún milagro, consiguieran bajar, había un ejército de guardias y un grueso muro de ladrillo, con todas sus volutas de alambre de espino, que les estaban esperando. Estaban atrapados.

Mirando hacia abajo, al patio, Jess dijo:

—Míralos: cosas pequeñas y débiles revoloteando.

—Volvamos —anunció Brink, agarrándola del brazo—. Encontraremos otra manera de salir. El ala antigua tiene…

—No hay otra salida —anunció, liberándose de su mano y acercándose al borde de la azotea. Muy pronto no iba a haber nada entre ella y una caída—. No te preocupes, mi amor —lo tranquilizó, mirando hacia atrás, sus ojos llenos de determinación—. Te volveré a encontrar. —Y con eso Jess Price pasó por encima del borde.

Él había anticipado lo que iba a hacer y saltó detrás de ella antes de que cayese, agarrándola del mono con las dos manos, hundiendo los talones en la azotea y tirando con todas sus fuerzas. Sus dedos resbalaron en la tela de poliéster, pero siguió agarrando. Cayeron sobre el techo a un metro del borde.

—¿Qué demonios estás haciendo? —exigió, frenético, intentando recuperar el aliento.

—No quiero seguir aquí —respondió—. Prefiero morir.

—No —susurró, el pulso latiéndole tan fuerte que su voz parecía poco más que un eco en un túnel del viento. Ella intentó ponerse en pie, pero Brink hizo que se agachase y la abrazó—. No te dejaré.

Ella se apoyaba en él y la calidez repentina de su cuerpo hizo que le atravesase un escalofrío de placer. Ahí estaba, una mujer real, su presencia elemental, tan sólida como un refugio de rocas contra el viento. Él la abrazó con fuerza y en ese momento nada —ni los guardias de la prisión, ni el estruendo de las alarmas, ni siquiera los secretos peligrosos que guardaba— podría hacer que la soltase. Sintió cómo a ella se le aceleraba el corazón; el latido era tan regular, tan fuerte, que fue necesaria su voz en su oído para liberarlo de ese ritmo hipnótico.

—Han venido a por nosotros —le dijo, señalando el cielo, sus latidos transformándose en las hélices giratorias de un helicóptero. Él levantó la vista; el Eurocopter estaba sobre ellas. Era una especie de milagro, una abertura en el laberinto que les ofrecía una última oportunidad de libertad.

Rachel abrió la puerta y, haciéndole gestos a Brink, lanzó una escala de cuerdas. Él deslizó el brazo alrededor de la cintura de Jess y, abrazándola con fuerza, agarró la escala y la subió hacia el cielo lleno de estrellas.

62

Mientras el helicóptero se alejaba de la azotea, Brink se hundió en el asiento, sobrecogido. La ametralladora de acontecimientos en la prisión lo había dejado anonadado y necesitaba detenerse un minuto, recuperar el aliento y analizar qué demonios estaba ocurriendo.

Se ajustó el cinturón de seguridad y miró a su alrededor. Jess estaba sentada a su lado, agarrándole aún de la mano, como si tuviera miedo de perderlo, y Rachel estaba en un asiento delante de él, esperando una explicación. Miró a Anne-Marie, sentada en la cabina. Se dio cuenta de repente de que Anne-Marie no sabía que Jameson yacía muerto en la prisión. Una oleada de repulsión le asaltó al recordar el suicidio de Sedge. Vio la Walther, oyó la explosión y sintió el impacto, oyó el golpe del cuerpo de Sedge al caer al suelo. Refregándose los ojos, deseó poder borrarlo de su memoria. ¿Cómo le podía decir a Anne-Marie que su compañero se había suicidado?

Anne-Marie pilotó el Eurocopter por encima de la copa de los árboles, deslizándose hacia la oscuridad, con el ronroneo constante de los propulsores pulsando a su alrededor. Inclinándose hacia la ventanilla, Brink contempló cómo se alejaba la prisión. Desde la distancia se percibía un carnaval de movimientos. Una caravana de luces azules y rojas ardía a través de la oscuridad al llegar a la prisión los coches patrulla. Una ambulancia estaba detenida en la entrada, esperando. Podía ver guardias en el patio contemplando el circo que se estaba montando. Brink había provocado el caos en toda la instalación.

Le recorrió una sucesión de emociones: alivio de haber conseguido salir, pero también la certeza terrible de que la policía iba a ir detrás de él. Qué había dicho Vivek Gupta: *Todo lo que digas puede y será usado en tu contra*. Y lo que acababa de cometer no era un crimen menor. Sacar a una presa de la cárcel no era el tipo de cosas que te fueran a perdonar. Los imaginó registrando su apartamento, llamando a sus colegas, quizás incluso encontrando a su madre en Francia. Realmente no había ninguna defensa para lo que había hecho. Había ayudado a una asesina condenada a huir de una prisión estatal. No había manera de negarlo. Si lo atrapaban, iría a la cárcel.

Rachel, al notar su alarma creciente, se inclinó hacia delante y le dijo:

—No se preocupe, Mike. Todo esto estaba planeado.

Brink empezó a interrumpirla —tenía cientos de cosas que explicarle, lo más urgente sobre el suicidio de Jameson, que seguramente no formaba parte del plan de nadie—, pero Rachel levantó la mano, deteniéndole.

—Escuche y tendrá sentido —le aseguró, apartando el cabello de sus ojos—. Lo estaba esperando en el Jeep frente a las puertas de la prisión cuando recibí una llamada de Anne-Marie. Me explicó que estaba de camino a Ray Brook. Tenía que detener a Jameson, que estaba yendo hacia la prisión.

Brink empezó a decirle lo que había hecho Jameson Sedge, pero Rachel no se calló.

—Después de la emboscada de Cam en el Jeep, Anne-Marie voló con Jameson y Cam de vuelta al complejo, donde pasaron el círculo a través de varios programas informáticos, como había predicho Vivek Gupta. Jameson encontró lo que estaba buscando en el círculo y decidió seguir adelante con su plan.

—¿Qué plan? —preguntó, estudiando de cerca a Rachel, su estómago agarrotado porque sabía que ahora se habían acabado todos los planes para Jameson Sedge.

—Eso es exactamente lo que quería saber —reconoció—. Anne-Marie me dijo que Jameson se había estado preparando para este momento durante décadas. Con el código del círculo de Abulafia, podía completar la tecnología que había estado desarrollando a través de Singularity. Intenté que Anne-Marie fuera más concreta, pero solo me dijo que todo empezó cuando Jameson era un niño. En un momento de debilidad, su tía Aurora le mostró a Violaine. De alguna manera aludió al poder de la Shem HaMephorash. La experiencia cambió su vida. Intentó conseguir más información de Aurora, pero ella se cerró en banda. Él se integró en un colectivo clandestino de futuristas y transhumanistas que creían que los antiguos métodos esotéricos se podían combinar con la tecnología para crear la vida eterna. Dedicó su riqueza personal a la investigación y generó las condiciones para su propia inmortalidad.

—Pero eso no tiene sentido… —empezó Brink, que tenía la necesidad de explicarle lo que había presenciado. No era posible que Jameson Sedge estuviera persiguiendo la inmortalidad. El hombre se acababa de suicidar.

—Déjeme terminar —lo cortó Rachel, levantando la voz por encima del ruido del helicóptero—. Sus ideas sobre la inmortalidad no eran aquello que pensamos habitualmente cuando imaginamos la vida eterna. Ni un elixir idiota ni un cuerpo biónico. Según Anne-Marie, durante las últimas décadas, Jameson estableció una red de *blockchain* muy compleja e inalterable que podría registrar y almacenar cada elemento de su yo neurológico y psicológico. No se trata de una red normal. Está controlada por un ordenador cuántico desarrollado específicamente con ese propósito. Incentivó la red a través de criptomonedas, ofreciendo miles de millones a los que verificasen, mantuviesen y asegurasen sus datos. Reunió las tecnologías más avanzadas de todo el mundo para ir expandiendo esta red. Con la informática cuántica, puede cargar superposiciones de sus datos en cualquier momento desde cualquier sitio. Para siempre.

—Pero, aunque eso fuera posible y hubiera encontrado la manera de almacenar cúbits de datos sobre sí mismo, no sería real. Sería…

— … inteligencia artificial —concluyó Rachel—. Eso es exactamente lo que estoy diciendo. Anne-Marie me explicó que ahí era donde Jameson se había quedado atascado: no sabía cómo estructurar la red para codificar la vida de verdad. Durante años ha podido desarrollar simulaciones de sí mismo que parecían reales, pero que no tenían la autonomía, o la complejidad, de su conciencia viva. Ese problema quedó resuelto con la Shem HaMephorash de Abulafia. Contenía una tecnología antigua, la tecnología original, de la creación. Y como nos mostró el Dr. Gupta, guardaba un código que, cuando se abría a través de un ordenador cuántico, capturaba la superposición no binaria de la conciencia. Después de que Cam nos quitara el manuscrito de Abulafia en la autovía, Sedge pudo incorporar el código a su programa. Todas las piezas encajaron. Puso en marcha la descarga inicial y todo estuvo preparado. Lo último que le quedaba por hacer era entrar en la red.

—¿Y cómo podía hacerlo?

Rachel suspiró, claramente perturbada.

—Tenía que morir —respondió—. Por eso acudió Anne-Marie a la prisión. Para evitar que se suicidara.

Él miró a Anne-Marie en la cabina, sorprendido de que conociera los detalles del plan de Sedge y aun así lo hubiera ayudado. En la superficie, parecía tan racional.

—Pero ella lo ayudó en todos los pasos del camino —le recordó—. ¿Por qué detenerlo al final?

—Es cierto, lo hizo —reconoció Rachel—. Pero cuando se dio cuenta de que realmente estaba dispuesto a hacerlo, comprendió que no valía la pena. Sacrificarse por una idea es una cosa en la teoría y otra bastante diferente cuando llega el momento de apretar el gatillo. No pude sacarle nada más, excepto que había convencido a Cam Putney para que detuviera a Jameson y él estuvo de acuerdo.

—Pero no lo detuvo —intervino Jess—. Jameson Sedge está muerto.

Rachel miró de Jess a Brink.

—Esto es aún más terrible de lo que había imaginado.

El horror de la muerte terrible de Sedge lo había conmocionado, pero aun así Brink sintió una sensación de alivio apabullante. Había terminado. La amenaza que suponía Jameson Sedge había desaparecido. Aunque Jess volviese a la cárcel, no la vigilarían. No la amenazarían. Brink apretó la mano de Jess. Ella había pasado por algo terrible, pero la muerte de Sedge la había liberado. Ahora tenían que ocuparse de Lilith.

63

Anne-Marie aterrizó en una pista de hormigón construida en medio del bosque. Bajaron del helicóptero y anduvieron hasta el tejado en voladizo. Rodeados por el bosque vasto y sombrío, Brink describió todo lo que había ocurrido en la prisión. Le explicó a Anne-Marie cómo Cam había intentado detener a Sedge y cómo había fracasado. Mientras lo asumía, Anne-Marie miró hacia los árboles interminables. Solo el día antes había estado con Jameson en esa misma cubierta, hablando sobre *un país sin descubrir del que no regresa ningún viajero*. Ahora Jameson Sedge se había ido y Brink no podía dejar de sentir que era una tragedia.

—Jameson no tenía miedo de nada —dijo Anne-Marie, limpiándose las lágrimas de los ojos—. Pero morir le aterrorizaba. Por eso necesitaba tanto a Cam Putney. No creía que lo pudiera hacer solo. Estaba tan seguro de su plan, pero aun así sé que su mayor temor era que estuviera equivocado. Tenía más sentido finalizar el plan aquí, en el complejo. Pero tenía que verla —dijo, mirando a Jess—. Tenía que verificar que el círculo fuera el mismo. Nunca pensó en que se pudiera equivocar o que no lo recordase.

—No me equivoqué —aseguró Jess—. Lo que me mostró era el mismo círculo que encontré con Noah.

—Eso lo debió *tranquilizar* —reconoció—. Nadie creía en Jameson más que yo, pero al final, sabía que estaba tan obsesionado que no podía ver la realidad. No existe nada parecido a la inmortalidad, sin importar la potencia de la tecnología que la fundamente. Sabiéndolo, convencí a Cam para que no obedeciera las órdenes de Jameson. Me prometió que no lo haría.

—Mantuvo esa promesa —le aseguró Jess.

—No sé por qué debería importar, pero importa —dijo Anne-Marie—. Jameson decidió morir. Por muy errónea que fuera dicha elección, fue la suya. —Dentro, empezó a sonar una línea fija. Les hizo un gesto para que entrasen, los siguió y descolgó el teléfono—. Iré ahora mismo —anunció, sosteniendo el teléfono entre el hombro y la oreja—. Tengo que responder.

La casa de Anne-Marie estaba exactamente igual a como la había dejado el día anterior: la mesa puesta para tres, la capa de aceite de oliva brillante en el cuenco de pasta, un culo de vino en las copas de cristal, servilletas de tela arrugadas por el uso. Pero, aun así, todo había cambiado. Jameson Sedge estaba muerto. Jess Price estaba a su lado. Había encontrado el Puzle de Dios y había descubierto sus secretos. Y ahora había llegado el momento de terminarlo todo.

Después de lo que habían pasado en la prisión, se sentía más cerca de Jess que nunca. No podía evitar temblar de placer ante el recuerdo de su encuentro en la escalera. Todo lo que había sentido en el sueño lo había descubierto de nuevo en sus brazos. Aun así, no podía descifrarla. Ella era como la luz blanca que pasa a través de un prisma, su esencia explotando en una variedad de colores, cada uno cambiante. En un instante era un acertijo, al siguiente una respuesta; en un instante quería salvarla y al siguiente ella era la única que lo podía salvar.

Encontraron ropa limpia en una sala de lavado al lado de la cocina. Jess se quitó el uniforme de la prisión y se puso una camisa Oxford de botones y un par de tejanos de Anne-Marie. Rachel había traído la ropa de Brink y él se cambió el uniforme de guardia de prisión. Mientras se vestía, se miró en un espejo. Estaba hecho un desastre. Una línea vertical le atravesaba el pecho, un gran moratón púrpura marcado por el cinturón de seguridad cuando volcó su camioneta. El corte encima de la ceja había formado una costra. Tenía los ojos inyectados en sangre, la piel pálida. Los últimos días lo habían dejado maltrecho y derrotado. Pero a pesar de todo, sentía una sensación extraña de optimismo, una ligereza que no había experimentado antes. Había pasado por un infierno y seguía en pie.

Metió el uniforme de guardia de prisión al fondo del cubo de la basura de la cocina antes de recorrer la casa. Ahora que sabía qué buscar, las pruebas del interés de Jameson y Anne-Marie por la alquimia estaban por todas partes: los rollos hebreos enmarcados que colgaban de la pared de la sala de estar, el gabinete de recipientes de porcelana, el cáliz dorado. Los había visto antes, pero le parecieron puramente decorativos. Había tenido la verdad delante de los ojos, pero era como mirar una imagen trucada. Al girarla hacia un lado la imagen se volvía nítida. Cambiabas el ángulo y aparecía otra imagen. Tenía la sensación de que Jess Price ofrecía una ilusión similar. Sus misterios solo se revelarían cuando hallase el punto de vista correcto.

De momento, lo seguía intrigando. Había sido tan fuerte en la azotea, pero cuando entraron en la sala de estar parecía tan exangüe, tan débil que no podía hacer nada más que derrumbarse en el sofá. La noche era cálida, pero aun así temblaba de frío. Brink encontró una manta de felpa y la tapó, después sacó madera de un cesto y encendió un fuego en la chimenea. Cuando terminó, se sentó a su lado.

Anne-Marie entró en la sala y colocó la maleta de cuero —la misma que les había quitado Cam Putney aquel mismo día— sobre la mesita. La abrió, dejando a la vista el manuscrito de Abulafia y a Violaine.

—Jameson y Cam dejaron esto en el sótano —explicó—. Rachel me ha dicho que lo necesitan.

—Sé que han pasado por mucho —dijo Rachel, mirando a Jess y a Brink—. Pero hay algo importante que tenemos que hacer.

—Será mejor que nos demos prisa —apremió Anne-Marie—. He recibido noticias de mi abogado. La policía ha localizado el helicóptero y vienen de camino.

—Entonces empecemos —anunció Rachel—. Necesito velas y un chal o una sábana pequeña. Un cuenco lleno de agua clara. Una toalla blanca. Un trozo de papel. Un cuchillo. Y vino tinto, si tiene. —Rachel estudió la mesita—. Un altar sería ideal, pero esto tendrá que servir.

Anne-Marie recorrió la casa y regresó con los objetos que le había pedido Rachel. Brink apagó las luces, de manera que la sala parpadeó con las llamas del fuego.

—Muchas gracias —se lo agradeció Rachel cuando Anne-Marie colocó el cuenco de agua delante de ella. Hundió las manos en el agua y después las secó con la toalla—. Necesitaremos silencio.

Rachel miró a Anne-Marie, que asintió y abandonó la habitación.

Al cerrarse la puerta del patio, Rachel se colocó un chal de seda sobre el cabeza, encendió una cerilla y alumbró las velas, colocándolas en las esquinas de la mesa hasta que la sala brilló. Entonces colocó a Violaine delante de ellos, abrió el manuscrito de Abulafia y se volvió hacia Jess.

—Este es el círculo de plegaria original —explicó Rachel—. Muy parecido al que descubrió en Sedge House, solo que mucho más antiguo. Tiene una historia complicada, que algún día le explicaré, pero lo que tiene que saber ahora es que el círculo que Noah y usted leyeron era una copia de este original. Y en dicha copia había un error.

—Rachel cree que el error fue responsable de lo que ocurrió —intervino Brink—. Y que, si lo corregimos, lo podremos deshacer.

—Es imposible deshacerlo —negó Jess—. Noah se ha ido.

—Tiene razón, por supuesto —reconoció Rachel, su voz suave—. Lo que tuvo lugar en Sedge House no se puede deshacer. Pero hay una posibilidad de que podamos evitar que ocurran más cosas terribles. Pero lo más importante de todo: si lo hacemos bien, quedará libre.

Jess reflexionó sobre eso.

—¿Me está diciendo que, si volvemos a hacer el ritual, esto puede parar?

Rachel colocó la mano sobre el brazo de Jess.

—No puedo prometer nada, pero sí, eso creo. No me arriesgaría si no creyera que tenemos una oportunidad.

Jess miró de Brink a Rachel y después bajó la vista a la muñeca.

—Si existe la más mínima posibilidad de acabar con todo esto, quiero intentarlo.

Rachel apretó la mano de Jess y se volvió hacia Brink.

—¿Puede reproducir de nuevo el círculo? —preguntó Rachel, mirando la muñeca.

Brink sacó el bolígrafo, arrancó un cuadradito de papel de su cuaderno y reprodujo el círculo exactamente como aparecía en el manuscrito de Abulafia. Rachel enrolló el cuadradito en un rollito diminuto, abrió el compartimento en la nuca de la cabeza de la muñeca y sustituyó el rollo antiguo por el nuevo.

—Vengan, pónganse aquí —ordenó, acompañándolos al centro de la sala. Colocó la muñeca de porcelana en el suelo entre ellos, unieron sus manos y dijo—: Cuando estén preparados, empezaremos.

64

Rachel comenzó a hablar en un susurro, pero muy pronto su voz creció hasta llenar la sala. Cada palabra pronunciada con autoridad, sin dejar duda de que estaba al mando. Brink repitió las palabras, imitando su pronunciación lo mejor que pudo, la sucesión de sonidos duros y guturales creando filamentos de color en su mente. Al principio le costó, pero después las palabras lo dominaron, el ritmo lo empujaba. Bajó la mirada hacia la muñeca de porcelana tendida bajo la débil luz de las velas —su cabello castaño y brillante, la salpicadura de pecas en las mejillas, las pestañas oscuras— y sintió un escalofrío de fascinación y repulsión. Parecía real, tan real que casi podía creer que esa criatura, bajo las circunstancias adecuadas, podría cobrar vida.

Pero no lo hizo. No se produjo un huracán de energía, ni un estallido de electricidad. Ninguna sensación de ser engullido por un torbellino. Nada. Y empezó a pensar que era exactamente lo que había sospechado: todo esto era imposible. Lo que ocurrió en Sedge House fue el resultado de un cóctel trágico de imaginación y alcohol. El tiempo era malo, se había ido la electricidad y todo adquirió un giro siniestro. Jess despertó y se encontró con un hombre muerto tendido en un charco de sangre. La realidad era que no tenían manera de saber qué había pasado realmente. Jess lo había olvidado, dejando que la verdad fuera tan inalcanzable como una moneda en un pozo hondo. Los hechos eran los hechos y resultaba ridículo pretender lo contrario. Había llegado el momento de detener la farsa.

Pero entonces ocurrió algo. Al principio solo fue un cambio en el aire, una vibración casi imperceptible en la atmósfera, una presión tan sutil que podría no haberse dado cuenta si Jess no le hubiera apretado la mano, señalando que ella también lo sentía. Las velas parpadearon y el olor a ozono —quemado y eléctrico, pero aun así extrañamente fresco, como una tormenta— colmó la sala. Entonces, de repente, un relámpago de fuego llenó su visión y el mundo desapareció.

Estaba cayendo. Cayendo y cayendo se desplomaba a través de una oscuridad sin fondo. Golpeó el suelo, con dureza, expulsando el aire de sus pulmones. Poniéndose en pie, se encontró en una mazmorra. El techo de ladrillos era abovedado, el suelo duro, lleno de suciedad, el aire espeso por la humedad. Delante, antorchas iluminaban las celdas llenas de prisioneros harapientos. Lo llamaban, haciéndole gestos para que se acercara, agitando los puños, pronunciando su nombre. Al final del pasillo, Jess esperaba en una celda. Tenía el cabello largo y enredado y llevaba un vestido rojo que relucía con el brocado.

—Finalmente has venido —le dijo—. Abre la puerta. —Hizo un gesto hacia un gran barril de roble lleno de manzanas—. Ahí están las llaves. Date prisa. Elige una.

Había cientos de manzanas. Metió la mano en el barril y las manzanas se convirtieron en metal frío. Llaves viejas y nuevas, llaves grandes y pequeñas, de bronce, de oro, de plata. ¿Cuál escoger? ¿La llave del ático? ¿La llave del acertijo? *Thus we eat red apples, every wonderful kind.*[11] Todas las preguntas y todas las respuestas se reducían a esta única elección. Pink Lady, Hokuto, Early Gold, Liberty, McIntosh. Si elegía correctamente, la liberaría de Lilith y, al hacerlo, se liberaría él mismo.

Antes de elegir, recordó: ya tenía la llave. La encontró en el bolsillo y encajaba en la cerradura. Un giro, dos. La puerta se abrió con un crujido. Al entrar, la celda se llenó de fuego. Había

---

11. Por eso comemos manzanas rojas, de todas las variedades maravillosas. *(N. del T.)*

abierto la puerta a un horno. Violaine yacía entre las llamas. Se empujó para ponerse de pie sobre las piernas inseguras, su vestido rosa relucía, mientras intentaba mantener el equilibrio. Quería algo de él, lo podía sentir. Alargó la mano hacia él, sus ojos verdes brillando por la luz del fuego. *Primero destruye al golem, después el círculo. Destrúyelos antes de que vuelva a ocurrir.* Rápidamente, sin pensar, Brink agarró la muñeca de porcelana por el pelo y lanzó a las llamas la obra maestra de LaMoriette.

La puerta de la celda estaba abierta. Jess recogió la falda con las manos, le ofreció una sonrisa de gratitud y corrió.

Él corrió detrás de ella, intentando alcanzarla. Era rápida, antinaturalmente rápida. La vio al final del pasillo, pero justo cuando se acercaba, desapareció. La siguió, obligándose a ir más rápido, pero ella siempre estaba por delante. A través de una puerta entró en un bosque espeso y perenne. Ella era tan veloz, sus pies desnudos volaban por encima de raíces y zarzas, recorriendo el sendero sinuoso, poco más que una sombra vacilante sobre los troncos de los árboles invernales.

Cuando la alcanzó, estaba sin aliento, sus músculos temblando por el esfuerzo. Ella estaba en un claro bajo un cielo frío y gris, su cabello largo y salvaje, sus mejillas rosadas por el frío. Una legión de árboles esqueléticos formaba un círculo alrededor de una gran losa de mármol, el altar. Un cuchillo con mango de hueso yacía a su lado.

Ella lo arrastró a un abrazo, besándolo apasionadamente mientras le arrancaba la ropa. Él se quedó desnudo bajo el clima helado, su piel sintiendo los pinchazos del frío, sus pies cortados por esquirlas de hielo. Ella lo besó por todas partes —el cuello y los hombros, el pecho, las rodillas, los pies—, como si lo estuviera ungiendo. Él se reclinó contra el altar cuando Jess lo tocó, para no perder el equilibro y se entregó a ella.

—Sígueme —le ordenó Jess, abrazándolo con fuerza—. Ya no hay que esperar mucho más.

El hielo crujió bajo sus pies cuando la alzó en sus brazos y la tendió sobre la fría losa de mármol. Ella intentó liberarse, pero él la mantuvo tendida y capturó una muñeca, después otra, con grilletes de metal. Cuando alargó la mano en busca del cuchillo, oyó la voz de Rachel en la distancia. Él pronunciaba las palabras que decía ella y de repente todo cambió. El viento se calmó. El hielo se derritió. Jess ya no estaba allí. En su lugar había una mujer tan radiante, tan hermosa, que él dio un paso atrás, como si se apartara de un fuego salvaje. El calor llenó su cuerpo y el mundo desapareció. Se estaba deslizando hacia el fuego, tirado por su gravedad. Agarró el cuchillo, sintiendo el frío mango de hueso en su puño, y hundió la hoja en el pecho de Lilith.

Cuando abrió los ojos, creyó, durante un segundo terrible, que los acontecimientos de su sueño eran reales. La muñeca de porcelana estaba en la chimenea, chamuscada y rota, y Jess yacía en el sofá de cuero, con la misma postura que había tenido en el altar. Su camisa estaba rasgada, sus ojos cerrados y había una palidez en sus mejillas que le alarmó. Sintió una oleada de pánico: nunca había considerado el peligro para Jess si el ritual funcionaba. Si la había herido, nunca podría perdonarse.

Pero cuando se sentó a su lado, ella se lanzó a sus brazos y supo que sus temores eran infundados. Jess estaba a salvo.

—Lo hicimos —susurró Jess, mientras él la abrazaba—. Ha terminado.

65

La policía se llevó primero a Jess. Ella no luchó ni se resistió. Cuando la interrogaron, respondió con voz neutra, sin emoción, dando la información que le pedían, y fue voluntariamente hasta el coche, mirando atrás solo una vez, para sonreírle a Brink.

El abogado de Anne-Marie apareció menos de diez minutos después de la llegada de la policía y le pudo conseguir un poco más de tiempo. Argumentó que no tenían ninguna razón para detenerla, pero el helicóptero aparcado detrás de la casa era una prueba irrefutable de la implicación de Anne-Marie en los acontecimientos que habían sucedido en esa instalación penitenciaria del estado de Nueva York, por lo que la esposaron, le leyeron sus derechos y se la llevaron.

Cuando la policía se volvió hacia Brink, Rachel llevó el peso de la conversación. Dijo que eran amigos de Anne-Marie, que los había invitado a su casa y que no tenían ni idea de en qué estaba implicada, pero que estaban dispuestos a ayudar en la medida de lo posible. Señaló el manuscrito que se encontraba sobre la mesita y les explicó que era la obra de arte cuyo robo había denunciado la Morgan Library. Entonces los condujo hasta la pared con los rollos hebreos enmarcados y denunció que habían sido robados de un museo israelí hacía unos años. Al cabo de diez minutos, pasó de sospechosa a aliada. Brink lo contemplaba todo, maravillado. Con su voz tranquila y su autoridad innegable, sus gestos firmes pero educados, desarmó a la policía con la misma eficacia que había desarmado a Jameson Sedge.

Al final, los policías no sabían qué hacer con Brink. No estaban buscando a nadie que encajase con su descripción. Fiel a su palabra, John Williams había desactivado las cámaras y no se había captado ni circulado la imagen de Mike Brink. Según lo que sabía todo el mundo en la prisión, había sido un guardia novato en su primer día de trabajo. Aunque la policía tomó nota de su nombre e información de contacto, no tenían ni idea de que hubiera estado en la prisión. Tomaron fotografías del manuscrito de Abulafia, lo sellaron en una bolsa de plástico, volvieron a su coche y se fueron.

Sin la presencia de la policía, Rachel se acercó a la chimenea y levantó la muñeca quemada de las cenizas. El recipiente de porcelana y los ojos cristalinos estaban carbonizados y cuando abrieron el compartimento secreto, el rollo había quedado reducido a cenizas. Rachel limpió las cenizas y las metió, junto con el golem, en una bolsa de basura, la ató y se deshizo de ella.

Brink quería ayudar a Rachel, pero cuando entró en la cocina, se sintió mareado. Se aferró a la isleta cubierta de mármol para no caer. El Dr. Trevers le había advertido que podía experimentar desequilibrios químicos en situaciones de estrés y los últimos tres días habían sido una presión sin parar. No había dormido o comido en Dios sabe cuánto tiempo. No era sorprendente que se tambalease.

—¿Se encuentra bien? —preguntó Rachel, evidentemente preocupada.

—Estoy un poco alterado, supongo —respondió—. Todo esto ha sido… salvaje.

Rachel puso la mano sobre su brazo.

—Siéntese —ordenó, sacando un taburete de la isleta de la cocina. Tomó un vaso, lo llenó de agua y se lo llevó. Él se lo bebió de un solo trago largo—. ¿Me puede explicar qué es lo que acaba de ocurrir? —preguntó Rachel.

Era imposible expresar la intensidad, la pura potencia emocional de lo que había vivido. ¿Cómo podía comprender nadie que no lo hubiera experimentado que sus sueños eran mucho más reales que la realidad? Pero recordaba cómo Rachel le había hablado de su fe y sabía que —con su capacidad para creer en cosas que muchas personas, incluido Brink, considerarían difíciles de digerir— podía ser la única persona que le pudiera ayudar a comprender.

—No creo que se lo pueda explicar a nadie más que a usted —respondió, sopesando sus palabras—. Desde el día que conocí a Jess Price, he estado experimentado... ni siquiera sé lo que son... sueños, supongo. Pero son mucho más vivos que los sueños. Son como la realidad, solo que magnificada miles de veces.

Rachel tomó su vaso, lo volvió a llenar de agua fría y lo contempló mientras él bebía otra vez. Entonces se sentó a su lado en la isleta, tomó una copa de vino y se sirvió los restos de la botella.

—¿Qué ocurre en los sueños?

—Pasan diferentes cosas —contestó—. Aparezco en un banquete, o en una habitación de hotel en Italia, o en un bosque. Pero siempre con Jess.

Rachel hizo girar el vino en la copa, tomó un sorbo y la dejó.

—¿Y en estos sitios solo están Jess y usted?

—Los dos, juntos, sí —respondió.

—Perdóneme por entrar en un tema personal, pero ¿sus sueños son de naturaleza sexual?

Brink asintió, sintiendo cómo se le enrojecían las mejillas. Si ella supiera.

—No tiene que sentirse avergonzado —lo tranquilizó con una sonrisa—. Al fin y al cabo, Lilith es una súcubo. Domina a través de la conquista sexual. ¿Ha tenido una de esas experiencias oníricas justo ahora, en la sala de estar, durante el ritual?

Él asintió de nuevo.

—Y lo que es aún más extraño es que algunas de las cosas que ocurrieron en el sueño también tuvieron lugar en la vida real —le explicó—. Lancé la muñeca a las llamas en el sueño. Y cuando desperté, estaba achicharrada. Vi marcas en la piel de Jess en un sueño y después aparecieron en su brazo en la prisión. Pero otras cosas —pensó en el cuchillo con mango de hueso, cómo lo había hundido en el corazón de Jess a través de su esternón— no se tradujeron a la realidad.

—Eso es porque sus experiencias no son sueños —explicó—. Son reales.

—Pero eso no es posible —negó, intentando comprender su sentido—. Esas cosas ocurrieron mientras estaba dormido. Estaban en mi cabeza.

—Es posible que sea cierto —reconoció—. Pero eso no significa que no sean reales. Lilith, como todas las inteligencias divinas, se mueve a través de la conciencia humana. Esa es su dimensión y es tan real como esta. Solo porque no la pueda ver, no significa que no exista. Y no significa que lo que hizo en ese otro mundo no tenga consecuencias en este.

Brink respiró hondo, intentando sortear sus sentimientos contradictorios. Los propios cimientos de lo que era y de lo que sabía que era verdad le decían que eso era imposible. Pero había estado allí. Sabía que conocía a la mujer en sus sueños. La había tocado, había hablado con ella. La había matado con sus propias manos.

—Lilith se ha ido, ¿verdad? —preguntó finalmente—. Por favor, dígame que el ritual ha funcionado.

—Por la reacción de Jess, diría que sí —respondió Rachel, sonriéndole—. Y el recipiente por el que entró, Violaine, ha desaparecido definitivamente. —Bebió el resto del vino y apartó la copa—. Pero a lo que no hemos respondido es por qué era usted su objetivo. —Rachel se puso la mano en la barbilla, mirando a Brink a los ojos—. He estado pensando en lo que el Dr. Gupta dijo sobre la secuencia binaria en el borde del círculo de Abulafia. Dijo que podría haber otra solución, un mensaje incrustado en el código. Creo que tiene razón. Existe otro aspecto de esto, uno que corresponde al significado y al propósito originales de la Shem HaMephorash. ¿Sigue conservando la copia que hizo?

Brink sacó el cuaderno, lo abrió por la copia que había dibujado y lo colocó entre ellos.

Rachel prosiguió:

—El círculo de plegaria de Abulafia era, como he dicho, una manera tanto de revelar como de ocultar lo sagrado. Fue creado para glorificar a Dios y para transmitir las letras ocultas del Nombre, mientras las protegía de los que las podrían utilizar mal. Tradicionalmente el Nombre está compuesto por las letras YHWH, el tetragrámaton. Eso no es ningún misterio. Es la colocación secreta de esas letras lo que Abulafia quería proteger, y esa disposición debe estar codificada en este círculo. —Aplanó el círculo sobre la superficie de mármol, estudiándolo—. Si me paso algunas horas investigándolo, es posible que lo pueda descifrar. Pero sospecho que usted lo puede hacer mucho más rápido.

Brink revisó el círculo, dejando que sus ojos se centraran en los cuadrados blancos y negros. En la secuencia binaria surgió un patrón y, de repente, allí estaba, delante de sus ojos: la solución.

—Tiene razón —reconoció—. Abulafia codificó algo aquí. Si mira el círculo, verá que cada parte tiene un propósito: el anillo de cuadrados blancos y negros forma una secuencia binaria, como nos mostró el Dr. Gupta. Pero los números, los radios y las letras hebreas también forman parte del puzle. Incluso la Estrella de David es esencial para resolverlo. Mire aquí. Si empieza en el norte, o en el número uno de la Estrella de David, queda entre dos cuadrados, significando una unidad de dos. Siguiendo los puntos de esta manera, conseguimos doce unidades de números binarios que se leen de esta forma: 001111, 000011, 011011, 100111, 111111, 110011, o los números 15, 3, 27, 39, 63, 51. Y cada uno de estos números en el dial representa una letra hebrea.

Tomó el bolígrafo y anotó seis letras hebreas en los seis círculos en el centro del cuadrado, para que Rachel viera: H Y G M H W.

Estudió a Rachel, buscando una señal de que lo entendía.

—¿Esta secuencia tiene algún significado para usted?

Rachel sonrió con un brillo de excitación en los ojos.

—Lo tiene, pero yo… yo no me lo puedo creer.

—¿Así que sabe lo que significa? —preguntó Brink con impaciencia. Era un momento difícil, una tortura deliciosa esperar por la solución. Normalmente era él quien tenía las respuestas.

—Creo que sí —respondió, sonriendo misteriosamente—. Estas seis letras son HEH, YOD, GIMEL, MEM, HEH, VAV.

—Pero esa no es una manera tradicional de deletrear el Nombre —afirmó Brink.

—No, no lo es. Y por eso es tan extraordinario. Existen pruebas de que el nombre original de Dios no era YHWH, sino que era conocido por los primeros rabinos como su inverso HW HY, pronunciado *HU-HI*. Uno de mis colegas ha escrito durante algún tiempo sobre este elemento del HaShem y hace algunos años incluso publicó un libro sobre ello. Su teoría, que es bastante controvertida en nuestra comunidad, es que HW HY era realmente el nombre verdadero y que su pronunciación era conocida por una élite educada. El círculo de Abulafia sugiere que eso es cierto, al menos en una época tan tardía como el siglo XIII. Se trata de una prueba extraordinaria de que HW HY es el deletreo verdadero del Nombre.

—Pero ¿eso qué importancia tiene? —preguntó Brink, intentando entender por qué Rachel estaba tan excitada por la inversión de unas pocas letras.

—Porque no se trata solo de los sonidos que representan, sino de su significado. HW HY en hebreo significa «ÉL-ELLA» —respondió Rachel—. Abulafia incluyó dos palabras adicionales, GIMEL y MEM, en hebreo «Y TAMBIÉN», entre ellas, lo que deja totalmente claro que el verdadero NOMBRE significa «ÉL Y TAMBIÉN ELLA».

Brink miró el círculo, pero seguía perdido.

—¿Dios es ambos?

—No exactamente —contestó—. Históricamente, en la tradición judeocristiana el Creador se ha caracterizado como una única deidad masculina. Pero según esto, el Creador es un Dios con dos géneros. Una deidad masculina-femenina. Ni Dios Padre. Ni Dios Madre. Sino Dios el Padre y también Dios la Madre, en un solo·ser.

Brink lo analizó e intentó comprender el significado del descubrimiento.

Viendo su confusión, Rachel continuó.

—Se trata de una revelación increíble que puede cambiar el mundo. La idea de que Dios es masculino es el cimiento principal de la tradición judeocristiana y el mensaje de Abulafia lo altera por completo. Viene mano con mano con lo que el Dr. Gupta nos mostró anteriormente sobre el código incrustado en el círculo de Abulafia. Se trata de una compresión no binaria, cuántica, de superposiciones. Y lo mismo pasa con Dios.

Brink se dio un momento para considerar todo esto. Si lo que Rachel decía era correcto y Dios no era ni masculino ni femenino, el Creador y la naturaleza cuántica del universo quedaban perfectamente alineados.

—Esto tendrá un impacto enorme en las creencias religiosas —reconoció.

—La verdadera naturaleza de Dios tiene implicaciones mucho más allá de la religión —replicó Rachel, su voz llena de la excitación del descubrimiento—. La posición de Dios como una deidad masculina todopoderosa es imitada en la sociedad, fundamentándolo todo, desde las jerarquías religiosas hasta los paterfamilias. Pero si Dios tiene dos géneros, socava todo esto. Desestabiliza los cimientos más profundos de los roles de género. Hace que las jerarquías masculinas en la política, en la religión y en la sociedad… y las estructuras patriarcales en general… sean ilegítimas. Significa que usted y yo, un hombre y una mujer, solo somos fragmentos de lo divino, mientras que las personas de género fluido… aquellas que tienen atributos tanto masculinos como femeninos… son el reflejo más perfecto de Dios.

Brink miró el Puzle de Dios, intentando asumir el alcance de su significado y las repercusiones que tendría para las estructuras incrustadas en la religión y en la sociedad.

Pero, aunque comprendía la importancia del mensaje de Abulafia, no conseguía entender cómo estaba relacionado con él. Finalmente, preguntó:

—¿Tiene alguna teoría de por qué esto me ha ocurrido a mí?

—En realidad, sí —respondió Rachel, mirándolo a los ojos—. He pensado bastante en ello y creo que usted es en parte culpable de lo que ha sucedido.

—¿Yo? —preguntó, sorprendido y perplejo por la acusación—. ¿Cómo?

—Hay una historia del Midrash que siempre me ha gustado —respondió—. Trata de Lailah, el ángel de la concepción. Lailah, según la historia, otorga a los bebés la totalidad del conocimiento en el vientre. Después, cuando el bebé nace, Lailah presiona los labios del infante y lo olvida todo. La historia presupone que todo el conocimiento existe, que no lo adquirimos, sino que recolectamos lo que hemos perdido a medida que envejecemos. Quizá su lesión le ha permitido penetrar en lo que supimos en su momento antes de nacer.

—¿De qué manera? —preguntó Brink, sin estar seguro de que le gustase la dirección que había tomado el tema.

—Su lesión cambió algo esencial en su cerebro. Adquirió habilidades extraordinarias en áreas de las que no sabía nada con anterioridad. ¿Pero y si esas habilidades no son más que la punta del iceberg? ¿Y si puede acceder a conocimientos aún más grandes?

—¿Qué tipo de conocimientos?

—Del universo. De la realidad. De Dios. Mire lo que ha ocurrido esta noche. De alguna manera, fuimos capaces de conseguir lo que Abulafia, y otros muchos místicos, intentaron con tanto esfuerzo: usted fue más allá de los límites del mundo material. Se comunicó con otro reino.

Brink recordó la frase que había escrito LaMoriette: *Levanté el velo entre lo humano y lo divino, y miré directamente a los ojos de Dios*. ¿Su lesión le había permitido levantar el velo y ver qué había al otro lado? Si lo intentaba, ¿podía tener acceso a un conocimiento aún más grande? No lo sabía, pero la idea le excitaba y aterrorizaba.

—Si eso es cierto —dijo Brink con ligereza, intentando ocultar sus emociones contradictorias—, tengo un gran problema.

Rachel le devolvió la sonrisa y le apretó el brazo.

—Si es cierto, Mike, no existen límites para lo que podría llegar a hacer.

66

El nuevo juicio de Jess Price terminó con su absolución. El suicidio de Jameson Sedge y el discurso que pronunció en la prisión exonerando a Jess de cualquier delito, aportó nuevas pruebas al caso, y el testimonio de Anne-Marie lo respaldó. Ofreció una historia detallada de la lucha de Jameson Sedge con la enfermedad mental, que se inició en su infancia, con la muerte de su padre, y terminó con su trágico suicidio. Describió su obsesión con la inmortalidad y admitió que llevaba años preocupada por él. El jurado escuchó revelaciones alarmantes sobre la vigilancia de Jess en la prisión por parte de Sedge y su participación en la muerte de Ernest Raythe. John Williams testificó que Sedge afirmó, minutos antes de su suicidio, que Jess Price no era culpable de la muerte de Noah Cooke. Las pruebas de su implicación con un grupo de futuristas radicales que afirmaban que eran los herederos de los alquimistas cerraron la cuestión.

Brink no visitó a Jess durante los meses previos a su excarcelación. Los acontecimientos extraordinarios que habían experimentado lo dejaron muy tocado. Los había vivido de primera mano —los sueños vívidos, el ritual, el poder terrible del HaShem—, pero empezaba a dudar de sí mismo, cuestionándose sus recuerdos hasta que parecieron una especie de espejismo, brillante, reluciente e irreal. Empezó a ver a Jess Price y al Puzle de Dios como una serie de acontecimientos casuales en el patrón habitualmente ordenado de su vida. Dichos patrones eran fuertes, profundamente arraigados y no dejaban sitio para aberraciones inexplicables.

Pidió una cita con el Dr. Trevers, con la esperanza de que le ofreciera una explicación racional. Se vieron a través de una videollamada. Connie estaba sentada en su regazo, mirando fijamente la pantalla mientras Brink relataba sus experiencias. No explicó todo por lo que había pasado, solo la intensidad de los sueños y cómo habían dejado rastros en su memoria.

—Tengo que saber qué pasó —dijo— y si puede volver a ocurrir.

El Dr. Trevers reflexionó sobre ello. Finalmente, dijo:

—Usted sabe, por supuesto, que un trauma cerebral puede generar modulaciones irregulares de la serotonina.

—Desde luego —asintió Brink. Habían hablado sobre sus cambios de humor, su incapacidad para dormir, sobre todas las maneras para regular la serotonina a través de ejercicios y meditación—. ¿Pero todo eso qué tiene que ver con los sueños?

—En ciertas fases del sueño, se incrementa la modulación de la serotonina. Eso es normal. Pero con una modulación irregular, la serotonina puede inundar el cerebro, provocando experiencias anormales. Se ha descubierto que niveles altos de serotonina provocan en el cerebro experiencias similares a las de la psilocibina, que, por supuesto, genera alucinaciones psicodélicas. El resultado es una superpredominancia: una sensación de un significado profundo, percepciones ultravívidas y una conexión espiritual con el universo. Los receptores de tipo dos de la serotonina son responsables de dicho estado y, como sabe, sus niveles de serotonina son tremendamente erráticos. Después de una lesión como la suya, es casi seguro que aparezcan sueños de ese tipo.

—En los sueños —explicó Brink—, pude salir de mi cabeza por primera vez desde la lesión. No había puzles. Ni patrones. Solo yo. A veces todo parecía tan… real.

El Dr. Trevers lo meditó y dijo:

—Para nada soy un freudiano, Mike, y no dudo de que lo que sintió fue poderoso, pero su interpretación parece peligrosamente cercana a un deseo de que se cumpla. Quiere que su experiencia sea real, pero eso no significa que lo fuera.

Brink salió de la consulta sintiéndose mejor y durante un tiempo la explicación del Dr. Trevers lo tranquilizó. Era un alivio creer que todo había sido el producto de la química en su cerebro. Pero aun así había noches en las que se despertaba bañado en un sudor frío, apabullado por un ansia intensa de estar con Jess Price. Recordaba sus caricias, el entendimiento profundo que había sentido cuando estaba con ella, la conexión extraordinaria, y supo que tenía que volverla a ver. Una noche, después de yacer despierto durante horas pensando en ella, supo que había llegado el momento de tomar una decisión: ponerse en contacto con ella u olvidarla. Tomó su dólar Morgan de plata, lo equilibró sobre el pulgar y lo lanzó al aire. Cara, iría a Ray Brook; cruz, se olvidaría de todo el asunto. La moneda cayó de cruz. Debería haber relegado a Jess Price al pasado. Pero no podía. Tenía que verla. Así que de todas formas se puso en contacto con ella.

Jess fue excarcelada a finales de febrero cuando las Adirondacks estaban cubiertas de nieve. Con la ayuda de Thessaly Moses, Jess alquiló un apartamento en Brooklyn y Mike se ofreció a llevarla a la ciudad en su camioneta nueva. La recogió en la prisión la mañana de su liberación y la invitó a comer. Había investigado un poco y descubrió un restaurante rústico en lo alto de las montañas, un lugar cerca del bosque, de manera que podía soltar a Connie para que corriera. Conundrum hechizó instantáneamente a Jess, lamiéndole las mejillas en la camioneta y mostrando sus mejores trucos en el aparcamiento del restaurante. Se sentaron a la mesa con una vista de las montañas y Connie saltó al regazo de Jess, se enroscó y se durmió.

Pasaron dos horas hablando mientras comían hamburguesas y patatas fritas. Ella le preguntó sobre su vida antes de la lesión, sobre el MIT y sus próximas competiciones de puzles. Mientras hablaban, él se dio cuenta de lo mucho que había cambiado durante los últimos meses. Estaba segura de sí misma, feliz, su cabello brillante y las mejillas llenas de color. Thessaly le había dicho que, tras el regreso de Jess a Ray Brook, le había vuelto el apetito, corría por el patio de la prisión cada tarde y dormía toda la noche. Incluso había empezado a escribir de nuevo y, aunque no quería hablar sobre su obra, él comprendió que una parte esencial de ella había quedado restaurada. Había desaparecido toda la oscuridad que había albergado.

Pero, aun así, a pesar de su apariencia saludable, sabía que emocionalmente era frágil. Había tenido cuidado en no hablar del juicio, o de Sedge House, o de nada que pudiera perturbarla. Pero al terminar el almuerzo, Jess dijo:

—Lo único que quiero es olvidar que toda esta parte de mi vida ha existido. Pero sé que no olvidaré lo que has hecho por mí, Mike. Fue tan confuso y tan doloroso, pero saber que sigues aquí, que eres real, significa mucho.

Después de haber pagado la factura salieron a una tarde fría, riendo como viejos amigos. Habían pasado juntos por algo extraordinario y él se sentía cómodo con ella de una manera que raramente le ocurría con nadie. Pero amistad no era exactamente lo que quería. Como si le leyese la mente, Jess le tomó la mano y se la apretó. Una sensación eléctrica lo recorrió, deliciosa y excitante. Sintió la necesidad de acercarla y besarla allí y ahora, pero no quería incomodarla. Thessaly le había advertido de que la libertad podía ser apabullante para Jess y que necesitaría tiempo para acostumbrarse. No quería aumentar su confusión. Si alguien comprendía las dificultades de acostumbrarse a una vida nueva, ese era Mike Brink.

—Vamos a ver a dónde nos lleva esto —comentó, dirigiéndolo hacia la entrada de un sendero, el suelo moteado de nieve.

El sol se estaba poniendo y él se preguntó si no se deberían ir ya. Miró su reloj. Eran las 4:04 de la tarde. Cuatro más cuatro son ocho. Ocho no era un número perfecto, ni un número primo, sino normal, un número cuyo cuadrado era sesenta y cuatro y significaba, según diversas tradiciones, expansión. Ansiaba una expansión, por todo lo que no tenía, por conexiones, por amor y quizás esta fuera la oportunidad para conseguirla.

—Vamos —lo animó ella, sonriéndole pícara—. No he podido caminar de esta manera durante años.

Lo siguiente que supo fue que estaban subiendo juntos a través de un bosque oscurecido, la luz invernal moteando las hojas, una brisa fuerte y punzante tiritando a través de su abrigo. Soltó la correa de Connie, que subió saltando por el sendero, ladrando locamente por el diluvio de olores. El sendero ascendía trazando curvas, a través de las sombras de un bosque antiguo, donde los helechos cubiertos de hielo creaban paisajes geométricos y cristalinos: fractales inmensos, brillantes y prismáticos, entramados de telarañas llenos de color. El bosque estaba formado por una serie de patrones intrincados y siempre en evolución, que amenazaba con atraparlo en su red de complejidad, pero con Jess sosteniendo su mano, tenía los pies firmemente en el suelo y estaba protegido de las ilusiones de su mente.

Finalmente, llegaron al término del sendero. Una vista de las montañas se extendía bajo la débil luz de la puesta de sol, capa tras capa de cimas cubiertas de nieve. Se volvió hacia Jess para decirle lo aliviado que se sentía de que estuviera libre, lo maravillado que se sentía de estar con ella en el aire frío de las montañas, como había ansiado verla de nuevo, pero ella lo detuvo con un beso.

Él respondió instintivamente, acercándola, sintiendo su cuerpo contra el suyo. Durante un momento imaginó que estaban juntos en su mundo privado, la dimensión ultravívida donde todo podía ocurrir. El beso fue una prueba y reveló la verdad: había desaparecido el deseo terrible que casi lo había vuelto loco. En su lugar había ternura y vulnerabilidad, una necesidad profunda de comprenderla, un tipo completamente nuevo de conexión. Había vivido algo increíble con esta mujer y no quería perderla. Se sentía bien abrazándola, sólida, y con dicha solidez llegó una revelación: Jess no se parecía en nada a la mujer que había conocido en sus sueños. Era mejor.

67

Cam Putney estaba aguardando a su hija. Iban con tiempo para su vuelo y tenían más de una hora de espera. Jasmine no había almorzado, así que le dio veinte pavos y le dijo que fuera a buscar algo de comer en un Starbucks. No quería entrar con ella. El espacio era pequeño y estaba abarrotado. La gente, en general, le molestaba. Eso era lo que se había llevado consigo de su estancia en Ray Brook: un miedo a los espacios cerrados. Claustrofobia. Agorafobia. Se llamase como se llamase, siempre era lo mismo. Si lo metían en un lugar pequeño con un puñado de personas, quería salir de allí al instante.

Hubo que convencer a la madre de Jasmine para que diera luz verde a su viaje, pero Jasmine insistió e insistió, y finalmente Cam obtuvo el visto bueno. Las islas Caimán iban a ser un buen cambio del Nueva York oscuro y triste. Anne-Marie había dejado que se quedasen en su casa durante una semana, con un cocinero y todo lo demás, así que iban a estar la mar de cómodos. Cuando Anne-Marie insistió en que usase el jet de Singularity, se negó, pero después aceptó, dándose cuenta de que podía ser una experiencia única para Jasmine. Habían cambiado muchas cosas después de la muerte del señor Sedge, pero algo seguía siendo igual: lo hacía todo por ella. Cuidarla era lo único que seguía siendo lo mismo.

Aunque su última misión había terminado exactamente como quería el señor Sedge, le había fallado a Anne-Marie. Ella le había rogado que evitase que Jameson se suicidara. Y, aunque lo había intentado todo y no había apretado el gatillo aquella noche, no había impedido que Sedge agarrase la pistola.

El giro de los acontecimientos en la prisión había desconcertado a Cam. Como el señor Sedge había terminado el trabajo personalmente, no pudieron retener a Cam más de veinticuatro horas. Diez guardias de prisión habían presenciado el suicidio del señor Sedge y los diez testificaron que Cam había intentado evitar lo que ocurrió. No había nada de lo que acusarle, excepto haber entrado con un arma oculta en una prisión estatal, que los abogados de Anne-Marie consiguieron que se redujera a una multa.

El castigo real tuvo lugar en su cabeza. No podía dejar de ver la muerte del señor Sedge. El arma levantándose hacia su sien. El momento terrible entre el disparo y su derrumbe en el suelo. Y la sangre, tanta sangre. Le despertaban las pesadillas y eso no era lo peor. La pérdida del señor Sedge lo dejó a la deriva de una manera que no había estado nunca. A pesar de todo el dinero que había heredado, no sabía qué hacer con su vida. Se masajeó la nuca, recorriendo el triángulo que había simbolizado su entrada en el mundo del señor Sedge. Era rico y libre, pero no se sentía libre. Se sentía sin rumbo y abandonado.

El tiempo con Jasmine le ayudaría a centrar las cosas. Siete días de mar y sol, buena comida y el escocés del señor Sedge le ayudarían a planearlo todo. Hacer de padre era un buen comienzo. Podía compensar todos los años que había estado alejado. Jasmine no le dejaba que se preocupase por nada y eso era bueno para él.

—Calma, papá —decía cada vez que se empezaba a ofuscar, lo que, con el juicio de Jess Price y la insistencia de Anne-Marie en que estuvieran en contacto, ocurría con demasiada frecuencia. Con la ayuda de su hija, encontraría un plan para la siguiente fase de su vida.

Su excitación por el viaje era suficiente para hacerlo seguir adelante por el momento. Mientras el coche los llevaba por el asfalto y subían al jet, ella señalaba cada pequeño detalle: el logo de Singularity que era igual que su tatuaje, los asientos de cuero de lujo, el televisor de pantalla grande, el dormitorio con su cama de matrimonio, el baño y la ducha. Él había estado en el jet un puñado de veces, normalmente con el señor Sedge, pero algunas veces solo, y todo esto aún le seguía pareciendo sorprendente.

Al sentarse, sintió el zumbido de su móvil en el bolsillo trasero de los tejanos. Probablemente otra llamada de marketing. Las había estado recibiendo casi constantemente, una oleada de vendedores telefónicos y agentes de seguros. Supuso que su número, que no figuraba en ningún lado, estaría incluido en alguna parte en una lista. Pero cuando miró el teléfono, vio un mensaje de texto: *Lo llamaré en dos minutos, señor Putney. Responda. Se trata de su contrato.* Esto le sorprendió. El único contrato que tenía con alguien era el que había firmado con Singularity en 2011, su contrato ricardiano. Supuso que se habría cancelado con la muerte del señor Sedge. El albacea de su voluntad, un abogado que Cam no conocía, no lo había mencionado cuando se reunieron para hablar de su herencia. Tampoco lo había hecho Anne-Marie.

Cam se puso en pie, fue hasta la parte trasera del jet y se metió en el cuarto de baño para responder a la llamada. Jasmine, que no perdía detalle y que sabía captar el pulso de todos sus estados de ánimo, no necesitaba oírlo gritar a quien estuviera al otro lado de la línea. No estaba de ánimos para que lo atosigasen, pero era lo suficientemente curioso para responder a la llamada.

Era una videollamada. Apretó el botón para aceptarla y contempló, perplejo, que la pantalla se iba llenando y después se aclaraba para dejar ver el cabello rojo, la piel pálida fina como el papel y los penetrantes ojos azules de Jameson Sedge. Se le heló el corazón y casi dejó caer el teléfono. Allí, en la pantalla rectangular, estaba el hombre para el que había trabajado incansablemente, cuya generosidad había cambiado el futuro de su hija, cuya muerte había presenciado y no había evitado. Jameson Sedge lo miraba con un atisbo de diversión en los ojos.

—Señor Putney —lo saludó, el ceño fruncido de la manera que hacía siempre que se burlaba de él—. Parece totalmente sorprendido.

Cam se lo quedó mirando, aturdido, incapaz de hablar. Intentó respirar, pero sintió cómo se le agarrotaba el pecho. ¿Podría ser que el plan loco del señor Sedge hubiera funcionado? Todos los archivos se habían cargado, se habían arrancado todos los programas, las cuentas bancarias habían distribuido el dinero en los nodos de la red. Pero debía haber un error. El señor Sedge no podía estar vivo.

—Ese pequeño tropezón en la prisión casi nos cuesta todo —comentó, sonriendo ligeramente—. ¿Qué ocurrió, muchacho... tembleque?

La voz era la del señor Sedge. La cara era la del señor Sedge. Las palabras eran exactamente las palabras que habría usado el señor Sedge.

—Señor Putney —lo llamó—. Hable.

—No, señor —respondió—. Nada de tembleques.

—Lo he visto en muchas situaciones comprometidas —comentó la cabeza en la pantalla—. Nunca ha sido de los que se quedan paralizados, Putney.

Cam pensó en ello. Era cierto. Había matado a hombres con anterioridad y nunca había sido un problema. ¿Le podría decir la verdad? ¿Qué Anne-Marie le había rogado que no lo hiciera y que, en lo más profundo de su corazón, no podía matar al hombre que lo había salvado?

—Simplemente no pude —dijo al final, intentando encontrar las palabras para expresar la angustia que había sentido ante la pérdida del señor Sedge—. Después de todo lo que había hecho por nosotros... no pude. Señor.

—Bueno —dijo el señor Sedge con un atisbo de exasperación en el tono de voz—. No es necesario ponerse emocional. Ambos estaremos de acuerdo en que fue un error humano, un ataque de irracionalidad, al que nos hemos enfrentado y superado. No lo volveremos a mencionar. Pero escuche con atención, señor Putney:

eso no puede ocurrir nunca, nunca más. Usted es ahora mi cuerpo. Es mis manos, mis pies, mis entrañas. Aunque mi alcance es extenso, casi infinito desde dentro de la red, nunca volveré a degustar una comida, beber una copa de buen vino, abrazar a Anne-Marie. No podré arrebatar el arma de su mano y completar la misión por mí mismo. Ahora debe tomar las riendas o, por lo menos, cumplir las órdenes sin dudar. ¿Lo comprende, señor Putney?

—Sí, señor —respondió Cam. Y aunque a una parte de Cam le repelía el hombre pálido y sin cuerpo en la pantalla, también sintió que le inundaba una sensación de alivio, que eliminaba toda la ansiedad que había sentido desde la muerte del señor Sedge. La existencia de Sedge, por muy espectral que fuera, le ofrecía un objetivo. La misión no había acabado. Había trabajo por hacer. Estaba, una vez más, a su servicio.

—Totalmente claro, señor.

—Bien —asintió el hombre en la pantalla—. Porque hay mucho por hacer. Somos el futuro, y el futuro es largo, muy largo. De hecho, muchacho, hoy es el primer día de «para siempre».

NOTA PARA EL LECTOR

Los puzles de esta novela han sido creados con la ayuda de dos constructores brillantes, Brendan Emmett Quigley y el cuatro veces campeón mundial de puzles Hwa-Wei Huang.

Dimitris Lazarou ha diseñado el Puzle de Dios, que se inspira en los dibujos de Abraham Abulafia del siglo XIII. El editor de juegos de *The New York Times*, Will Shortz, ofreció información impagable sobre la vida y el trabajo de un maestro de puzles y me permitió visitar su casa para ver su biblioteca de acertijos. *The Name*, del rabino Mark Sameth, ha inspirado el misterio religioso en el centro de la novela.

AGRADECIMIENTOS

Muchas gracias a Susan Golomb, agente extraordinaria, por apoyar esta novela en todas sus fases. Muchas gracias a mi editora, la maravillosa Andrea Walker, por sus conocimientos y entusiasmo, y por mejorar mi obra en muchos aspectos. Todo el equipo de Random House me ha deslumbrado: Andy Ward, Rachel Rokiccki, Windy Dorestyn, Maria Braekel, Karen Fink, Katie Horn, Madison Dettlinger, Noa Shapiro, Caitlin McKenna y Kathy Lord. Muchas gracias, también, al equipo de Writers House: Maja Nikolic, Sofia Bolido y Madeline Ticknor, y a Sally Willcox de la 3A Artists Agency.

Estoy agradecida a muchas personas que me ofrecieron sus conocimientos, entre ellas Hannah Brooks, que me ayudó a comprender mejor la Cábala; Anne-Marie Richard, que compartió sus conocimientos sobre muñecas de porcelana; Adam Harr Horowitz, que me ofreció las claves de lo que ocurre en el cerebro mientras soñamos; y Brendan Emmett Quigley, que fue un recurso constante en todo lo referido a los puzles.

Un agradecimiento especial a mi grupo de escritores: Janelle Brown, Angie Kim, Jean Kwok, James Han Mattson y Tim Weed. También le doy las gracias a Briana Lee, Tom Garback, Madeline Wendricks, Tina Bueche, Dennis Donohue y Art y Leona DeFehr por su apoyo.

Finalmente, muchas gracias a mi familia, a la que le estoy agradecida todos los días.